Allemand
LE VOCABULAIRE

Jean Janitza †
Professeur à l'université Paris-III

Anne Larrory
Maître de conférence à l'université Paris-III

Gunhild Samson
Maître de conférence h. à l'université Paris-III

Avec la collaboration de
Karin Albert
pour les dialogues et la sélection des documents

@

Cet ouvrage de la collection Bescherelle est associé à des **compléments numériques** signalés au fil de l'ouvrage par le pictogramme @.
Tous les dialogues en tête des chapitres de la seconde partie sont ainsi proposés dans une version audio.
Pour y accéder, connectez-vous au site **www.bescherelle.com**.
Inscrivez-vous en sélectionnant le titre de l'ouvrage.
Il vous suffira ensuite d'indiquer un mot de l'ouvrage pour afficher le sommaire des documents audio.

Vous pourrez également utiliser librement les ressources liées aux autres ouvrages de la collection Bescherelle en allemand.

Coordination éditoriale : Claire Dupuis, assistée de Bénédicte Jacamon
Édition : Annette Lützkendorf
Préparation de copie : David Tarradas Agea, Bénédicte Jacamon et Verena Briggs
Correction : Bénédicte Jacamon
Illustrations : Bruno Conquet
Iconographie : Hatier illustration
Conception graphique : Marie-Astrid Bailly-Maître, Sterenn Heudiard, Sandrine Albanel & Nicolas Taffin
Mise en page : Ici & ailleurs

Typographie : cet ouvrage est composé principalement avec les polices de caractères Cicéro (créée par Thierry Puyfoulhoux), Scala sans (créée par Martin Majoor) et Sassoon (créée par Adrian Williams).

AVANT-PROPOS

→ Plusieurs années d'apprentissage de l'allemand ne permettent pas toujours de **comprendre et se faire comprendre en allemand**. Pour résoudre cette difficulté et répondre à ce besoin, le *Vocabulaire allemand Bescherelle* propose un ouvrage comprenant à la fois un *Lexique thématique* en 50 thèmes et un *Guide de communication* en 37 rubriques.

→ Riche de plus de 5 000 mots, le **Lexique thématique** présente tout le vocabulaire nécessaire pour communiquer dans la vie quotidienne. Chaque chapitre comprend le lexique du thème structuré en sous-thèmes. Les listes sont organisées en trois colonnes : dans la première, le mot, dans la deuxième, sa traduction, dans la troisième, quand c'est pertinent, une locution, un mot de la même famille, un synonyme, etc.
Les listes de mots sont complétées par un choix d'expressions *(Expressions)* ainsi que par des focus grammaticaux *(Notez bien)* ou culturels (titrés selon le thème).

→ Le **Guide de communication** propose 850 énoncés types, issus de l'observation des échanges de la vie quotidienne et classés par situations de communication.
Les rubriques de cette seconde partie débutent généralement par un dialogue dont la version enregistrée (par des acteurs germanophones à un rythme naturel) est accessible sur le site www.bescherelle.com.
Des blocs lexicaux et des focus sont également présents dans cette partie.

→ Chaque partie est associée à une **couleur différente**, que l'on retrouve dans l'index et les renvois internes. Cette organisation facilite une circulation rapide et efficace à l'intérieur des thèmes et des rubriques ; elle permet une lecture en continu aussi bien qu'une consultation ponctuelle.

→ L'objectif final de cet ouvrage est bien d'offrir à l'utilisateur tous les outils pour **mieux communiquer en allemand**, à l'oral comme à l'écrit.

PRÉSENTATION DES INDICATIONS GRAMMATICALES

Substantifs

■ Le **pluriel** est indiqué entre parenthèses.

die Frau (en)	**der Mann** (¨er)
se lit **die Frau** (sg.), **die Frauen** (pl.)	se lit **der Mann** (sg.), **die Männer** (pl.)

■ Une indication double (en, en) ou (n, n) signale un **masculin faible** (c'est-à-dire un substantif masculin prenant toujours la marque **-(e)n**, sauf au nominatif singulier).

der Mensch (en, en)
se lit **der Mensch** (nominatif sg.), **den/dem/des Menschen** (accusatif, datif, génitif sg.), **die Menschen** (pl.)

■ Une indication double (ns, n) signale en général un **masculin mixte** (prenant la marque **-ns** au génitif singulier et la marque **-n** à l'accusatif et au datif singulier ainsi qu'au pluriel).

der Name (ns, n)
se lit **der Name** (nominatif sg.), **den/dem Namen** (accusatif, datif sg.), **des Namens** (génitif sg.), **die Namen** (nominatif pl.)

■ Une indication double (e/s) signale l'existence de **deux pluriels possibles**.

der Balkon (e/s)
se lit **der Balkon** (sg.), **die Balkone/die Balkons** (pl.)

Verbes

■ L'**alternance de la voyelle du radical pour les verbes forts et mixtes** est indiquée entre parenthèses dans l'ordre **prétérit-part II-présent (2e et 3e personne sg.)**.

nehmen (a, o, i)
signale que le verbe **nehmen** modifie la voyelle du radical au prétérit **(nahm)**, au participe II **(genommen)** et aux 2e et 3e personnes du présent de l'indicatif **(nimmst, nimmt)**.

■ L'indication (ist) signale que **le verbe se construit avec l'auxiliaire sein** aux formes du parfait et du plus-que-parfait, l'indication (hat) qu'il se construit **avec l'auxiliaire haben**.

hüpfen (ist) **jdn/etwas treten** (a, e, i/hat) **wachsen** (u, a, ä/ist)

■ L'indication (ist, hat) signale que **le verbe se construit avec les auxiliaires sein ou haben**, en fonction de ses emplois. Un *Notez bien* explique généralement les différents emplois. En l'absence d'indication, le verbe se construit avec l'auxiliaire **haben**.

rudern (ist/hat) **nehmen** (a,o,i)

■ Entre parenthèses est indiquée également la **rection du verbe** lorsque le cas n'est pas visible.

sich (D) **etwas** (A) **an/sehen** (a, e, ie)	**jdm/etwas** (D) **schaden**
sich est au datif, **etwas** à l'accusatif	**jemandem** et **etwas** sont au datif

■ En l'absence d'indication, **etwas** ou **sich** sont à l'accusatif.

etwas beobachten **sich verhalten** (ie, a ä)

■ Dans les **verbes à préverbes séparables**, une barre oblique distingue les préverbes.

auf/wachsen

■ Les **adjectifs et participes substantivés** sont signalés en remarque (REM. adj. subst. ou REM. part. subst.). Pour ces entrées, aucun pluriel n'est indiqué, la forme de pluriel variant selon la déclinaison de l'adjectif.

Les indications grammaticales signalées en 1re colonne ne sont pas reprises en 3e colonne.

Sommaire

Abréviations et symboles utilisés

☞	mot ou expression apparentés
≠	ne pas confondre avec
2.	2e sens d'un mot
A	accusatif
adj. subst.	adjectif substantivé
adj.	adjectif
adv.	adverbe
All.	Allemagne
angl.	anglais
Ant.	antonyme
Autr.	Autriche
comm.	commun
comp.	comparatif
conj.	conjonction
D	datif
fam.	familier
fig.	figuré
G	génitif
geb.	geboren
inf.	infinitif
irr.	irrégulier
jdn	jemanden
jdm	jemandem
loc.	locution
part. II	participe II
part. subst.	participe substantivé
péj.	péjoratif
Phon.	phonétique
pl.	pluriel
prép.	préposition
prop.	propre
qqch	quelque chose
qqn	quelqu'un
Rem.	remarque
sg.	singulier
sout.	soutenu
subj.	subjonctif
sup.	superlatif
Syn.	synonyme
trad.	traduction
vi	verbe intransitif
vt	verbe transitif

LEXIQUE THÉMATIQUE

Bescherelle
Allemand

1 Die Menschen
Les êtres humains

Dass wir miteinander reden können, macht uns zu Menschen.

Karl Jaspers (1883-1969)

Pouvoir parler ensemble, c'est ce qui fait de nous des êtres humains.

der Mensch (en, en)	*l'être humain, la personne*	**menschlich :** *humain* **kein ~ :** *personne*
der Mann (¨er)	*l'homme*	
die Frau (en)	*la femme*	
das Individuum (Individuen)	*l'individu*	
die Leute	*les gens*	

Die Lebensalter *Les âges de la vie*

das Leben	*la vie*	
leben	*vivre, être en vie*	
das Alter (-)	*l'âge*	
das Baby (s)	*le bébé*	
der Säugling (e)	*le nourrisson*	
das Kind (er)	*l'enfant*	**die Kindheit :** *l'enfance* **kindlich/kindisch :** *enfantin/infantile*
wachsen (u, a, ä/ist)	*grandir, pousser*	

& Notez bien

■ Le verbe **wachsen** désigne la croissance physique.

■ Pour traduire *grandir* au sens d'*être élevé, passer son enfance*, il faut utiliser le verbe **auf/wachsen**.

Das Baby ist gewachsen. *Le bébé a grandi.*

Ich bin in Paris aufgewachsen. *J'ai grandi à Paris.*

der Junge (n, n)	*le garçon*	
das Mädchen (-)	*la fille*	
der Jugendliche	*l'adolescent*	REM. adj. subst. **(ein Jugendlicher)** SYN. **der Teenager** (angl.)
minderjährig	*mineur*	ANT. **volljährig :** *majeur*
jung	*jeune*	REM. comp. et sup. irr. **(jünger/der jüngste)** ✐ **die Jugend :** *la jeunesse*
der Erwachsene	*l'adulte*	REM. adj. subst. **(ein Erwachsener, die Erwachsenen)**
alt	*vieux*	REM. comp. et sup. irr. **(älter/der älteste)**
der, die Alte	*le vieux, la vieille*	REM. adj. subst.
die Senioren	*les personnes âgées*	
der Greis (e)	*le vieillard*	✐ **die Greisin** (nen) **:** *la vieillarde*
alt werden (u, o, i/ist)	*vieillir*	✐ **altern :** *vieillir*

Die Geburt und der Tod *La naissance et la mort*

ein Kind erwarten	*attendre un enfant*	
schwanger	*enceinte*	✐ **die Schwangerschaft :** *la grossesse*
die Verhütung	*la contraception*	✐ **das Verhütungsmittel** (-) **:** *le moyen de contraception*
die Pille nehmen (a, o, i)	*prendre la pilule*	
das Präservativ (e)	*le préservatif*	✐ SYN. **das Kondom** (e)
die Abtreibung (en)	*l'avortement*	✐ **ab/treiben** (ie, ie) **:** *avorter*
der Schwangerschafts-abbruch (¨e)	*l'interruption de grossesse*	
entbinden (a, u)	*accoucher*	✐ **die Entbindung** (en) **:** *l'accouchement*

& Notez bien

■ Le verbe **entbinden** admet deux constructions :

– une construction transitive : **eine Frau von einem Kind entbinden.**

Pour traduire *Elle a accouché d'un garçon*, on utilisera donc une structure passive.

Sie wurde von einem Jungen entbunden. *Elle a accouché d'un garçon.*

– une construction intransitive, plus fréquente aujourd'hui :

in der Klinik entbinden : *accoucher à la clinique.*

zur Welt bringen (a, a)	*mettre au monde*	Syn. **gebären** (a, o) **:** *donner naissance à*
die Frühgeburt	*la naissance prématurée*	
die Hebamme (n)	*la sage-femme*	
der Kaiserschnitt	*la césarienne*	
geboren werden (u, o, i/ist)	*naître*	Syn. **zur Welt kommen** (a, o/ist)
geboren sein (ist)	*être né*	
das Neugeborene	*le nouveau-né*	Rem. part. subst.
die Geburtsanzeige (n)	*le faire-part de naissance*	
der Mutterschafts-urlaub	*le congé maternité*	
(**an** + D) **sterben** (a, o, i/ist)	*mourir (de qqch)*	✐ **im Sterben liegen** (a, e) **:** *être mourant*
ums Leben kommen (a, o/ist)	*mourir [de façon accidentelle]*	Syn. **um/kommen** (a, o/ist)
die Lebensgefahr	*le danger de mort*	
retten	*sauver*	
der Selbstmord	*le suicide*	✐ ~ **begehen** (i, a) **:** *se suicider*
der Todesfall (¨e)	*le décès, le cas de décès*	
der Verstorbene	*le défunt*	Rem. part. subst. ✐ **verstorben sein :** *être décédé*
die Todesanzeige (n)	*le faire-part de décès*	
die Leiche (n)	*le corps, le cadavre*	
der Sarg (¨e)	*le cercueil*	
die Beisetzung (en)	*les funérailles, les obsèques [cérémonie]*	
der Friedhof (¨e)	*le cimetière*	
die Beerdigung (en)	*l'enterrement, l'inhumation*	Syn. **die Bestattung** (en) **:** *l'enterrement* ✐ **beerdigen :** *enterrer, inhumer*
das Grab (¨er)	*la tombe*	✐ **begraben** (u, a, ä) **:** *enterrer*
die Einäscherung	*la crémation*	
die Asche	*les cendres*	
die Trauer	*le deuil*	✐ **trauern** (**um** + A) **:** *être en deuil (de), faire le deuil (de)*
das Testament	*le testament*	
das Erbe	*l'héritage*	≠ **der** ~ (n, n) **:** *l'héritier*
etwas (A) **erben**	*hériter (de) qqch*	✐ **jdm** (D) **etwas** (A) **vererben :** *léguer qqch à qqn*

➜ p. 229 (Féliciter), p. 231 (Présenter ses condoléances)

2 Das Individuum
L'individu

Erstmals sah ich sie, eine kleine, dünne Frau mit dunkelblonden Haaren und Brille. Sie wirkte unscheinbar, bis sie zu reden begann, mit Kraft und Wärme und strengem Blick und energischen Bewegungen der Hände und Arme.

Bernhard Schlink, *Der Vorleser*, © Diogenes Verlag, 1995.

C'était la première fois que je la voyais : petite, mince, avec des cheveux châtains et des lunettes. Elle avait l'air quelconque, jusqu'à ce qu'elle se mette à parler, énergiquement, chaleureusement, avec un regard sévère et des gestes vifs.

Bernhard Schlink, *Le Liseur*, trad. B. Lortholary, © Gallimard, 1996.

Die Identität *L'identité*

der Name (ns, n)	*le nom*	➜ p. 225 (Se présenter)
der Vorname	*le prénom*	
der Nachname	*le nom de famille*	SYN. **der Familienname**
der Mädchenname	*le nom de jeune fille*	
der Spitzname	*le surnom*	
heißen (ie, ei)	*s'appeler*	
die Person (en)	*la personne*	
das Alter	*l'âge*	
das Geburtsdatum	*la date de naissance*	
das Geschlecht (er)	*le sexe*	
männlich	*masculin*	
weiblich	*féminin*	
(der) **Herr** (n, en)	*(le) monsieur*	
(die) **Frau** (en)	*(la) femme, madame*	
der Familienstand	*l'état civil*	
die Adresse (n)	*l'adresse*	SYN. **die Anschrift** (en)
der Geburtsort (e)	*le lieu de naissance*	
die Staatsangehörigkeit (en)	*la nationalité*	SYN. **die Nationalität** (en)
der Personalausweis (e)	*la carte d'identité*	✐ **der Pass** (¨e) **:** *le passeport*

LEXIQUE THÉMATIQUE

Das Aussehen *L'apparence physique*

Der Gesamteindruck *L'allure générale*

aus/sehen (a, e, ie)	avoir l'air	**das Aussehen :** l'allure, l'apparence
wirken	faire une impression, paraître	
scheinen (ie, ie)	sembler	
jdm gleichen (i, i)	ressembler à qqn	SYN. **jdm ähnlich sein**
schön	beau	ANT. **hässlich :** laid
hübsch	joli	
attraktiv	attirant, charmant	
die Figur	la silhouette	
die Größe	la taille	**groß :** grand
klein	petit	
zierlich	menu	
dick	gros	SYN. **mollig :** rond
mager	maigre	SYN. **dünn**
schlank	mince	
stark	fort	SYN. **kräftig**
muskulös	musclé	
schwach	faible	
die Haut	la peau	**die Hautfarbe :** la couleur de la peau
braun	brun, bronzé	SYN. **gebräunt**
hell	clair	ANT. **dunkel :** foncé

Das Gesicht *Le visage*

das Gesicht (er)	le visage	**die Gesichtszüge :** les traits du visage
das Auge (n)	l'œil	
der Blick (e)	le regard	
die Brille (n)	la paire de lunettes, les lunettes	**eine ~ tragen** (u, a, ä) **:** porter des lunettes
die Nase (n)	le nez	
das Haar (e)	les cheveux	**behaart :** poilu
lang	long	ANT. **kurz :** court
blond	blond	

dunkel	*foncé*	ANT. **hell :** *clair*
rot	*roux [cheveux]*	**rothaarig :** *roux [pour une personne]*
glatt	*raide*	
die Locke (n)	*la boucle*	**gelockt, lockig :** *bouclé*
kahl	*chauve*	
eine Glatze haben	*avoir une calvitie*	
der Bart (¨e)	*la barbe*	**der Schnurrbart :** *la moustache*
die Sommersprossen	*les taches de rousseur*	
die Narbe (n)	*la cicatrice*	
das Muttermal (e)	*la tache de naissance*	
der Leberfleck (e)	*le grain de beauté*	
der Pickel (-)	*le bouton*	
die Falte (n)	*la ride*	**faltig :** *ridé*
geschminkt	*maquillé*	

→ p. 19 (La tête)

& Notez bien

■ Attention aux groupes nominaux décrivant des parties du corps. L'allemand, à la différence du français, n'utilise pas l'article défini.

Er hat blaue Augen. *Il a les yeux bleus.*

■ Pour traduire *un homme aux yeux bleus* ou *un homme aux cheveux bruns*, on peut utiliser :
– soit un adjectif épithète : **ein blauäugiger Mann ; ein dunkelhaariger Mann** ;
– soit un groupe prépositionnel : **ein Mann mit blauen Augen ; ein Mann mit dunklem Haar.**

■ Les adjectifs épithètes s'agencent de droite à gauche, de la qualité la plus inhérente à la moins inhérente : **eine schöne dunkelhaarige Frau.**

Die Persönlichkeit *La personnalité*

der Charakter	*le caractère*	**einen guten/schlechten ~ haben :** *avoir bon/mauvais caractère*
die Veranlagung	*le tempérament*	
die Laune	*l'humeur*	
die Haltung	*l'attitude*	
das Verhalten	*le comportement*	SYN. **das Benehmen**
sich verhalten (ie, a ,ä)	*se comporter*	SYN. **sich benehmen** (a, o, i) **:** *se conduire*

Gute und schlechte Eigenschaften *Qualités et défauts*

die Eigenschaft (en)	*la qualité, la propriété*	
die Schwäche (n)	*le défaut, la faiblesse*	
gut	*bon*	
böse	*méchant, mauvais*	Syn. **schlecht, bösartig**
nett	*gentil, sympathique*	Syn. **freundlich**
sympathisch	*sympathique*	Ant. **unsympathisch :** *antipathique*
reizend	*charmant*	
gesellig	*sociable*	Syn. **umgänglich :** *sociable, agréable*
empfindlich	*susceptible*	
nachtragend	*rancunier*	
witzig	*drôle, amusant*	Syn. **lustig**
fröhlich	*joyeux*	
heiter	*gai*	
schüchtern	*timide*	
zurückhaltend	*réservé*	
komisch	*bizarre, étrange*	Syn. **seltsam**
verrückt	*fou*	
höflich	*poli*	Ant. **unhöflich :** *impoli*
wohlerzogen	*bien élevé*	Ant. **ungezogen :** *mal élevé*
liebenswürdig	*aimable*	Ant. **lieblos**
freundlich	*aimable, gentil*	Ant. **unfreundlich :** *peu aimable*
anständig	*correct, décent*	
geduldig	*patient*	Ant. **ungeduldig :** *impatient*
frech	*insolent*	
unverschämt	*effronté, culotté*	
neugierig	*curieux, indiscret*	
selbstbewusst	*sûr de soi*	
stolz	*fier*	**der Stolz :** *la fierté*
hochmütig	*orgueilleux*	**der Hochmut :** *l'orgueil*
angeberisch	*fanfaron, vantard*	**der Angeber** (-) **:** *le vantard, le fanfaron*
arrogant	*arrogant*	
bescheiden	*modeste, humble*	
anspruchsvoll	*exigeant*	
gründlich	*méticuleux*	
penibel	*maniaque*	

fleißig	*travailleur*	ANT. **faul :** *paresseux*
ernst	*sérieux*	
vernünftig	*raisonnable*	
zuverlässig	*fiable*	ANT. **unzuverlässig :** *pas fiable*
ehrlich	*honnête*	ANT. **unehrlich :** *malhonnête*
offen	*franc*	
oberflächlich	*superficiel*	
heuchlerisch	*hypocrite*	✐ **die Heuchelei :** *l'hypocrisie*
gewissenlos	*sans scrupule*	SYN. **skrupellos**
dickköpfig	*têtu*	SYN. **stur :** *têtu, borné*
hartnäckig	*opiniâtre, persévérant*	
mutig	*courageux*	SYN. **tapfer, unerschrocken**
kühn	*audacieux*	
vorsichtig	*prudent*	
ängstlich	*peureux, inquiet*	
feige	*lâche*	✐ **der Feigling** (e) **:** *le lâche*
großzügig	*généreux*	✐ **die Großzügigkeit :** *la générosité*
altruistisch	*altruiste*	
egoistisch	*égoïste*	
geizig	*pingre, radin*	✐ **der Geizhals, der Geizkragen :** *le radin*

→ p. 59 (Les relations avec autrui)

☞ Expressions

ein Angsthase sein : *être une poule mouillée* • **auf seinem Geld sitzen** (a, e) **:** *être près de ses sous* • **seine Nase in alles stecken :** *fourrer son nez partout* • **einen langen Atem haben :** *avoir de l'endurance* • **ein Dickkopf sein :** *être une tête de mule*

3 Der menschliche Körper

Le corps humain

Als Gregor Samsa eines Morgens aus unruhigen Träumen erwachte, fand er sich in seinem Bett zu einem ungeheueren Ungeziefer verwandelt. Er lag auf seinem panzerartig harten Rücken und sah, wenn er den Kopf ein wenig hob, seinen gewölbten, braunen, von bogenförmigen Versteifungen geteilten Bauch, auf dessen Höhe sich die Bettdecke, zum gänzlichen Niedergleiten bereit, kaum noch erhalten konnte. Seine vielen, im Vergleich zu seinem sonstigen Umfang kläglich dünnen Beine flimmerten ihm hilflos vor den Augen.
„Was ist mit mir geschehen?", dachte er. Es war kein Traum.

Franz Kafka, *Die Verwandlung*, © Diogenes Verlag, 1915.

Lorsque Gregor Samsa s'éveilla un matin au sortir de rêves agités, il se retrouva dans son lit changé en un énorme cancrelat. Il était couché sur son dos, dur comme une carapace et, lorsqu'il levait un peu la tête, il découvrait un ventre brun, bombé, partagé par des indurations en forme d'arc, sur lequel la couverture avait de la peine à tenir et semblait à tout moment près de glisser. Ses nombreuses pattes pitoyablement minces quand on les comparait à l'ensemble de sa taille, papillotaient maladroitement devant ses yeux.
« Que m'est-il arrivé? » pensa-t-il. Ce n'était pas un rêve.

Franz Kafka, *La Métamorphose*, trad. A. Vialatte, © Gallimard, 1993.

der Körper (-)	*le corps*	SYN. **der Leib** (er) *(sout.)* ✐ **körperlich :** *physique*
die Haut	*la peau*	
der Muskel (n)	*le muscle*	
das Blut	*le sang*	✐ **die Blutgruppe** (n) **:** *le groupe sanguin*
die Ader (n)	*la veine*	✐ **die Schlagader :** *l'artère*
der Nerv (en)	*le nerf*	
das Band (¨er)	*le ligament*	
die Sehne (n)	*le tendon*	
der Knochen (-)	*l'os*	
das Gelenk (e)	*l'articulation*	✐ **gelenkig :** *souple*

Der Kopf La tête

der Kopf (¨e)	*la tête*	
der Schädel (-)	*le crâne*	
das Gehirn (e)	*le cerveau*	✐ **die Gehirnhälfte** (n) **:** *l'hémisphère*
das Gesicht (er)	*le visage*	
die Stirn (en)	*le front*	
das Auge (n)	*l'œil*	✐ **die Augenbraue** (n) **:** *le sourcil*
das Ohr (en)	*l'oreille*	
die Nase (n)	*le nez*	
die Wange (n)	*la joue*	SYN. **die Backe** (n) *(fam.)*
der Mund (¨er)	*la bouche*	
die Lippe (n)	*la lèvre*	
die Zunge (n)	*la langue*	
der Zahn (¨e)	*la dent*	✐ **das Zahnfleisch :** *la gencive*
der Kiefer (-)	*la mâchoire*	
das Kinn (e)	*le menton*	
der Nacken (-)	*la nuque*	
der Hals (¨e)	*le cou*	**2.** *la gorge*

→ p. 14 (Le visage)

☞ Expressions

sich den Kopf zerbrechen (a, o, i) **:** *se casser la tête* • **Hals über Kopf :** *de manière précipitée* • **das Gesicht verlieren** (o, o) **:** *perdre la face* • **jdn aus den Augen verlieren** (o, o) **:** *perdre qqn des yeux* • **seinen Augen/seinen Ohren nicht trauen :** *ne pas en croire ses yeux/ses oreilles* • **Ich habe die Nase voll.** *(fam.) J'en ai marre.* • **jdn an der Nase herum/führen :** *mener qqn par le bout du nez* • **Halt die Ohren steif!** *(fam.) Tiens bon!* • **sich etwas hinter die Ohren schreiben** (ie, ie) *(fam.)* **:** *bien retenir qqch* • **kein Blatt vor den Mund nehmen** (a, o, i) *(fam.)* **:** *ne pas mâcher ses mots* • **jdm auf die Nerven gehen** (i, a/ist) **:** *énerver qqn, taper sur les nerfs de qqn*

Der Körper Le corps

Die Glieder Les membres

die Schulter (n)	*l'épaule*	
der Arm (e)	*le bras*	✐ **der Unterarm :** *l'avant-bras*
der Ellbogen (-)	*le coude*	
die Hand (¨e)	*la main*	✐ **das Handgelenk :** *le poignet*
die Faust (¨e)	*le poing*	

der Finger (-)	le doigt	
der Daumen (-)	le pouce	
der Nagel (¨)	l'ongle	✐ **der Fingernagel :** l'ongle (du doigt)
die Hüfte (n)	la hanche	
das Bein (e)	la jambe	✐ **das Schienbein :** le tibia
das Knie (-)	le genou	✐ **die Kniescheibe** (n) **:** la rotule
der Knöchel (-)	la cheville	
der Fuß (¨e)	le pied	
die Ferse (n)	le talon	
der Zeh (en)	l'orteil	✐ **der große ~ :** le gros orteil

☞ Expressions

jdn auf den Arm nehmen (a, o, i) **:** se payer la têter de qqn • **Es liegt auf der Hand.** C'est évident. • **zwei linke Hände haben** *(fam.)* **:** être très maladroit • **sich etwas aus den Fingern saugen** (o, o) **:** *(fam.)* inventer qqch (de peu crédible) sans préparation • **von etwas** (D) **die Finger weg/lassen** (ie, a, ä) *(fam.)* **:** ne pas se mêler de qqch • **(jdm) die Daumen drücken** *(fam.)* **:** croiser les doigts (pour qqn)

Der Rumpf Le tronc

die Brust (¨e)	la poitrine, le sein	
der Bauch (¨e)	le ventre	✐ **der Bauchnabel** (-) **:** le nombril
der Rücken (-)	le dos	
die Wirbelsäule (n)	la colonne vertébrale	
das Gesäß (e)	les fesses	SYN. **der Po, der Hintern** *(fam.)*
das Geschlechtsteil (e)	le sexe [organe génital]	≠ **der Sex :** le sexe [sexualité]
der Penis	le pénis	SYN. **das (männliche) Glied**
der Hoden (-)	le testicule	
die Vagina	le vagin	SYN. **die Scheide**

Die inneren Organe Les organes internes

das Herz (ens, en)	le cœur	
die Lunge (n)	le poumon	
der Magen (¨)	l'estomac	
der Darm (¨e)	l'intestin	✐ **der Blinddarm :** l'appendice
die Leber (n)	le foie	
die Niere (n)	le rein	
die Blase (n)	la vessie	
die Gebärmutter (¨)	l'utérus	
der Eierstock (¨ e)	l'ovaire	✐ **das Ei** (er) **:** l'ovule

Die Sinne *Les sens*

Der Gesichtssinn *La vue*

die Sicht	*la vue [que l'on a]*	**sichtbar :** visible
der Blick	*le regard*	
sehen (a, e, ie)	*voir, regarder*	SYN. **schauen, gucken** *(fam.)* [intentionnellement]
sich (D) **etwas** (A) **an/sehen** (a, e, ie)	*regarder qqch [avec attention]*	**jdm zu/sehen** (a, e, ie) **:** *regarder qqn*
etwas beobachten	*observer qqch*	
etwas erblicken	*apercevoir qqch*	
blind	*aveugle*	

Der Gehörsinn *L'ouïe*

das Gehör	*l'ouïe*	
sich (D) **etwas** (A) **an/hören**	*écouter qqch [avec attention]*	**jdm** (D) **zu/hören :** *écouter qqn*
der Ton (¨e)	*le son*	
tief	*grave*	
hoch	*aigu*	
klingen (a, u)	*produire un son*	**klingeln :** sonner [réveil, sonnette]
das Geräusch (e)	*le bruit [isolé]*	
der Lärm	*le bruit [vacarme]*	SYN. **der Krach :** le vacarme
laut	*bruyant*	SYN. **lärmend**
betäubend	*assourdissant*	
leise	*peu bruyant, calme*	
schrill	*strident*	
still	*silencieux*	**die Stille :** le silence
taub	*sourd*	**taubstumm :** sourd-muet

& Notez bien

■ Ne pas confondre le verbe **klingeln**, verbe faible (sonner pour le téléphone, pour la sonnette), et le verbe **klingen**, verbe fort, qui désigne moins un bruit que la perception que l'auditeur a d'une sonorité ou du contenu de paroles.

Hast du vorhin geklingelt? *C'est toi qui as sonné tout à l'heure ?*
Das Telefon klingelte ununterbrochen. *Le téléphone n'arrêtait pas de sonner.*
Die Gitarre klang verstimmt. *La guitare sonnait faux.*
Die Geschichte klingt wie ein Märchen. *L'histoire a l'air d'un conte.*
Das klingt gut! *Ça a l'air bien !, Ça promet !*

Der Geruchssinn *L'odorat*

der Geruch (¨e)	*l'odeur*	
etwas riechen (o, o)	*sentir qqch*	
nach etwas (D) **riechen** (o, o)	*avoir une odeur de*	
stinken (a, u)	*sentir mauvais, puer*	ANT. **duften :** *sentir bon*
muffig riechen (o, o)	*sentir le renfermé*	
an etwas (D) **schnuppern**	*renifler qqch*	

Der Geschmackssinn *Le goût*

der Geschmack (¨e)	*le goût [d'un aliment]*	REM. pl. fam. : (¨er)
schmecken	*avoir bon goût*	
nach (+ D) **schmecken**	*avoir un goût de*	**Das schmeckt mir nicht.** *Je n'aime pas (le goût).*
probieren	*goûter, essayer*	SYN. **kosten**
süß	*sucré*	
salzig	*salé*	
sauer	*acide*	
bitter	*amer*	
scharf	*épicé [fort]*	
herb	*âpre*	
lecker	*délicieux*	

→ p. 316 (Dire que l'on aime, préfère, n'aime pas qqch)

Der Tastsinn *Le toucher*

an/fassen	*toucher*	
berühren	*toucher* *entrer en contact avec qqch*	
fühlen	*sentir*	
betasten	*tâter*	
hart	*dur*	ANT. **weich :** *mou*
glatt	*lisse*	ANT. **rau :** *rugueux*
heiß	*très chaud*	
warm	*chaud*	**lauwarm :** *tiède*
kalt	*froid*	
eisig	*glacial*	

4 Die körperliche Tätigkeit
L'activité physique

Mon Dieu, qu'est-ce que ça peut être fatigant, le sport!

Sich bewegen *Bouger*

sich rühren	*bouger, faire un mouvement*	
stehen bleiben (ie, ie/ist)	*s'arrêter*	
langsam	*lent(ement)*	ANT. **schnell :** *rapide(ment)*
gehen (i, a/ist)	*aller, marcher*	✐ **spazieren gehen :** *se promener*
laufen (ie, au, äu/ist)	*marcher, courir*	
rennen (a, a/ist)	*courir*	
springen (a, u/ist)	*sauter*	✐ **der Sprung** (¨e) **:** *le saut*
hüpfen (ist)	*sautiller*	
steigen (ie, ie/ist)	*monter*	ANT. **hinunter/steigen, ab/steigen :** *descendre*
klettern	*grimper, escalader*	
schleichen (i, i/ist)	*se faufiler*	
kriechen (o, o/ist)	*ramper*	
in/auf (+ A) **treten** (a, e, i/ist)	*marcher dans/sur*	✐ **jdn/etwas treten** (hat) **:** *donner un coup de pied à qqn/qqch*

& Notez bien

- Le vocabulaire du mouvement est très riche en allemand.
- Les verbes simples désignent la nature d'un mouvement. Pour en indiquer la direction, on utilise des préverbes ou des compléments.

hinein/gehen : *entrer*, **hinaus/gehen :** *sortir*, **aus dem Haus gehen :** *sortir (de la maison)*, **zum Fenster hinaus/springen :** *sauter par la fenêtre*, **die Treppe hinauf/gehen :** *monter les escaliers*, **die Straße hinauf/gehen :** *remonter la rue*, **hinunter/gehen :** *descendre*, **hinüber/gehen :** *traverser, passer de l'autre côté* [à pied], **am Laden vorbei/gehen ou vorbei/laufen :** *passer devant le magasin*, **davon/laufen :** *s'enfuir*, **los/gehen ou los/laufen :** *partir* [prendre le départ], **weg/gehen ou weg/laufen ou weg/rennen :** *s'en aller, partir* [plus ou moins vite], **zurück/gehen ou zurück/laufen :** *rentrer, retourner*

sich nähern (+ D)	*s'approcher (de)*	SYN. **näher kommen** (a, o/ist)
kommen (a, o/ist)	*venir*	
heran/treten (a, e, i/ist) (**an** + A)	*s'approcher (vers) [en faisant des pas]*	
auf (+ A) **zu/laufen** (ie, au, äu/ist)	*aller vers [qqn]*	
entgegen/gehen (i, a/ist) (+ D)	*aller à la rencontre de [qqn]*	
erreichen	*atteindre*	
sich entfernen	*s'éloigner*	
sich um/drehen	*se retourner*	SYN. **sich wenden**
stolpern (ist)	*trébucher*	
sich an etwas (D) **stoßen** (ie, o, ö/ist)	*se cogner contre qqch*	
aus/rutschen (ist)	*déraper*	
hin/fallen (ie, a, ä/ist)	*tomber*	

➜ p. 102 (Le monde du sport)

Einen Gegenstand bewegen
Faire bouger un objet

nehmen (a, o)	*prendre*	**weg/nehmen :** *retirer*
fangen (i, a)	*attraper*	
ergreifen (i, i)	*saisir*	SYN. **fassen**
halten (ie, a, ä)	*tenir*	**fest/halten :** *tenir [fermement]*
drücken	*serrer, presser, appuyer, pousser*	
los/lassen (ie, a, ä)	*lâcher*	

bringen (a, a)	apporter	**weg/bringen :** remporter
tragen (u, a, ä)	porter	
heben (o, o)	lever	**auf/heben :** ramasser
etwas (hin)stellen	poser [debout]	≠ **etwas (hin)legen :** poser [à plat]
werfen (a, o, i)	jeter	SYN. **schmeißen** (i, i) *(fam.)*
ziehen (o, o)	tirer	
schieben (o, o)	pousser [tout en avançant]	
drehen	tourner	**um/drehen :** retourner
schütteln	secouer	
biegen (o, o)	courber	

& Notez bien

■ Là où le français n'exprime que la direction, le but ou le résultat d'une opération, l'allemand en précise la nature.

■ La direction, le but ou le résultat sont souvent exprimés à l'aide d'un préverbe ou d'un complément.

das Wasser auf/drehen : ouvrir le robinet d'eau ; **das Wasser zu/drehen :** *fermer le robinet d'eau* ; **das Radio leiser drehen :** baisser la radio ; **das Radio aus/drehen :** éteindre la radio ; **sich den Fuß verdrehen :** se tordre le pied

Die Körperhaltung La posture

stehen (a, a)	être debout	**auf/stehen** (a, a/ist) **:** se lever
sich auf/richten	se redresser	
sitzen (a, e)	être assis	**sich setzen :** s'asseoir
sich hin/fläzen *(fam.)*	se vautrer	
liegen (a, e)	être allongé	**sich hin/legen :** se coucher, s'allonger
sich aus/strecken	s'étendre (de tout son long)	
hocken	être accroupi	**sich hin/hocken :** s'accroupir
knien	être agenouillé	**sich hin/knien :** s'agenouiller
gebückt	baissé	**sich bücken :** se baisser
gebeugt	penché	**sich beugen :** se pencher
an (+ D) **lehnen**	être appuyé contre	**sich an** (+ A) **lehnen :** s'appuyer contre
sich ducken	se baisser en rentrant la tête	
sich auf (+ A) **stützen**	s'appuyer sur	

Körpersprache *Les signes du corps*

mit den Schultern zucken	*hausser les épaules*	✐ **das Schulternzucken :** *le haussement d'épaules*
die Stirn runzeln	*froncer les sourcils*	
zwinkern	*faire un clin d'oeil*	✐ **das Augenzwinkern :** *les clins d'œil*
nicken	*acquiescer*	
winken	*faire signe avec la main*	
zeigen	*indiquer, montrer*	✐ **mit dem Finger auf jdn ~ :** *montrer qqn du doigt*
mit den Armen rudern	*agiter les bras*	
mit dem Po wackeln *(fam.)*	*tortiller des fesses*	
die Augen verdrehen	*faire de grands yeux*	
die Augenbrauen hoch/ziehen (o, o)	*faire des yeux étonnés*	
jdm die Zunge raus/strecken	*tirer la langue à qqn*	

5 Die geistige Aktivität
L'activité intellectuelle

Die Grenzen meiner Sprache bedeuten die Grenzen meiner Welt.
Ludwig Wittgenstein (1889-1951)
Les limites de mon langage signifient les limites de mon univers.

die Intelligenz	*l'intelligence*	
intelligent	*intelligent*	SYN. **klug, schlau**
das Genie (s)	*le génie*	✐ **genial :** *génial*
dumm	*bête*	SYN. **doof** *(fam.)*, **blöd** *(fam.)*
der Idiot (en, en)	*l'idiot*	✐ **idiotisch :** idiot
verstehen (a, a)	*comprendre*	✐ **der Verstand :** *la raison, l'intelligence*
begreifen (i, i)	*saisir, comprendre*	✐ **der Begriff** (e) **:** *le concept, la notion*
erklären	*expliquer*	✐ **die Erklärung** (en) **für** (+ A) **:** *l'explication (de)*
das Beispiel (e) **für** (+ A)	*l'exemple (de)*	

Denken *Penser*

der Geist (er)	*l'esprit*	✐ **geistig :** intellectuel
die Vernunft	*la raison*	✐ **vernünftig :** raisonnable
an (+ A) **denken** (a, a)	*penser (à)*	✐ **über** (+ A) **nach/denken :** *réfléchir (à)*
der Gedanke (ns, n)	*la pensée*	
die Idee (n)	*l'idée*	
sich (D) **etwas** (A) **überlegen**	*réfléchir à qqch [en vue d'agir]*	✐ **die Überlegung** (en) **:** *la réflexion*
sich (A) **auf** (+ A) **konzentrieren**	*se concentrer sur*	
untersuchen	*analyser*	SYN. **analysieren**

LEXIQUE THÉMATIQUE

Sich erinnern *Se souvenir*

jdm (D) **ein/fallen** (ie, a, ä/ist)	*venir à l'esprit de qqn*	✎ **einfallsreich :** *imaginatif*
sich an (+ A) **erinnern**	*se souvenir de*	✎ **die Erinnerung** (en) (**an** + A) **:** *le souvenir (de)*
sich (D) **etwas** (A) **merken**	*se souvenir de qqch, retenir qqch*	Syn. **etwas behalten** (ie, a, ä) **:** *retenir qqch*
das Gedächtnis	*la mémoire*	
vergessen (a, e, i)	*oublier*	✎ **vergesslich :** oublieux
zerstreut	*distrait*	Ant. **aufmerksam :** *attentif*
verwechseln	*confondre*	
verdrängen	*refouler*	

→ p. 287 (Dire que l'on a oublié, que l'on se souvient)

Sich etwas vorstellen *S'imaginer quelque chose*

sich (D) **etwas** (A) **vor/stellen**	*s'imaginer qqch*	✎ **die Vorstellung** (en) **:** *l'idée*
die Vorstellungskraft	*l'imagination*	Syn. **die Phantasie**
sich (D) **etwas** (A) **aus/malen**	*s'imaginer, se représenter qqch*	
sich (D) **etwas** (A) **ein/bilden**	*se figurer, s'imaginer qqch [faussement]*	
etwas erfinden (a, u)	*inventer qqch*	
die Illusion (en)	*l'illusion*	Syn. **das Trugbild** (er)
etwas nach/vollziehen (o, o)	*reconstruire qqch [par la pensée]*	
etwas vorher/sehen (a, e, ie)	*prévoir qqch*	

Zweifel haben, sicher sein *Avoir des doutes, être certain*

an (+ D) **zweifeln**	*douter (de)*	✎ **der Zweifel** (-) **:** *le doute*
zögern	*hésiter*	
die Ahnung (en)	*le pressentiment*	✎ **ahnen :** *pressentir*
spüren	*sentir*	
vermuten	*supposer*	Syn. **an/nehmen** (a, o, i)
erfahren (u, a, ä)	*apprendre [une nouvelle]*	✎ **die Erfahrung** (en) **:** *l'expérience*

wissen (u, u, ei)	savoir	
kennen (a, a)	connaître	**die Kenntnis** (se) **:** la connaissance
die Überzeugung (en)	la conviction	**überzeugt :** convaincu
die Gewissheit	la certitude	
sicher sein	être certain	

→ p. 281 (Dire que l'on est certain), p. 283 (Dire que l'on n'est pas certain)

Sprechen Parler

sprechen (a, o, i)	parler	**etwas besprechen :** discuter de qqch
die Sprache	la langue, le langage	**die Muttersprache :** la langue maternelle
aus/sprechen (a, o, i)	prononcer	**die Aussprache** (n) **:** la prononciation
flüstern	chuchoter	
stottern	bégayer	
lispeln	zozoter	
deutlich	distinct(ement)	Ant. **undeutlich :** indistinct(ement)
schreien (ie, ie)	crier	**der Schrei** (e) **:** le cri
rufen (ie, u)	crier [qqch], appeler [qqn]	
schweigen (ie, ie)	se taire, ne rien dire	
stumm	muet	**verstummen** (ist) **:** se taire [s'arrêter de parler]

Das Gespräch La conversation

über (+ A) **reden**	parler, discuter (de)	**die Rede** (n) **:** le discours
sich unterhalten (ie, a, ä)	discuter, avoir une conversation	**die Unterhaltung** (en) **:** la conversation
diskutieren	discuter [en débattant]	**die Diskussion** (en) **:** la discussion
das Thema (Themen)	le sujet [de conversation]	
plaudern	bavarder	
quatschen *(fam.)*	bavarder	Syn. **tratschen :** cancaner
sagen	dire	
sich/etwas aus/drücken	s'exprimer/exprimer qqch	**der Ausdruck** (¨e) **:** l'expression
erwähnen	mentionner	Syn. **nennen** (a, a)
erzählen	raconter	
beschreiben (ie, ie)	décrire	Syn. **schildern**

wiederholen	*répéter*	
jdn etwas fragen	*demander qqch à qqn [lui poser une question]*	✐ **die Frage** (n) **:** *la question*
jdm auf etwas (A) **antworten**	*répondre à qqn à propos de qqch*	✐ **die Antwort** (en) **:** *la réponse*
jdn unterbrechen (a, o, i)	*interrompre qqn*	

Die Bedeutung *La signification*

das Wort (¨er)	*le mot [unité lexicale]*	≠ **das Wort** (e) **:** *le mot, la parole*

& Notez bien

■ Le mot **Wort** a deux acceptions, avec un pluriel différent : *unité lexicale, mot d'une langue* (pl. : **die Wörter**) et *parole* (pl. : **die Worte**).

Ich kenne diese beiden Wörter nicht. *Je ne connais pas ces deux mots.*

Er hat die richtigen Worte gefunden. *Il a trouvé les mots justes.*

der Satz (¨e)	*la phrase*	
bedeuten	*signifier, vouloir dire*	
bezeichnen	*désigner, signifier*	✐ ~ **als :** *qualifier de*
heißen (ie, ei)	*signifier, vouloir dire*	
das heißt	*c'est-à-dire*	REM. abréviation **d.h.**
meinen	*vouloir dire [pour une personne]*	
eindeutig	*clair, explicite, univoque*	ANT. **zweideutig :** ambigu
etwas an/deuten	*laisser entendre qqch*	✐ **die Andeutung** (en) **:** *l'allusion*
übersetzen	*traduire*	✐ **einen Text ins Deutsche ~ :** *traduire un texte en allemand*
der Dolmetscher (-)	*l'interprète*	

☞ Allemand standard et dialectes

■ Dans l'espace germanophone, les *variantes dialectales* **(Dialekte)** sont encore très vivantes : **Schwyzerdütsch** (le dialecte alémanique parlé en Suisse) ainsi que les dialectes **plattdeutsch** (*bas-allemand*, parlé en Allemagne du Nord), **bairisch** (*bavarois*) et **wienerisch** (*viennois*), etc.

■ L'allemand standard est appelé **Hochdeutsch** (*haut-allemand*).

6 Hygiene und Gesundheit
Hygiène et santé

5 am Tag
Egal ob frisch oder zubereitet als Gemüselasagne, Obstsalat oder Zucchini-Tomaten-Sauce: Obst und Gemüse sind aus unserer Küche nicht wegzudenken. Mit ihnen lassen sich jede Menge leckere Gerichte zaubern. Über den Tag verteilt ist es ganz einfach, die von Ernährungsexperten empfohlenen 650 Gramm zu essen: 5 Portionen Obst und Gemüse sollten täglich auf dem Speiseplan stehen – diese einfache Handlungsregel steht im Mittelpunkt der Gesundheitskampagne 5 am Tag.

www.5amtag.de

5 par jour
Qu'il s'agisse de produits frais ou d'une lasagne aux légumes, d'une salade de fruits ou d'une sauce aux courgettes et aux tomates : les fruits et légumes sont indispensables dans notre cuisine. Ils rentrent dans la préparation d'innombrables recettes succulentes. Les nutritionnistes conseillent d'en consommer 650 g par jour – facile si l'on choisit différents moments de la journée pour le faire : 5 fruits ou légumes devraient être au menu tous les jours – une règle simple qui est au centre de la campagne « 5 par jour ».

Hygiene und Körperpflege
Hygiène et soins corporels

sich waschen (u, a, ä)	*se laver*	**sich** (D) **die Haare waschen :** *se laver les cheveux*
duschen	*se doucher*	
baden	*se baigner*	**die Badewanne** (n) **:** *la baignoire*
die Seife (n)	*le savon*	**sich ein/seifen :** *se savonner*
das Shampoo (s)	*le shampooing*	
sich ab/trocknen	*se sécher*	
der Föhn (e)	*le sèche-cheveux*	**sich** (D) **die Haare föhnen :** *se sécher les cheveux*
jdn/sich frisieren	*coiffer qqn/se coiffer*	
der Kamm (¨e)	*le peigne*	**sich kämmen :** *se peigner*

LEXIQUE THÉMATIQUE

die Haarbürste (n)	*la brosse à cheveux*	**sich** (D) **das Haar bürsten :** *se brosser les cheveux*
sich (D) **die Zähne putzen**	*se brosser les dents*	**die Zahnbürste** (n) **:** *la brosse à dents*
die Zahncreme (s)	*le dentifrice*	SYN. **die Zahnpasta** (Zahnpasten)
sich rasieren	*se raser*	**der Rasierapparat** (e) **:** *le rasoir*
sich schminken	*se maquiller*	**die Schminke** (n) **:** *le maquillage*
die Nagelschere (n)	*les ciseaux à ongles*	
die Nagelfeile	*la lime à ongles*	
sauber	*propre*	ANT. **schmutzig :** *sale*
müde	*fatigué*	**die Müdigkeit :** *la fatigue*
schlafen (ie, a, ä)	*dormir*	**der Mittagsschlaf :** *la sieste*

Der Gesundheitszustand *L'état de santé*

gesund	*en bonne santé*	**die Gesundheit :** *la santé*
fit	*en forme*	SYN. **in Form**
krank	*malade*	**die Krankheit** (en) **:** *la maladie*
krank werden (u, o, i/ist)	*tomber malade*	
leiden (i, i)	*souffrir*	
heilen	*guérir [médecin]*	**2.** ~ (ist) **:** *guérir [plaie]*
gesund werden (u, o, i/ist)	*guérir [patient]*	
sich erholen	*se remettre*	
die Besserung	*le rétablissement*	**Gute ~! :** *Bon rétablissement!*

Die Krankheiten *Les maladies*

der Schnupfen	*le rhume*	**verschnupft :** *enrhumé* **der Heuschnupfen :** *le rhume des foins*
sich erkälten	*prendre froid*	SYN. **sich einen Schnupfen holen**
die Grippe (n)	*la grippe*	**die Bauchgrippe :** *la grippe intestinale*
die Angina (Anginen)	*l'angine*	
die Ohrenentzündung (en)	*l'otite*	
die Bronchitis (-itiden)	*la bronchite*	
das Asthma	*l'asthme*	**der Asthmaanfall** (¨e) **:** *la crise d'asthme*
die Kinderkrankheit (en)	*la maladie infantile*	

der Mumps	*les oreillons*	
die Masern (pl.)	*la rougeole*	
die Röteln (pl.)	*la rubéole*	
die Windpocken (pl.)	*la varicelle*	
Aids	*le sida*	✐ **der Aidskranke** (adj. subst.) **:** *le malade atteint du sida*
Krebs	*le cancer*	
gutartig	*bénin*	Syn. **harmlos :** *sans gravité*
bösartig	*malin*	
unheilbar	*incurable*	
jdn an/stecken	*contaminer qqn*	✐ **ansteckend :** *contagieux*
übertragen (u, a, ä) **auf** (+ A)	*transmettre à*	✐ **sexuell übertragbar :** *sexuellement transmissible*

Die Wunden *Les blessures*

die Wunde (n)	*la plaie*	✐ **die ~ verbinden** (a, u) **:** *panser la plaie*
die Verletzung (en)	*la blessure*	✐ **(jdn/sich) verletzen :** *blesser (qqn/se...)*
die Narbe (n)	*la cicatrice*	
die Verbrennung (en)	*la brûlure*	✐ **sich verbrennen** (a, a) **:** *se brûler*
die Blase (n)	*l'ampoule*	
die Beule (n)	*la bosse*	
bluten	*saigner*	
sich (D) **etwas** (A) **brechen** (a, o, i)	*se casser qqch*	✐ **der Beinbruch :** *la fracture de la jambe*

Die Symptome *Les symptômes*

der Schmerz (en)	*la douleur*	
Weh tun (a, a)	*faire mal*	✐ **Kopfweh/Halsweh haben** *(fam.)* **:** *avoir mal à la tête/à la gorge*
das Fieber	*la fièvre*	✐ **~ haben/messen** (a, e, i) **:** *avoir de la fièvre/prendre la température*
die Temperatur	*la température*	
husten	*tousser*	✐ **der Husten :** *la toux*
die Entzündung (en)	*l'inflammation*	✐ **entzündet :** *enflammé, irrité*
die Übelkeit	*la nausée*	✐ **Mir ist übel.** *J'ai mal au cœur.*
sich übergeben (a, e, i)	*vomir*	Syn. **kotzen** *(fam.)*
der Durchfall	*la diarrhée*	

ab/nehmen (a, o, i)	*maigrir*	ANT. **zu/nehmen :** *grossir*
jucken	*démanger*	**der Juckreiz :** *la démangeaison*
in Ohnmacht fallen (ie, a, ä/ist)	*s'évanouir*	SYN. **das Bewusstsein verlieren** (o, o) **:** *perdre connaissance*

Die Heilmittel *Les remèdes*

die Apotheke (n)	*la pharmacie*	
das Medikament (e)	*le médicament*	**Medikamente ein/nehmen** (a, o, i) **:** *prendre des médicaments*
die Behandlung (en)	*le traitement*	
die Tablette (n)	*le comprimé*	
die Pille (n)	*la pilule*	**seine Pillen schlucken** *(fam.)* **:** *prendre ses médicaments*
der Hustensaft (¨e)	*le sirop contre la toux*	
die Salbe (n)	*le baume, la crème*	
die Tropfen (pl.)	*les gouttes*	
das Antibiotikum (Antibiotika)	*l'antibiotique*	
das Beruhigungsmittel (-)	*le calmant*	**das Schlafmittel :** *le somnifère*
das Pflaster (-)	*le pansement*	
die Spritze (n)	*la piqûre*	
die Diät (en)	*le régime*	
wirken	*faire effet [médicament]*	**die Nebenwirkung** (en) **:** *l'effet secondaire*
jdn impfen	*vacciner qqn*	**die Impfung :** *la vaccination*

Beim Arzt *Chez le médecin*

der Arzt (¨e)	*le médecin*	**den ~ holen/zum ~ gehen** (i, a/ist) **:** *faire venir le médecin/ aller chez le médecin*
der Facharzt (¨e)	*le médecin spécialiste*	
der Zahnarzt (¨e)	*le dentiste*	
der Augenarzt (¨e)	*l'ophtalmologue*	
der Hals-Nasen-Ohrenarzt (¨e)	*l'ORL*	
der Neurologe (n, n)	*le neurologue*	
der Krankengymnast (en, en)	*le, la kinésithérapeute*	**die Krankengymnastin** (nen)
der Orthopäde (n, n)	*l'orthopédiste*	

☞ Docteur

■ Le mot français *docteur* au sens de *titulaire d'une thèse de doctorat* se traduit en allemand par **Doktor** (**Dr.** en abrégé).
■ Le même mot français *docteur* pour désigner un médecin se traduit plutôt par **Arzt** (même si le médecin, qui possède le titre de docteur, peut aussi être appelé **Doktor**).

die Sprechstunde (n)	*la consultation*	✐ **die Sprechstundenhilfe** (n) **:** *l'assistante médicale*
der Arzttermin (e)	*le rendez-vous chez le médecin*	
der Patient (en, en)	*le patient*	
untersuchen	*examiner*	✐ **die Untersuchung** (en) **:** *l'examen (médical)*
die Diagnose (n)	*le diagnostic*	
jdn behandeln	*traiter, soigner*	
eine Wunde nähen/verbinden (a, u)	*faire des points/panser une plaie*	
einen Verband an/legen	*faire un pansement*	
verschreiben (ie, ie)	*prescrire*	
das Rezept (e)	*l'ordonnance*	✐ **rezeptpflichtig :** *uniquement sur ordonnance*
jdn krank/schreiben (ie, ie)	*donner un arrêt-maladie à qqn*	✐ **sich ~ lassen** (i, a, ä) **:** *se faire prescrire un arrêt-maladie*
das Krankenhaus (¨er)	*l'hôpital*	✐ **jdn ins ~ bringen** (a, a) **:** *emmener qqn à l'hôpital*
der Krankenwagen (-)	*l'ambulance*	
der Chirurg (en, en)	*le chirurgien*	
der Krankenpfleger (-)	*l'infirmier*	
die Krankenschwester (n)	*l'infirmière*	
das Röntgenbild (er)	*la radio*	✐ **sich röntgen lassen** (i, a, ä) **:** *passer une radio*
die Operation (en)	*l'opération*	✐ **operieren :** *opérer*
die Narkose (n)	*l'anesthésie*	✐ **eine Vollnarkose bekommen** (a, o) **:** *subir une anesthésie générale*
die örtliche Betäubung (en)	*l'anesthésie locale*	

→ p. 250 (S'informer, informer chez le médecin), p. 269 (Gesundheitsprobleme, Problèmes de santé)

7 Die Ernährung
L'alimentation

Ein leerer Magen ist ein schlechter Ratgeber.

Albert Einstein (1879-1955)

Un ventre vide est mauvais conseiller.

Essen und trinken *Manger et boire*

essen (a, e, i)	*manger*	
das Essen	*la nourriture*	**2.** *le repas*
der Appetit	*l'appétit*	✎ **Guten ~! :** *Bon appétit !*
Hunger haben	*avoir faim*	✎ **hungrig :** *affamé*
sich ernähren	*se nourrir*	✎ **die Nahrung :** *la nourriture*
satt	*rassasié*	
etwas (A) **kosten**	*goûter à qqch*	
in (+A) **beißen** (i, i)	*mordre dans*	
kauen	*mâcher*	
schlucken	*avaler*	✎ **sich verschlucken :** *avaler de travers*
etwas verdauen	*digérer qqch*	✎ **die Verdauung :** *la digestion*
trinken (a, u)	*boire*	
Durst haben	*avoir soif*	✎ **durstig :** *assoiffé*
ein/schenken	*verser (à boire)*	
auf (+A) **an/stoßen** (ie, o, ö)	*trinquer (à)*	

Die Lebensmittel *Les aliments*

Fleisch *Viandes*

das Fleisch	*la viande*	✎ **Rindfleisch/Kalbfleisch/Schweinefleisch/Lammfleisch :** *la viande de bœuf/de veau/de porc/d'agneau*

der Braten (-)	*le rôti*	
der Schinken (-)	*le jambon*	
die Wurst (¨e)	*la saucisse*	**2.** (sg.) *la charcuterie*

☞ La charcuterie allemande

■ **Wurst** est le terme générique pour désigner toute sorte de saucisse, saucisson ou boudin qui peut se décliner sous beaucoup de formes en Allemagne : **Bratwurst** (*saucisse à griller*), **Bockwurst** (*saucisse de Francfort*), **Blutwurst** (*boudin noir*), **Münchner Weißwurst** (*boudin blanc bavarois, que l'on cuit à l'eau*), **Leberwurst** (*pâté de foie en forme de salami*), **Mettwurst** (*saucisson à base de viande crue fumée*).

■ Le mot **Salami** désigne du saucisson sec.

das Filet (s)	*le filet*	
das Schnitzel (-)	*l'escalope*	✐ **das Wiener ~ :** *l'escalope panée*
das Schweinekotelett (s)	*la côtelette de porc*	
die Leber (n)	*le foie*	✐ **die Stopfleber :** *le foie gras*
das Geflügel	*la volaille*	
das Hähnchen (-)	*le poulet*	
die Pute (n)	*la dinde*	
das Kaninchen (-)	*le lapin*	
das Wild	*le gibier*	
zart	*tendre*	ANT. **zäh :** *dur*

Fisch Poisson

der Fisch (e)	*le poisson*	➜ p. 92 (Les poissons)
geräucherter Fisch	*le poisson fumé*	
die Meeresfrüchte	*les fruits de mer*	

Käse und Milchprodukte Fromages et produits laitiers

der Käse	*le fromage*	✐ **die Käseplatte** (n) **:** *le plateau de fromage*
die Butter	*le beurre*	
die Milch	*le lait*	
der, das Joghurt	*le yaourt*	
die saure Sahne	*la crème fraîche*	✐ **die Schlagsahne :** *la crème Chantilly*
der Quark	*le fromage blanc*	

Obst *Fruits*

das Obst	*les fruits*	✎ ~ **schälen :** *peler des fruits*
die Frucht (¨e)	*le fruit*	✎ **die Südfrüchte :** *les fruits exotiques*
reif	*mûr*	Ant. **unreif :** *vert, pas mûr*
der Apfel (¨)	*la pomme*	
die Birne (n)	*la poire*	
die Orange (n)	*l'orange*	Syn. **die Apfelsine** (n)
die Zitrone (n)	*le citron*	
die Banane (n)	*la banane*	
die Pflaume (n)	*la prune*	
der Pfirsich (e)	*la pêche*	
die Aprikose (n)	*l'abricot*	
die Kirsche (n)	*la cerise*	✎ **die Sauerkirsche :** *la griotte*
die Zwetschke (n)	*la quetsche*	
die Weintraube, die Traube (n)	*le raisin*	
die Erdbeere (n)	*la fraise*	
die Himbeere (n)	*la framboise*	
die Johannisbeere (n)	*la groseille*	✎ **die schwarze Johannisbeere :** *le cassis*
die Heidelbeere (n)	*la myrtille*	
die Brombeere (n)	*la mûre*	
die Feige (n)	*la figue*	
die Nuss (¨e) (Walnuss)	*la noix*	✎ **die Haselnuss/die Erdnuss :** *la noisette/la cacahuète*
die Mandel (n)	*l'amande*	

Gemüse und Hülsenfrüchte *Légumes et légumineuses*

das Gemüse	*les légumes*	Syn. **das Grünzeug** *(péj.)*
die Tomate (n)	*la tomate*	
die Möhre (n)	*la carotte*	Syn. **die Karotte** (n)
der Salat (e)	*la salade*	✎ **der Feldsalat :** *la mâche*
der Sellerie	*le céleri*	
der Kohl (e)	*le chou*	✎ **der Blumenkohl/der Rosenkohl :** *le chou-fleur/les choux de Bruxelles*
die Bohne (n)	*le haricot*	
die Erbse (n)	*le petit pois*	✎ **die Kichererbse :** *le pois chiche*
die Linsen	*les lentilles*	
der Spinat	*les épinards*	
der Mangold	*les blettes*	

die rote Bete (n)	*la betterave rouge*	
der Spargel	*les asperges*	
der Lauch	*le poireau*	SYN. **der Porree** (s)
der Knoblauch	*l'ail*	✐ **die Knoblauchzehe** (n) **:** *la gousse d'ail*
die Zwiebel (n)	*l'oignon*	
das Radieschen (-)	*le radis*	
die Gurke (n)	*le cornichon*	✐ **die Salatgurke :** *le concombre*
die Zucchini (-/s)	*la courgette*	
der Kürbis (se)	*la citrouille*	✐ **der Riesenkürbis :** *le potiron*
der Pilz (e)	*le champignon*	✐ **der Steinpilz :** *le cèpe*
der Pfifferling (e)	*la girolle*	

Andere Lebensmittel Autres aliments

die Kartoffel (n)	*la pomme de terre*	
das Brot (e)	*le pain*	
die Nudel (n)	*les pâtes*	
der Reis	*le riz*	
das Ei (er)	*l'œuf*	
der Honig	*le miel*	
die Marmelade (n)	*la confiture*	✐ **ein Glas ~ :** *un pot de confiture*

Gewürze Condiments

das Salz	*le sel*	✐ **salzen :** *saler* (part II : **gesalzen**)
der Pfeffer	*le poivre*	
das Öl (e)	*l'huile*	✐ **das Olivenöl :** *l'huile d'olive*
der Essig	*le vinaigre*	
der Senf	*la moutarde*	
der Zucker	*le sucre*	✐ **zuckern :** *sucrer*

Getränke Boissons

das Getränk (e)	*la boisson*	
das Wasser	*l'eau*	✐ **das Leitungswasser :** *l'eau du robinet*
der Alkohol	*l'alcool*	✐ **alkoholfrei :** *sans alcool*
der Wein (e)	*le vin*	✐ **der Rotwein/der Weißwein :** *le vin rouge/blanc*
der Sekt (e)	*le mousseux*	
das Bier	*la bière*	

☞ La bière

■ On trouve en Allemagne de nombreuses sortes de bières, brunes ou blondes, filtrées ou non (**Weizenbier :** *bière de froment*, **Pils :** pils, **Export :** Export, **Bock :** *bière brune très forte*, **Schwarzbier :** *bière noire*...) et de nombreuses spécialités régionales (**Alt :** *bière brune de la Ruhr*, **Kölsch :** *bière de Cologne*, **Berliner Weiße :** *bière blonde de Berlin*...).

der Saft (¨e)	*le jus*	
die Cola	*le Coca®*	
die Limonade (n)	*la limonade*	Syn. **die Limo** *(fam.)*
der Kaffee	*le café*	**der Milchkaffee :** *le café au lait*
der Tee	*le thé*	**2.** *la tisane* **der Kräutertee/der Lindenblütentee :** *l'infusion aux plantes/le tilleul*
der Kakao	*le chocolat chaud*	**2.** *le cacao*

☞ Expressions

Das ist nicht mein Bier. *Ce n'est pas mon affaire ou mon problème.* • **Das ist doch völlig Wurst!** *Peu importe!* • **Quark reden :** raconter des bêtises • **Das ist doch alles Käse.** *Tout ça, c'est des bêtises.* • **etwas für einen Apfel und ein Ei kaufen :** *acheter qqch pour une bouchée de pain* • **in den sauren Apfel beißen** (i, i) **:** *en passer par qqch de désagréable* • **eine harte Nuss :** *un casse-tête, un problème qui vous donne du fil à retordre*

Lebensmittel zubereiten *Préparer les aliments*

kochen	*faire la cuisine*	**2.** *cuire à l'eau*
das Essen vor/bereiten	*préparer le repas*	
etwas zu/bereiten	*préparer qqch [pour un repas]*	**die Zubereitung :** *la préparation*
die Zutat (en)	*l'ingrédient*	
die Menge (n)	*la quantité*	➜ p. 79 (Les quantités)
die Prise (n)	*la pincée*	
mischen, vermischen	*mélanger*	Syn. **vermengen**
rühren, um/rühren	*remuer*	
kneten	*pétrir*	
schlagen (u, a, ä)	*battre*	
hacken	*hacher*	**das Hackfleisch :** *la viande hachée, le steack haché*
schmelzen (o, o, i)	*faire fondre*	**2.** (o, o, i/ist) **:** *fondre*

schneiden (i, i)	*couper*	⚭ **ab/schneiden :** *enlever (en coupant)*
reiben (ie, ie)	*râper*	Syn. **raspeln**
füllen	*farcir*	⚭ **die Füllung :** *la farce*
braten (ie, a, ä)	*rôtir [avec corps gras]*	⚭ **an/braten :** *faire revenir*
dünsten	*cuire à l'étuvée*	
schmoren	*braiser, faire mijoter*	
grillen	*griller*	
fritieren	*faire frire*	
backen	*cuire au four [un gâteau]*	Rem. part. II **gebacken**
überbacken	*gratiner*	Rem. part. II **überbacken**
zu/decken	*couvrir*	
auf/setzen	*faire chauffer [de l'eau, la casserole]*	
auf/wärmen	*réchauffer*	
an/brennen (ist)	*brûler*	⚭ ~ **lassen** (ie, a, ä) **:** *faire brûler*
roh	*cru*	Ant. **gar, durch :** *cuit*
knackig	*croquant*	

Geräte und Kochutensilien

Les appareils et ustensiles de cuisine

der Herd (e)	*la cuisinière*	
der Backofen (¨)	*le four*	
der Mikrowellenherd (e)	*le four à microondes*	Syn. **die Mikrowelle** (n)
das Induktionskochfeld	*les plaques à induction*	
der Kühlschrank	*le réfrigérateur*	⚭ **die Tiefkühltruhe** (n) **:** *le congélateur*
der Topf (¨e)	*la casserole*	⚭ **der Schnellkochtopf :** *la Cocotte-minute®*
die Pfanne (n)	*la poêle*	
die Backform (en)	*le moule*	
das Küchenmesser (-)	*le couteau de cuisine*	⚭ **das Brotmesser :** *le couteau à pain*
das Sieb (e)	*la passoire*	
der Messbecher (-)	*le verre-mesureur*	
die Teigrolle (n)	*le rouleau à pâtisserie*	
der Zauberstab	*le mixer*	
die Küchenmaschine	*le robot*	

→ p. 262 (Comprendre des ordres dans une recette de cuisine)

8 Das Essen

Le repas

Käseknäcke mit Radieschen
– Zutaten:
3 Scheiben Vollkornknäcke
Tomatenmark (aus der Dose)
3 Scheiben fettarmer Käse
1/2 Bund erntefrische Radieschen
– Zubereitung:
Knäckebrot mit je 1 Teelöffel Tomatenmark bestreichen und mit 1 Scheibe fettarmem Schnittkäse belegen. Die Radieschen dazu essen.

Pain craquant suédois aux radis
– Ingrédients : *3 tranches de pain craquant complet / Concentré de tomate (en boîte) / 3 tranches de fromage maigre / 1/2 botte de radis très frais*
– Préparation : *Tartiner chaque tranche de pain d'1 cuiller à café de concentré de tomates et recouvrir d'1 tranche de fromage maigre. Consommer avec les radis.*

Die Mahlzeiten *Les différents repas*

das Frühstück	*le petit déjeuner*	✎ **frühstücken :** *prendre le petit déjeuner*
das Mittagessen	*le déjeuner*	✎ **(zu) Mittag essen** (a, e, i) **:** *déjeuner*
die Vesper (n)	*le goûter*	REM. utilisé surtout en Allemagne du Sud
das Abendessen	*le dîner*	✎ **zu Abend essen** (a, e, i) **:** *dîner*

☞ La tradition du « Kaffee und Kuchen »

■ Le dimanche ou les jours de fête, il existe la tradition du **Kaffee und Kuchen** (*café et gâteaux*), que l'on prend vers 15 h.

die Vorspeise (n)	*l'entrée, le hors-d'œuvre*	
das Gericht (e)	*le plat*	✎ **das Hauptgericht :** *le plat principal*
die Nachspeise (n)	*le dessert*	SYN. **der Nachtisch** (e)

die Beilage (n)	*la garniture, l'accompagnement*	
die Suppe (n)	*la soupe*	
die Brühe (n)	*le bouillon*	
das Gratin (s)	*le gratin*	
der Kuchen (-)	*le gâteau, la tarte*	✐ **der Pfannkuchen/der Lebkuchen :** *la crêpe/le pain d'épices*
die Torte (n)	*le gâteau [généralement à la crème]*	

☞ Le dîner

■ Souvent, en Allemagne, on ne prend pas de repas chaud le soir, mais seulement une collation faite de tartines **(Abendbrot)**.

Den Tisch decken *Mettre le couvert*

das Geschirr	*la vaisselle*	
der Teller (-)	*l'assiette*	
das Glas (¨er)	*le verre*	
die Tasse (n)	*la tasse*	✐ **die Untertasse :** *la soucoupe*
die Schale (n)	*le bol, la coupe*	
das Besteck	*les couverts*	
die Gabel (n)	*la fourchette*	
das Messer (-)	*le couteau*	
der Löffel (-)	*la cuillère*	
die Flasche (n)	*la bouteille*	
die Kanne (n)	*le pichet*	Syn. **der Krug** (¨e)
die Tischdecke (n)	*la nappe*	
das Set (s)	*le dessous-de-table*	
der Untersetzer	*le sous-plat*	
die Serviette (n)	*la serviette*	✐ **die Papierserviette :** *la serviette en papier*
ab/räumen	*débarrasser [la table, les assiettes]*	

☞ Expressions

nicht alle Tassen im Schrank haben : *être fou, ne pas avoir toute sa tête, ne pas tourner rond* • **den Löffel ab/geben** (a, e, i) **:** *passer l'arme à gauche*

Im Restaurant *Au restaurant*

das Restaurant (s)	*le restaurant*	✎ **ins ~ gehen** (i, a/ist) **:** *aller au restaurant*
das Lokal (e)	*le restaurant, le café*	Syn. **die Gaststätte** (n)
das Café (s)	*le salon de thé*	Syn. **die Konditorei** (en)
die Kneipe (n) *(fam.)*	*le bar*	
der Biergarten (¨)	*le bar [en plein air]*	
der Speisesaal	*la salle de restaurant*	
die Theke	*le comptoir*	Syn. **der Tresen**
der Imbiss (e)	*le snack*	
das Rauchverbot	*l'interdiction de fumer*	✎ **rauchen :** *fumer*
der Kellner (-)	*le garçon*	
die Bedienung (en)	*la serveuse*	✎ **jdn bedienen :** *servir qqn*
die Speisekarte	*la carte*	
die Getränkekarte	*la carte des boissons*	
die Weinkarte	*la carte des vins*	
das Tagesgericht (e)	*le plat du jour*	
die Speisenfolge	*le menu*	Syn. **das Menü**
einen Tisch reservieren	*réserver une table*	
bestellen	*commander*	✎ **etwas nach/bestellen :** *commander un supplément de qqch*
zahlen	*payer*	
das Trinkgeld	*le pourboire*	

→ p. 238 (Comprendre le garçon, la serveuse)
p. 258 (Donner des ordres, formuler des demandes au café, au restaurant)

☞ Au restaurant : bon à savoir

■ Dans un grand nombre d'auberges et de restaurants, une table est réservée aux habitués ; elle est repérable, près du comptoir, à une affichette marquée **Stammtisch** *(table des habitués)*.

■ En Allemagne, on ne sert généralement pas de carafe d'eau, il faut toujours demander de l'eau en bouteille.

→ p. 238 (Le pourboire)

9 Die Kleidung
Les vêtements

Effi trug ein blau und weiß gestreiftes, halb kittelartiges Leinwandkleid, dem erst ein fest zusammengezogener, bronzefarbener Ledergürtel die Taille gab; der Hals war frei, und über Schulter und Nacken fiel ein breiter Matrosenkragen. In allem, was sie tat, paarten sich Übermut und Grazie, während ihre lachenden braunen Augen eine große, natürliche Klugheit und viel Lebenslust und Herzensgüte verrieten.

Theodor Fontane, *Effi Briest*, © Reclam, 1895.

Effi portait une robe de toile à rayures blanches et bleues, semblable à une blouse dont la taille était marquée par une ceinture de cuir sombre et serrée. Son cou était dégagé et sur ses épaules s'étalait un large col marin. Dans tous ses gestes l'exubérance s'alliait à la grâce, tandis que ses yeux bruns et souriants révélaient une grande sagesse naturelle, la joie de vivre et la bonté du cœur.

Theodor Fontane, *Effi Briest*, trad. A. Coeuroy, © Gallimard, 1981.

sich an/ziehen (o, o)	*s'habiller*	ANT. **sich aus/ziehen :** *se déshabiller*
etwas an/ziehen (o, o)	*mettre [un vêtement]*	ANT. **etwas aus/ziehen :** *enlever [un vêtement]*
etwas an/haben	*porter qqch*	SYN. **etwas tragen** (u, a, ä)
sich um/ziehen (o, o)	*se changer*	
angezogen	*habillé*	ANT. **nackt :** *nu*
die Mode	*la mode*	✐ ~ **sein/in ~ sein :** *être à la mode*
modisch (gekleidet)	*(habillé) à la mode*	ANT. **altmodisch :** *démodé*
sich heraus/putzen	*se mettre sur son trente et un*	
etwas an/probieren	*essayer qqch*	✐ **die Anprobe** (n) **:** *la cabine d'essayage*
jdm gut stehen (a, a)	*aller bien à qqn*	

(jdm) passen	*aller (à qqn), être de la bonne taille (pour qqn)*	
die Größe (n)	*la taille*	
eng	*étroit*	ANT. **weit :** *ample*
kurz	*court*	ANT. **lang :** *long*
schick	*chic*	
elegant	*élégant*	

→ p. 236 (S'informer au rayon vêtements)

Die Kleidung *Les vêtements*

das Kleidungsstück (e)	*le vêtement*	✐ **die Verkleidung** (en) **:** *le déguisement*
die Klamotte (n) *(fam.)*	*la fringue*	
die Hose (n)	*le pantalon*	✐ **die Unterhose/die Strumpfhose :** *le slip/le collant*
der Rock (¨e)	*la jupe*	✐ **der Minirock/der Morgenrock :** *la minijupe/la robe de chambre*
das Hemd (en)	*la chemise*	✐ **das Nachthemd :** *la chemise de nuit*
die Bluse (n)	*le chemisier*	
das T-Shirt (s)	*le T-shirt*	PHON. prononciation anglaise
der Pullover (-)	*le pull*	SYN. **der Pulli** (s)
der Anzug (¨e)	*le costume*	✐ **der Badeanzug/der Schlafanzug :** *le maillot de bain/le pyjama*
das Kleid (er)	*la robe*	
der Mantel (¨)	*le manteau*	✐ **der Bademantel/der Regenmantel :** *le peignoir/l'imperméable*
der Sakko (s)	*la veste [de costume]*	REM. **das Sakko** (All. du Sud)
die Jacke (n)	*la veste, le blouson*	✐ **die Strickjacke :** *le tricot*
die Socke (n)	*la chaussette*	
der Büstenhalter (-)	*le soutien-gorge*	REM. abréviation **BH** (s)
der Ärmel (-)	*la manche*	✐ **kurzärmelig/langärmelig :** *à manches courtes/longues*
der Kragen (-)	*le col*	✐ **der Rollkragenpullover :** *le pull à col roulé*
die Tasche (n)	*la poche*	**2.** *le sac*
der Knopf (¨e)	*le bouton*	
der Reißverschluss (¨e)	*la fermeture Éclair®*	

Schuhe Chaussures

der Schuh (e)	*la chaussure*	**die Schuhgröße :** la pointure
der Stiefel (-)	*la botte*	**die Stiefelette** (n) **:** la bottine
der Absatz (¨e)	*le talon*	
die Sohle (n)	*la semelle*	
der Schnürsenkel (-)	*le lacet*	
drücken	*faire mal*	

Accessoires Accessoires

der Hut (¨e)	*le chapeau*	
die Mütze (n)	*la casquette, le bonnet*	
der Handschuh (e)	*le gant*	
der Schal (s/e)	*l'écharpe*	
das Halstuch (¨er)	*le foulard*	**das Taschentuch :** le mouchoir
die Krawatte (n)	*la cravate*	
die Fliege (n)	*le nœud-papillon*	
die Handtasche (n)	*le sac à main*	
der Gürtel (-)	*la ceinture*	
das Portemonnaie (s)	*le porte-monnaie*	Rem. aussi **Portmonee** (s)
der Schmuck	*les bijoux*	
der Ring (e)	*l'anneau, la bague*	**der Ohrring :** la boucle d'oreille
das Armband (¨er)	*le bracelet*	
die Kette (n)	*la chaîne*	**die Goldkette :** la chaîne en or

Stoffe und Materialien Tissus et matières

der Stoff (e)	*le tissu, l'étoffe*	
die Wolle	*la laine*	**die Baumwolle :** le coton
die Seide	*la soie*	
der Samt	*le velours*	
der Filz	*le feutre*	
das Leder	*le cuir*	**das Wildleder :** le daim
der Pelz	*la fourrure*	
die Kunstfaser	*le tissu synthétique*	
die Mikrofaser (n)	*la microfibre*	

& Notez bien

■ On utilise des noms composés pour spécifier le matériau d'un vêtement.

das Samtkleid : *la robe en velours,* **die Lederjacke :** *le blouson en cuir,* **die Seidenbluse :** *le chemisier en soie,* **der Pelzmantel :** *le manteau de fourrure*

kariert	*à carreaux*	✎ **das Karo** (s) **:** *le carré*
gestreift	*rayé*	✎ **der Streifen** (-) **:** *la rayure*
geblümt	*à fleurs*	

Nähen Coudre

die Naht (¨e)	*la couture [résultat]*	
der Schneider (-)	*le tailleur*	
die Nadel (n)	*l'aiguille*	✎ **die Stecknadel/die Sicherheitsnadel :** *l'épingle/ l'épingle à nourrice*
der Faden (¨)	*le fil*	
der Fingerhut (¨e)	*le dé à coudre*	
die Schere (n)	*les ciseaux*	
der Riss (e)	*la déchirure*	✎ **zerrissen :** *déchiré*
das Loch (¨er)	*le trou*	
der Saum (¨e)	*l'ourlet*	
nähen	*coudre*	✎ **die Nähmaschine** (n) **:** *la machine à coudre*

& Notez bien

■ Le verbe **nähen** désigne l'activité de couture en général.

■ On utilise des préverbes pour spécifier de quelle manière une pièce de vêtement est cousue.

Knöpfe an/nähen : *coudre des boutons*
eine Tasche auf/nähen : *coudre une poche sur un vêtement*
eine Hose um/nähen : *faire un ourlet à un pantalon*

schneiden (i, i)	*couper*	
sticken	*broder*	
flicken	*raccommoder, rapiécer*	✎ **der Flicken** (-) **:** *la pièce (de raccomodage)*
stopfen	*repriser*	
stricken	*tricoter*	
ändern	*retoucher*	

Kleiderpflege *L'entretien des vêtements*

waschen (u, a, ä)	*laver*	✎ **die Waschmaschine** (n) : *la machine à laver*
die Wäsche	*le linge*	
reinigen lassen (ie, a, ä)	*faire nettoyer*	✎ **die Reinigung** (en) : *le pressing*
der Fleck (e)	*la tache*	SYN. **der Flecken** (-)
trocknen	*sécher*	✎ **der Wäschetrockner** (-) : *le sèche-linge*
auf/hängen	*étendre [le linge]*	
bügeln	*repasser*	✎ **bügelfrei** : *sans repassage*
das Bügeleisen (-)	*le fer à repasser*	

☞ Expressions

den Gürtel enger schnallen : *se serrer la ceinture* • **sich auf die Socken machen :** *partir, démarrer* • **unter einen Hut bringen** (a, a) **:** *concilier* • **sich in die Wolle kriegen :** *se crêper le chignon, se disputer* • **etwas aus dem Ärmel schütteln :** *sortir qqch de son chapeau* • **die Ärmel hoch/krempeln :** *se retrousser les manches* • **die Nadel im Heuhaufen suchen :** *chercher une aiguille dans une meule de foin* • **der rote Faden :** *le fil rouge* • **den Faden verlieren** (o, o) **:** *perdre le fil*

10 Das Haus

La maison

Zu vermieten: neu renov. Whg., 2ZKDB, 2. OG, Stadtmitte, ruhig, 52m² Wfl., Altbau, Kabel-TV, WG geeignet, Parkett, Küche gefliest, kalt 310 €, Nebenk. 85 €, Kaution 2 MM, zum 1.05. Kontakt: …

À louer : *app. récemment rénové, 2 pièces/cuisine/entrée/sdb, 2e ét., centre-ville, calme, surface habitable 52 m², immeuble ancien, câble, convient pour colocation, parquet, cuisine carrelée. 310 €, charges 85 €, caution 2 loyers, libre le 01/05. Contact : …*

Haustypen *Les types de maison*

das Haus (¨er)	*la maison*	**der Hausmeister :** *le concierge*
das Gebäude (-)	*le bâtiment*	
der Bau (ten)	*le bâtiment*	**der Altbau/der Neubau :** *l'immeuble ancien/récent*
das Hochhaus (¨er)	*l'immeuble*	
der Wolkenkratzer (-)	*le gratte-ciel*	
die Wohnung (en)	*l'appartement*	**die Sozialwohnung :** *le logement social*
das Einfamilienhaus (¨er)	*la maison individuelle*	
das Reihenhaus (¨er)	*la maison mitoyenne*	
das Siedlungshaus (¨er)	*la maison en lotissement*	
das Bungalow (s)	*la maison de plain pied à toit plat*	
das Landhaus (¨er)	*la maison de campagne*	
die Hütte (n)	*la cabane*	**die Berghütte :** *le chalet*
bauen	*construire*	**ein Haus ~ :** *construire une maison* → p. 160 (Le bâtiment)
gut gelegen	*bien situé*	
heruntergekommen	*en mauvais état*	

Das Äußere eines Hauses
L'extérieur d'une maison

der Eingang (¨e)	*l'entrée [à l'extérieur]*	
die Tür (en)	*la porte*	✐ **die ~ ab/schließen** (o, o) **:** *fermer la porte à clé*
das Schloss (¨er)	*la serrure*	✐ **der Schlüssel** (-) **:** *la clé*
die Klingel (n)	*la sonnette*	✐ **klingeln :** *sonner*
die Fassade (n)	*la façade*	
die Mauer (n)	*le mur [extérieur]*	
das Dach (¨er)	*le toit*	✐ **der Dachziegel** (-) **:** *la tuile*
der Schornstein (e)	*la cheminée*	≠ **der Kamin** (e) **:** *[à l'intérieur]*
das Fenster (-)	*la fenêtre*	✐ **der Fensterladen** (¨) **:** *le volet*
der Balkon (e/s)	*le balcon*	
der Hof (¨e)	*la cour*	✐ **der Innenhof:** *la cour intérieure*
der Garten (¨)	*le jardin*	➔ p. 94 (Les plantes)

☞ Expressions

jdn vor die Tür setzen : *mettre qqn à la porte* • **mit der Tür ins Haus fallen** (ie, a, ä/ist) **:** *parler sans détours ou franchement, ne pas y aller par quatre chemins* • **vor der Tür stehen** (a, a) **:** *approcher, être imminent [un événement]* • **zwischen Tür und Angel :** *en passant, entre deux portes, rapidement*

Im Inneren des Hauses
À l'intérieur de la maison

das Stockwerk (e)	*l'étage*	SYN. **der Stock** (¨e), **das Geschoss** (e)
die Treppe (n)	*l'escalier*	✐ **der Treppenabsatz** (¨e) **:** *le palier*
die Stufe (n)	*la marche*	
der Fahrstuhl (¨e)	*l'ascenseur*	
der Gang (¨e)	*le couloir*	SYN. **der Hausflur** (e)
die Diele (n)	*l'entrée [à l'intérieur], le vestibule*	
die Wand (¨e)	*le mur [intérieur], la cloison*	
der Raum (¨e)	*la pièce*	SYN. **das Zimmer** (-)
das Wohnzimmer (-)	*le séjour, le salon*	
das Esszimmer (-)	*la salle à manger*	

die Küche (n)	*la cuisine*	✎ **die Kochnische** (n) **:** *le coin-cuisine*
das Schlafzimmer (-)	*la chambre*	✎ **das Arbeitszimmer :** *le bureau*
das Badezimmer (-)	*la salle de bains*	SYN. **das Bad** (¨er)
die Toilette (n)	*les toilettes*	SYN. **das Klo** (s) *(fam.)*
die Abstellkammer (n)	*le débarras*	SYN. **die Rumpelkammer** *(fam.)*
der Keller (-)	*la cave*	
der Dachboden (¨)	*le grenier*	

Möbel Le mobilier

die Möbel (pl.)	*les meubles*	✎ **möbliert :** *meublé*
der Tisch (e)	*la table*	✎ **der Schreibtisch/der Nachttisch :** *le bureau/la table de nuit*
der Stuhl (¨e)	*la chaise*	
die Bank (¨e)	*le banc*	
die Couch (s/en)	*le canapé*	SYN. **das Sofa** (s)
der Sessel (-)	*le fauteuil*	
das Bett (en)	*le lit*	
der Schrank (¨e)	*l'armoire*	✎ **der Kühlschrank/der Wandschrank :** *le réfrigérateur/le placard*
die Schublade (n)	*le tiroir*	
das Regal (e)	*l'étagère*	
die Garderobe (n)	*le porte-manteau*	
der Spiegel (-)	*le miroir*	
der Teppich (e)	*le tapis*	✎ **der Teppichboden** (¨) **:** *la moquette*
der Vorhang (¨e)	*le rideau*	
die Gardine (n)	*le rideau [devant les fenêtres]*	
die Tapete (n)	*le papier peint*	

Die Beleuchtung L'éclairage

das Licht (er)	*la lumière*	
die Lampe (n)	*la lampe*	
die (Glüh)Birne (n)	*l'ampoule*	
die Steckdose (n)	*la prise de courant*	✎ **der Stecker** (-) **:** *la prise (mâle)*
der Schalter (-)	*l'interrupteur*	
die Kerze (n)	*la bougie*	

Die Heizung *Le chauffage*

heizen	*chauffer*	✎ **der Heizkörper :** le radiateur
die Zentralheizung	*le chauffage central*	
der Ofen (¨)	*le poêle*	✎ **der Kachelofen :** le poêle en faïence
der Kamin (e)	*la cheminée [à l'intérieur]*	≠ **der Schornstein** (e) **:** [à l'extérieur]
das Rohr (e)	*le tuyau*	
die Klimaanlage (n)	*l'air conditionné*	
die Wärmepumpe (n)	*la pompe à chaleur*	
warm	*chaud*	ANT. **kalt :** *froid*
ein/schalten	*allumer*	ANT. **aus/schalten :** *éteindre*
an/machen	*allumer*	✎ **das Licht ~ :** allumer la lumière
an sein	*être allumé*	ANT. **aus sein :** *être éteint*

Expressions

mit dem Kopf durch die Wand gehen (i, a/ist) **:** *foncer sans regarder ni à droite ni à gauche, ne pas faire de compromis* • **Tapetenwechsel brauchen :** *avoir besoin de changer d'air*

Einziehen *Emménager*

in (+ D) **wohnen**	*habiter*	✎ **der Bewohner** (-) **:** l'habitant
mieten	*louer [locataire]*	✎ **vermieten :** louer [propriétaire]
die Miete (n)	*le loyer*	✎ **der Mieter** (-) **:** le locataire
die Wohngemeinschaft (en)	*la colocation*	REM. abréviation **die WG** (s)
der Besitzer (-)	*le propriétaire*	SYN. **der Eigentümer** (-)
die Nebenkosten	*les charges*	
die Kaution	*la caution*	
aus/ziehen (o, o/ist)	*déménager [quitter un lieu]*	ANT. **ein/ziehen** (o, o/ist) **:** *emménager*
um/ziehen (o, o/ist)	*déménager [changer de lieu]*	✎ **der Umzug** (¨e) **:** le déménagement
der Hausrat (sg. seulement)	*le mobilier, les ustensiles de ménage*	
der Umzugskarton (s)	*le carton de déménagement*	
in (+ A) **ziehen** (o, o/ist)	*emménager dans*	
ein/richten	*aménager [l'appartement]*	✎ **die Einrichtung :** l'aménagement

→ p. 248 (S'informer à propos d'un logement)

Ein Haus instandhalten Entretenir une maison

Putzen *Faire le ménage*

der Staub	*la poussière*	✐ ~ **wischen :** essuyer la poussière
(staub)saugen	*passer l'aspirateur*	✐ **der Staubsauger** (-) **:** l'aspirateur
fegen	*balayer*	
sauber machen	*nettoyer*	SYN. **putzen**
der Lappen (-)	*le chiffon*	
der Besen (-)	*le balai*	
der Schwamm (¨e)	*l'éponge*	
der Eimer (-)	*le seau*	✐ **der Mülleimer :** la poubelle
das Putzmittel (-)	*le produit ménager*	✐ **die Putzfrau** (en) **:** la femme de ménage
sauber	*propre*	ANT. **schmutzig, dreckig :** sale
der Müll	*les ordures*	✐ **die Mülltonne** (n) **:** la benne à ordures, le container
auf/räumen	*ranger*	

Reparieren *Réparer*

der Schaden (¨)	*le dégât*	✐ **der Wasserschaden :** le dégât des eaux
das Leck (s)	*la fuite*	
kaputt	*cassé*	
reparieren	*réparer*	✐ **die Reparatur** (en) **:** la réparation
kleben	*coller*	REM. vt et vi
das Werkzeug (e)	*l'outil*	
der Hammer (¨)	*le marteau*	
der Nagel (¨)	*le clou*	
die Schraube (n)	*la vis*	✐ **schrauben :** visser
die Zange (n)	*la pince*	
die Bohrmaschine (n)	*la perceuse*	✐ **Löcher bohren :** percer des trous
die Leiter (n)	*l'échelle*	

☞ Expressions

im Eimer sein : *être raté ou fichu* • **den Nagel auf den Kopf treffen** (a, o, i) **:** *trouver l'expression juste* • **einen Haken haben :** *avoir un défaut ou un inconvénient* • **Bei ihm ist eine Schraube locker.** *Il est fou ou marteau.*

11 Die Familie
La famille

Artikel 6: Ehe, Familie, Kinder
1. Ehe und Familie stehen unter dem besonderen Schutze der staatlichen Ordnung.
2. Pflege und Erziehung der Kinder sind das natürliche Recht der Eltern und die zuvörderst ihnen obliegende Pflicht. Über ihre Betätigung wacht die staatliche Gemeinschaft.

Auszug aus dem *Grundgesetz der Bundesrepublik Deutschland*, 23. Mai 1949.

Article 6 : Mariage et famille, enfants naturels
1. Le mariage et la famille sont placés sous la protection particulière de l'État.
2. Élever et éduquer les enfants sont un droit naturel des parents et une obligation qui leur échoit en priorité. La communauté étatique veille sur la manière dont ils s'acquittent de ces tâches.

Extrait de la *Loi fondamentale de la République fédérale d'Allemagne*, 23 mai 1949.

Die Familienangehörigen
Les membres de la famille

die Familie (n)	*la famille*	**eine kinderreiche ~ :** *une famille nombreuse*
familiär	*familial, familier*	
das Kind (er)	*l'enfant*	
der Vater (¨)	*le père*	**Papa, Vati** *(fam.)* **:** *papa*
die Mutter (¨)	*la mère*	**Mama, Mutti** *(fam.)* **:** *maman*
die Eltern	*les parents*	
der Sohn (¨e)	*le fils*	
die Tochter (¨)	*la fille*	
der Bruder (¨)	*le frère*	**der Halbbruder/der Zwillingsbruder :** *le demi-frère/le frère jumeau*
die Schwester (n)	*la sœur*	**die Halbschwester/die Zwillingsschwester :** *la demi-sœur/la sœur jumelle*
die Geschwister	*les frères et sœurs*	

LEXIQUE THÉMATIQUE

die Großeltern	*les grands-parents*	✐ **die Urgroßeltern :** *les arrière-grands-parents*
der Großvater (¨)	*le grand-père*	SYN. **der Opa** *(fam.)* **:** *le papi*
die Großmutter (¨)	*la grand-mère*	SYN. **die Oma** *(fam.)* **:** *la mamie*
der Enkel (-)	*le petit-fils*	✐ **die Enkelin** (nen) **:** *la petite-fille*
die Enkel	*les petits-enfants*	✐ **die Urenkel :** *les arrière-petits-enfants*
der Onkel (-)	*l'oncle*	
die Tante (n)	*la tante*	
der Neffe (n, n)	*le neveu*	
die Nichte (n)	*la nièce*	
der Cousin (s)	*le cousin*	SYN. **der Vetter** (n)
die Cousine (n), **die Kusine** (n)	*la cousine*	
der Pate (n, n)	*le parrain*	✐ **die Patin** (nen) **:** *la marraine*
das Patenkind	*le filleul, la filleule*	
verwandt	*parent, apparenté*	
der, die Verwandte	*le parent, la parente [membre de la famille]*	REM. adj. subst. **(ein Verwandter, die Verwandten)**

Die Schwiegerfamilie *La belle-famille*

der Schwiegervater (¨)	*le beau-père [père du conjoint]*	≠ **der Stiefvater :** *le beau-père [nouveau mari de la mère]*
die Schwiegermutter (¨)	*la belle-mère [mère du conjoint]*	≠ **die Stiefmutter :** *la belle-mère [nouvelle femme du père]*
die Schwiegereltern	*les beaux-parents*	
der Schwiegersohn (¨e)	*le gendre*	≠ **der Stiefsohn :** *le beau-fils [d'un précédent mariage]*
die Schwiegertochter (¨)	*la belle-fille*	≠ **die Stieftochter :** *la belle-fille [d'un précédent mariage]*
der Schwager (¨)	*le beau-frère*	✐ **die Schwägerin** (nen) **:** *la belle-sœur*

Partnerschaft und Trennung
Vie en couple et séparation

ledig	*célibataire*	
der, die Alleinstehende	*le, la célibataire*	REM. part. subst. **(ein Alleinstehender)**
mit jdm zusammen/leben	*vivre avec qqn*	
der (Lebens)partner (-)	*le partenaire*	SYN. **der Lebensgefährte** (n, n) **:** *le compagnon*

sich (mit jdm) verloben	*se fiancer (avec qqn)*	✐ **die Verlobung :** *les fiançailles*
(jdn) heiraten	*se marier (avec qqn)*	✐ **verheiratet sein :** *être marié*
die Hochzeit (en)	*le mariage, les noces*	
die Ehe (n)	*le mariage [l'état]*	
das Ehepaar (e)	*le couple marié*	
der Ehemann (¨er)	*l'époux*	✐ **die Ehefrau** (en) **:** *l'épouse*

& Notez bien

- Attention à ne pas confondre **die Ehe** *(le mariage comme état)* et **die Hochzeit** *(la noce, la fête de mariage)*.
- Attention à la construction du verbe **heiraten**, qui est transitif : *se marier avec qqn* : **jdn heiraten**.

jdn verlassen (ie, a, ä)	*quitter qqn*	
sich (von jdm) trennen	*se séparer (de qqn)*	✐ **die Trennung :** *la séparation*
sich (von jdm) scheiden lassen (ie, a, ä)	*divorcer (de qqn)*	✐ **geschieden sein :** *être divorcé* ✐ **die Scheidung :** *le divorce*
der Witwer (-)	*le veuf*	✐ **die Witwe** (n) **:** *la veuve*

Die Sexualität *La sexualité*

der Sex	*le sexe [sexualité]*	✐ **mit jdm ~ haben** *(fam.)* **:** *coucher avec qqn* ≠ **das Geschlecht** (er) **:** *le sexe [organe génital, genre]*
der Geschlechtsverkehr	*la relation sexuelle*	✐ **mit jdm ~ haben :** *avoir des relations sexuelles avec qqn*
mit jdm schlafen (ie, a, ä)	*faire l'amour avec qqn* *coucher avec qqn*	
erotisch	*érotique*	✐ **die Erotik :** *l'érotisme*
sinnlich	*sensuel*	
jdn begehren	*désirer qqn*	
das Verlangen	*le désir*	
die Leidenschaft	*la passion*	
die Lust	*le plaisir*	✐ **~ empfinden** (a, u) **:** *éprouver du plaisir*
die Masturbation	*la masturbation*	SYN. **die Selbstbefriedigung**
das Kondom (e)	*le préservatif*	SYN. **das Präservativ** (e)
homosexuell	*homosexuel*	SYN. **schwul** *(fam.)* : *homo*
lesbisch	*lesbien*	

→ p. 61 (L'amour)

LEXIQUE THÉMATIQUE

Die Kinder und ihre Erziehung
Les enfants, leur éducation

das Einzelkind (er)	*l'enfant unique*	
das Waisenkind (er)	*l'orphelin*	Syn. **die Waise** (n)
adoptieren	*adopter*	✐ **die Adoption :** *l'adoption*
die Krippe (n)	*la crèche*	
die Tagesmutter (¨)	*la nourrice*	
der Kindergarten (¨)	*le jardin d'enfants*	
die Kindertagesstätte (n)	*la crèche, le jardin d'enfants, le centre aéré*	Rem. abréviation **Kita** (s)

☞ Les femmes et l'éducation des enfants

■ En Allemagne (à l'Ouest surtout), les femmes s'arrêtent souvent de travailler lorsqu'elles ont des enfants. Cela est dû au manque de places de crèche (**Krippenplätze**) et au fait que les enfants ne sont scolarisés qu'à l'âge de 6 ans et ne vont en classe que le matin. ➔ **p. 68** (La scolarité)

■ C'est aussi une question de mentalité : jusqu'à une période récente, les jeunes mères qui continuaient à travailler étaient souvent mal vues et considérées comme des « **Rabenmutter** » (*mère-corbeau*). Mais les choses sont en train de changer sous l'influence d'une politique familiale plus volontariste.

jdn erziehen (o, o)	*éduquer qqn*	✐ **die Erziehung :** *l'éducation* ✐ **alleinerziehend :** *élevant seul(e)*
jdn betreuen	*s'occuper de qqn*	
auf jdn auf/passen	*surveiller qqn*	
jdn verwöhnen	*gâter qqn*	
jdm gehorchen	*obéir à qqn*	✐ **ungehorsam :** *désobéissant*
jdm nach/geben (a, e, i)	*céder à qqn*	
etwas dulden	*tolérer qqch*	
jdn bestrafen	*punir qqn*	✐ **die Strafe** (n) **:** *la punition*
jdn zurecht/weisen (ie, ie)	*réprimander qqn*	Syn. **jdn rügen**
jdn aus/schimpfen	*gronder qqn*	
gut erzogen	*bien élevé*	Ant. **schlecht erzogen :** *mal élevé*
brav	*sage*	
streng	*sévère*	Ant. **nachsichtig :** *indulgent*

➔ **p. 68** (La scolarité en Allemagne)

12 Die zwischenmenschlichen Beziehungen

Les relations avec autrui

Robert Hechenblaikner und Florian Bloch,
Arthur & Ludwig,
Aufzeichnungen aus einer Sackgasse.

– Pourquoi est-ce que toutes les femmes t'aiment plus que moi ?
– Mais ce n'est pas vrai, Lu!
– Ta mère, elle nous aime pareil, toi et moi!

Der Respekt *Le respect*

der Respekt vor (+ D)	*le respect de*	✎ **respektieren :** respecter
respektvoll	*avec respect*	
die Achtung vor (+ D)	*l'estime pour, la considération pour*	✎ **auf jdn achten :** *faire attention à*
die Rücksicht (en)	*l'égard, l'attention*	✎ **auf jdn ~ nehmen** (a, o, i) **:** *faire attention à qqn*
rücksichtsvoll	*plein d'égards*	
schonend	*avec ménagement*	
höflich	*poli*	Ant. **frech :** *insolent*
taktvoll	*avec ou plein de tact*	Ant. **taktlos :** *sans tact*

Das Vertrauen *La confiance*

das Vertrauen zu jdm	*la confiance en qqn*	
jdm vertrauen	*faire confiance à qqn*	✐ **jdm etwas an/vertrauen :** *confier qqch à qqn*
sich auf jdn verlassen (ie, a, ä)	*se fier à qqn*	✐ **zuverlässig :** *fiable*
jdm glauben	*croire qqn*	✐ **glaubhaft :** *crédible*
sein Wort halten (ie, a, ä)	*tenir parole*	

→ p. 331 (Exprimer sa confiance en quelqu'un)

Die Bewunderung *L'admiration*

jdn schätzen	*avoir de l'estime pour qqn*	
jdn bewundern	*admirer qqn*	SYN. **an/himmeln** *(fam.)*
jdn bezaubern	*fasciner qqn*	SYN. **faszinieren**
das Vorbild (er)	*l'idéal*	

→ p. 319 (Exprimer son enthousiasme, son admiration)

Die Freundschaft *L'amitié*

der Freund (e)	*l'ami [proche]*	✐ **die Freundin** (nen) **:** *l'amie [proche]*
der Kumpel (-/s) *(fam.)*	*le pote*	
der Bekannte	*l'ami [non proche], la connaissance*	REM. adj. subst. **(ein Bekannter)**
jdn kennen lernen	*faire la connaissance de qqn*	
jdn gern haben	*aimer bien qqn*	
sich verstehen (a, a)	*se comprendre*	
jdn umarmen	*serrer qqn dans les bras*	✐ **die Umarmung** (en) **:** *l'étreinte*
freundschaftlich	*amical*	
vertraut	*intime, familier*	

→ p. 310 (Dire que l'on aime, apprécie, préfère quelqu'un)

☞ S'embrasser

■ En Allemagne, on ne se fait pas la bise. Des personnes peu intimes se serrent la main ; des personnes plus intimes (amis, famille) échangent une étreinte.

Die Liebe *L'amour*

jdm gefallen (ie, a, ä)	*plaire à qqn*	
jdn lieben	*aimer qqn*	**jdn lieb haben, jdn mögen** (o, o, a) **:** *aimer bien qqn*
sich in jdn verlieben	*tomber amoureux de qqn*	**in jdn** (A) **verliebt sein :** *être amoureux de qqn*
jdn an/machen	*draguer qqn*	SYN. **jdn an/baggern** *(fam.)*
jdn unwiderstehlich finden (a, u)	*trouver qqn irrésistible*	
jdn verführen	*séduire qqn*	
das Rendez-vous (-)	*le rendez-vous (amoureux)*	≠ **der Termin** (e) **:** *le rendez-vous officiel*
jdn küssen	*embrasser qqn*	**der Kuss** (¨e) **:** *le baiser*
die Zuneigung	*l'affection*	
mit jdm zusammen sein	*être avec qqn, avoir une relation (amoureuse) avec qqn*	
die Liebesbeziehung (en)	*la relation amoureuse*	
das Liebespaar (e)	*le couple d'amoureux*	
der Liebhaber (-), **die Liebhaberin** (nen)	*l'amant, l'amante*	SYN. **der, die Geliebte** (part. subst.)
leidenschaftlich	*passionné*	
romantisch	*romantique*	
liebevoll	*affectueux*	
zärtlich	*tendre*	
treu	*fidèle*	**die Treue :** *la fidélité*

→ **p. 57** (La sexualité)
→ **p. 310** (Dire que l'on aime, apprécie, préfère quelqu'un)

Der Hass *La haine*

hassen	*haïr, détester*	SYN. **verabscheuen :** *avoir en horreur*
jdn nicht ausstehen können (o, o, a)	*ne pas pouvoir supporter qqn*	SYN. **jdn nicht leiden können**
sich vor (+ D) **ekeln**	*être écœuré (par)*	
der Feind (e)	*l'ennemi*	
die Abneigung gegen (+ A)	*l'aversion (pour)*	

→ **p. 313** (Dire que l'on n'aime pas, que l'on n'apprécie pas quelqu'un)

Das Misstrauen *La méfiance*

jdm misstrauen	*se méfier de qqn*	
jdn einer Sache (G) **verdächtigen**	*soupçonner qqn de qqch*	✐ **der Verdacht :** *le soupçon*
jdm etwas unterstellen	*soupçonner qqn de qqch*	
etwas vor/täuschen	*feindre qqch*	
lügen (o, o)	*mentir*	✐ **jdn an/lügen :** *mentir à qqn*
die Lüge (n)	*le mensonge*	✐ **der Lügner** (-) **:** *le menteur*
jdn betrügen (o, o)	*tromper qqn*	✐ **der Betrug :** *la tromperie*
jdn verraten (ie, a, ä)	*trahir qqn*	✐ **der Verrat :** *la trahison*

Die Verachtung *Le mépris*

jdn verachten	*mépriser qqn*	Syn. **jdn gering schätzen**
jdn aus/lachen	*se moquer de qqn*	Syn. **sich über jdn lustig machen**
über jdn spotten	*se moquer, plaisanter sur qqn*	✐ **der Spott :** *la moquerie*
jdn erniedrigen	*humilier qqn*	Syn. **jdn demütigen**
jdn beleidigen	*vexer qqn*	✐ **die Beleidigung :** *l'offense, l'insulte*
höhnisch	*méprisant, railleur*	Syn. **spöttisch :** *moqueur, railleur*
arrogant	*arrogant*	✐ **die Arroganz :** *l'arrogance*
hochnäsig	*hautain, arrogant*	
gleichgültig	*indifférent*	✐ **die Gleichgültigkeit :** *l'indifférence*

Die Unzufriedenheit *Le mécontentement*

über (+ A) **meckern** *(fam.)*	*râler à propos de*	Syn. **nörgeln**
sich über (+ A) **ärgen**	*s'énerver à propos de*	
sich über (+ A) **auf/regen**	*s'énerver, s'exciter à propos de*	✐ **die Aufregung :** *l'excitation, l'énervement*
sich (A) **mit etwas** (D) **verrückt machen** *(fam.)*	*s'énerver à propos de qqch*	
schimpfen	*pester*	
jammern	*se lamenter*	
jdm etwas vor/werfen (a, o, i)	*reprocher qqch à qqn*	✐ **der Vorwurf** (¨e) **:** *le reproche*
mit (+ D) **unzufrieden sein**	*être insatisfait (de)*	Ant. **mit** (+ D) **zufrieden sein** : *être satisfait (de)*

Die Eifersucht *La jalousie*

auf (+ A) **eifersüchtig**	*jaloux (de) [en amour]*	
argwöhnisch	*suspicieux*	**der Argwohn :** *la suspicion*
auf (+ A) **neidisch**	*jaloux (de), envieux (de)*	**der Neid :** *la jalousie*
jdn um (+ A) **beneiden**	*envier qqn (pour)*	

Der Streit und die Versöhnung *La querelle et la réconciliation*

sich mit jdm streiten (i, i)	*se disputer avec qqn*	**der Streit :** *la dispute*
sich mit jdm zanken	*se disputer, se chamailler avec qqn*	**der Zank :** *la dispute*
jdm etwas übel nehmen (a, o, i)	*en vouloir à qqn d'avoir fait qqch*	Syn. **jdm böse sein :** *en vouloir à qqn*
auf jdn böse sein	*être en colère contre qqn*	
schmollen	*bouder*	
nachtragend	*rancunier*	
verbittert	*amer*	
sich versöhnen	*se réconcilier*	
sich entschuldigen	*s'excuser*	**Entschuldigung! :** *Excusez-moi !*
um Verzeihung bitten (a, e)	*demander pardon*	**Verzeihung! :** *Pardon !*
verzeihen (ie, ie)	*pardonner*	Syn. **vergeben** (a, e, i)
etwas bedauern	*regretter qqch*	
etwas bereuen	*regretter qqch, se repentir de qqch*	**die Reue :** *le repentir*
wieder gut/machen	*réparer [une offense]*	

→ p. 342 (Exprimer sa colère, son exaspération, son indignation)

☞ Expressions

kein Freund von etwas (D) **sein :** *ne pas aimer qqch* • **auf jdn/etwas** (A) **stehen** (a, a) *(fam.)* : *admirer ou adorer qqn/qqch* • **jdm den Hof machen :** *faire la cour à qqn* • **wie Pech und Schwefel zusammen/halten** (ie, a, ä) : *être comme cul et chemise* • **Liebe auf den ersten Blick :** *le coup de foudre* • **jdn im Stich lassen** (ie, a, ä) : *laisser tomber qqn*

13 Die Gefühle

Les émotions

Glückliche Menschen haben ein schlechtes Gedächtnis und reiche Erinnerungen.

Thomas Brussig, *Am kürzeren Ende der Sonnenallee*, © Cornelsen Verlag, 1999.

Les gens heureux ont une mauvaise mémoire et des souvenirs riches.

Die Freude, das Glück La joie, le bonheur

sich (A) **freuen**	être content, se réjouir	
das Glück	le bonheur	**2.** la chance
glücklich	heureux	ANT. **unglücklich :** malheureux
froh	heureux	☞ **fröhlich :** joyeux
heiter	gai	☞ **die Heiterkeit :** la gaité
begeistert	enthousiaste	
der Spaß	le plaisir	☞ ~ **machen :** plaire [activité]
das Vergnügen (-)	le plaisir	
lustig	drôle	
witzig	drôle, amusant	☞ **der Witz** (e) **:** l'histoire drôle, la blague
gut drauf sein *(fam.)*	avoir la pêche ou le moral	ANT. **schlecht drauf sein** *(fam.)* **:** ne pas avoir la pêche ou le moral
scherzen	plaisanter	☞ **der Scherz** (e) **:** la blague

& Notez bien

■ Le verbe **sich freuen** peut se construire avec trois prépositions, de sens différent :

– **Ich freue mich auf deinen Besuch** (A).
Il me tarde que tu viennes. (qqch de futur)

– **Sie hat sich über das Geschenk** (A) **sehr gefreut.**
Elle était très contente de son cadeau (qqch de passé)

– **Sie freut sich an ihrem Garten** (D).
Son jardin lui procure de la joie. (sentiment durable)

lachen	*rire*	
lächeln	*sourire*	
jdm zu/lächeln	*sourire à qqn*	SYN. **jdn an/lächeln**

→ p. 322 (Exprimer sa joie, sa satisfaction)

Die Traurigkeit *La tristesse*

traurig	*triste*	SYN. **betrübt :** triste, *affligé*
bedrückt	*triste, accablé*	
melancholisch	*mélancolique*	
die Wehmut	*la mélancolie*	SYN. **die Melancholie**
der Kummer	*le chagrin*	✐ **der Liebeskummer :** le chagrin d'amour
seufzen	*soupirer*	
die Träne (n)	*la larme*	✐ **in Tränen aufgelöst :** en pleurs
weinen	*pleurer*	SYN. **heulen :** crier, pleurer *(fam.)*
schluchzen	*sangloter*	
trösten	*consoler*	✐ **der Trost :** la consolation
verzweifelt	*désespéré*	✐ **die Verzweiflung :** le désespoir
keinen Ausweg sehen (a, e, ie)	*ne pas voir d'issue*	SYN. **schwarz sehen** (a, e, ie)
etwas bedauern	*regretter qqch*	
pessimistisch sein	*être pessimiste*	

→ p. 337 (Exprimer sa tristesse, son chagrin, son désespoir)

Die Verwunderung *L'étonnement*

sich (A) **über** (+ A) **wundern**	*s'étonner de, trouver étonnant*	
staunen	*s'étonner [plus fort]*	✐ **erstaunt :** étonné
verblüfft	*stupéfait*	
überrascht	*surpris*	✐ **die Überraschung :** la surprise
jdn überraschen	*surprendre qqn*	
jdn (**bei** + D) **ertappen**	*surprendre qqn (en train de faire qqch)*	
erschüttert	*bouleversé*	
schockiert	*choqué*	
unerwartet	*inattendu*	SYN. **unvermutet, unvorhergesehen**
unverhofft	*inespéré*	

→ p. 327 (Exprimer sa surprise, son étonnement, sa consternation)

Die Angst La peur

Angst haben	*avoir peur*	
sich vor (+ D) **fürchten**	*avoir peur de*	**die Furcht :** *la peur, la crainte*
erschrecken (a, o, i/ist)	*prendre peur*	**der Schreck :** *la frayeur*
jdn erschrecken	*effrayer qqn*	REM. verbe faible
besorgt	*soucieux, inquiet*	
sich (A) **um** (+ A) **Sorgen machen**	*se faire du souci pour*	

→ p. 339 (Exprimer sa peur, sa crainte, son inquiétude)

Der Zorn La colère

wütend	*furieux*	**die Wut :** *la colère, la fureur*
zornig	*en colère*	**der Zorn :** *la colère*
in Zorn geraten (ie, a, ä/ist)	*se mettre en colère, sortir de ses gonds*	SYN. **in Zorn aus/brechen** (a, o, i/ist)
jähzornig	*irascible*	
sauer *(fam.)*	*en colère, fâché*	
empört	*indigné*	**die Empörung :** *l'indignation*
entsetzt	*choqué, indigné*	

→ p. 342 (Exprimer sa colère, son exaspération, son indignation)

Expressions

Tränen lachen : *rire aux larmes* • **Trübsal blasen** (ie, a, ä) **:** *être triste* • **(fast) vom Stuhl fallen** (ie, a, ä/ist) **:** *en tomber par terre, être très surpris* • **aus allen Wolken fallen** (ie, a, ä/ist) **:** *tomber des nues* • **baff sein** *(fam.)* **:** *en rester baba, être très surpris* • **einen dicken Hals kriegen :** *se mettre en colère* • **aus der Haut fahren** (u, a, ä/ist) **:** *s'emporter* • **Da platzt einem der Kragen!** *Il y a de quoi se mettre en colère!*

14 Die Schulzeit und das Studium
La scolarité et les études

Gesamtschule: eine Schulform des Sekundarbereichs I, in der die verschiedenen Bildungsgänge der Haupt- und Realschule sowie des Gymnasiums zusammengefasst werden. Nach dem Grad des Zusammenschlusses wird zwischen der **kooperativen Gesamtschule** (die herkömmlichen Schularten bleiben im Wesentlichen erhalten) und der **integrierten Gesamtschule** (weitgehend schulartübergreifend) unterschieden.

http://lexikon.meyers.de

Gesamtschule : *un type d'école secondaire du premier cycle regroupant les différents cursus de la* **Hauptschule**, *de la* **Realschule** *et du* **Gymnasium**. *Selon le degré d'intégration, on distingue entre* **kooperative Gesamtschule** *(qui préserve en gros les types d'écoles traditionnels) et* **integrierte Gesamtschule** *(qui réunit les différents types d'écoles).*

Das Schulsystem *Le système scolaire*

Die Schule *L'école*

die Schule (n)	*l'école*	☞ **in die ~ gehen** (i, a/ist) : *aller à l'école*
die Grundschule (n)	*l'école primaire*	
der Schüler (-)	*l'écolier, le collégien, le lycéen*	✎ **die Schülerin** (nen) : *l'écolière, la collégienne, la lycéenne*
der Lehrer (-)	*le maître, le professeur*	✎ **die Lehrerin** (nen) : *la maîtresse*
der Schulleiter (-)	*le directeur*	
(etwas/in der Schule) unterrichten	*enseigner (qqch/à l'école)*	✎ **der Unterricht** (e) : *l'enseignement*
jdm etwas bei/bringen (a, a)	*enseigner qqch à qqn*	SYN. **jdn etwas lehren**
das Schuljahr	*l'année scolaire*	✎ **der Schuljahresbeginn** : *la rentrée scolaire*
die (Unterrichts)stunde (n)	*l'heure de cours*	

die Pause (n)	*la pause, la récréation*	**das Pausenbrot** (e) **:** *le goûter, le casse-croûte*
die Zwischenmahlzeit	*le goûter*	
die Ferien	*les vacances*	
(die Schule) schwänzen	*faire l'école buissonnière, sécher*	

→ p. 244 (S'informer, informer à l'école)

La scolarité en Allemagne

■ Il n'existe pas d'école maternelle en Allemagne. Avant l'âge de 6 ans, les enfants peuvent aller au **Kindergarten** (jardin d'enfant privé et payant, accessible à partir de 3 ans) ou à la **Kindertagesstätte** (dès le plus jeune âge).

→ p. 58 (Les femmes et l'éducation des enfants)

■ **Schule** est un terme générique que l'on utilise du primaire au baccalauréat pour désigner aussi bien *l'école* que *le collège* ou *le lycée*.

■ Entre six et dix ans, les enfants sont scolarisés à la **Grundschule** (*école primaire*). Ensuite, l'élève peut choisir entre trois filières :

- **Hauptschule** qui mène à des formations courtes et techniques (type CAP, BEP) ;
- **Realschule** ou **Mittelschule** qui mène à des formations techniques (type bac pro ou technique) ;
- **Gymnasium** qui mène au bac général et aux études supérieures.

■ Les cours se déroulent généralement le matin, jusqu'en début d'après-midi. Il est question toutefois de développer la **Ganztagsschule** (cours le matin et l'après-midi).

■ Les classes se dénomment dans l'ordre croissant des chiffres : **die erste Klasse** est ainsi la première classe fréquentée par un élève à l'école primaire, et **die fünfte Klasse** correspond à la classe fréquentée pendant la cinquième année de scolarisation.

Die Universität L'université

die Universität (en)	*l'université*	
die Hochschule (n)	*l'école supérieure, l'université*	**die Fachhochschule** (n) **:** *l'université technique (≈ l'IUT)*
akademisch	*de l'enseignement supérieur*	
das Studium	*les études supérieures*	
studieren	*faire des études supérieures*	**an der Universität/Medizin ~ :** *étudier à l'université/faire des études de médecine*
sich ein/schreiben (ie, ie)	*s'inscrire [à l'université]*	SYN. **sich immatrikulieren**
die Aufnahmeprüfung (en)	*le concours d'entrée*	

das Stipendium (Stipendien)	*la bourse*	
der Studiengang (¨e)	*le cursus*	
der Student (en, en)	*l'étudiant*	**die Studentin** (nen) : *l'étudiante*
der Professor (en)	*le professeur d'université*	**die Professur** (en) : *la chaire de professeur*
der Dozent (en, en)	*le chargé de cours*	
der Rektor (en)	*le président [d'université]*	
der Hörsaal (Hörsäle)	*l'amphithéâtre*	
der Kurs (e)	*le cours*	**einen ~ belegen :** *suivre un cours*
die Vorlesung (en)	*le cours magistral*	
das Seminar (e)	*le séminaire*	
das Semester (-)	*le semestre*	**im ersten ~ sein :** *être en première année*
die Mensa (Mensen)	*le restaurant universitaire*	

→ p. 245 (S'informer, informer à l'université)

& Notez bien

■ Le mot *professeur* en français et le mot **Professor** en allemand n'ont pas la même extension : en France, un professeur peut être un professeur d'école, de collège, de lycée ou d'université. En Allemagne, ne peut être appelé **Professor** qu'un *professeur d'université*.

■ Les mots *académique* et **akademisch** ne se recouvrent pas. *Académique* désigne en français tout ce qui est en rapport avec l'académie, structure administrative regroupant en général plusieurs départements, administrée par le recteur, représentant du ministre. **Akademisch** désigne tout ce qui a trait à l'enseignement supérieur (universitaire).

Schulbedarf *Les fournitures scolaires*

das Buch (¨er)	*le livre*	**das Lehrbuch :** *le manuel*
das Heft (e)	*le cahier*	**das Schmierheft** *(fam.)* : *le cahier de brouillon*
das Papier	*le papier*	
das Blatt (¨er)	*la feuille*	
der Ordner (-)	*le classeur*	
die Mappe (n)	*la chemise*	

der Bleistift (e)	le crayon	✎ **der Druckbleistift :** le porte-mine
der Füller (-)	le stylo-plume	Syn. **der Füllfederhalter** (-)
die Tinte (n)	l'encre	
der Kugelschreiber (-)	le stylo-bille	Syn. **der Kuli** (s) *(fam.)*
der Radierer (-)	la gomme	Syn. **der Radiergummi** (s)
radieren	gommer, effacer	✎ **aus/radieren :** effacer en gommant
das Lineal (e)	la règle	
das Federmäppchen (-)	la trousse	
der Taschenrechner (-)	la calculette	
der Ranzen (-)	le cartable	Syn. **die Schultasche** (n)
die Tafel	le tableau	✎ **etwas an die ~ schreiben :** écrire qqch au tableau
die Kreide	la craie	

Arbeit in der Schule und an der Universität
Travail scolaire et universitaire

Die Arbeit Le travail

das Fach (¨er)	la matière	
ein Fach wählen	choisir une matière	✎ **das Wahlfach :** l'option
ein Fach ab/wählen	abandonner une matière	✎ **das Pflichtfach :** la matière obligatoire
lesen (a, e, ie)	lire	
schreiben (ie, ie)	écrire	✎ **ab/schreiben :** copier
rechnen	calculer	✎ **das Kopfrechnen :** le calcul mental
üben	s'exercer, faire des exercices	✎ **die Übung** (en) **:** l'exercice
lernen	apprendre, réviser	✎ **für eine Prüfung ~ :** réviser pour un examen
auswendig	par cœur	
auf/sagen	réciter [poème, texte]	
das Referat (e)	l'exposé	✎ **ein ~ halten** (ie, a, ä) **:** faire un exposé
zusammen/fassen	résumer	✎ **die Zusammenfassung** (en) **:** le résumé
unterstreichen (i, i)	souligner	✎ **rot ~ :** souligner en rouge

der Aufsatz (¨e)	*la rédaction*	
korrigieren	*corriger*	SYN. **verbessern :** *corriger, améliorer*
der Fehler (-)	*la faute, l'erreur*	
falsch	*faux*	ANT. **richtig :** *juste*
die Aufgabe (n)	*l'exercice*	✐ **Hausaufgaben :** *les devoirs*
das Diktat (e)	*la dictée*	

Die Prüfungen *Les examens*

die Prüfung (en)	*l'examen*	✐ **eine ~ machen, ab/legen :** *passer un examen*
die Klausur (en)	*l'épreuve écrite*	✐ **eine ~ schreiben** (ie, ie) **:** *passer une épreuve écrite*
der Test (s)	*le test, l'interrogation écrite*	
schwer	*difficile*	ANT. **leicht :** *facile*
schriftlich	*écrit*	ANT. **mündlich :** *oral*
die Note (n)	*la note*	
das Ergebnis (se)	*le résultat*	
eine Prüfung bestehen (a, a)	*réussir à un examen*	ANT. **bei einer Prüfung durch/fallen** (ie, a, ä/ist) **:** *échouer à un examen*
das Zeugnis (se)	*le bulletin*	
das Abitur	*le baccalauréat*	REM. abréviation **das Abi**
der Schein (e)	*l'attestation [de réussite]*	**2.** *unité de valeur [pour un diplôme]*
die Dissertation (en)	*la thèse*	SYN. **die Doktorarbeit** (en)
das Diplom (e)	*le diplôme*	SYN. **der Abschluss** (¨e)
sitzen bleiben (ie, ie/ist)	*redoubler*	SYN. **das Jahr wiederholen**
versetzt werden (u, o, i/ist)	*passer dans la classe supérieure*	

→ p. 244 (S'informer, informer à l'école), p. 245 (S'informer, informer à l'université)

☞ Les notes

■ En Allemagne, l'échelle des notes va de 1 à 6, 1 étant la meilleure note, 6 la plus mauvaise.

■ Les notes sont de genre féminin en allemand : **Ich habe eine Zwei in Mathe bekommen.** *J'ai eu un 2 en mathématiques.* (une assez bonne note)

■ À partir du lycée on passe à un système de points **(Punktesystem)** semblable à celui pratiqué en France (notation sur 15).

15 Das Berufsleben

La vie professionnelle

Umfrage: Jobwechsel

„Haben Sie schon mal überlegt, in einen Job zu wechseln, der weniger Geld, aber mehr Lebensqualität bringen würden?“

Ja:	34%
Nein:	48%
Spontan: „Bin nicht/war nicht berufstätig“:	16%
„Weiß nicht“/keine Angabe:	2%

TNS Forschung, © *Der Spiegel*, 2007.

Sondage : Changement d'emploi

Avez-vous déjà envisagé un changement professionnel en faveur d'un travail moins rémunéré mais plus riche en termes de qualité de vie ?

Oui :	34 %
Non :	48 %
Réponse spontanée « Je ne travaille/Je ne travaillais pas » :	16 %

Die Arbeitswelt Le monde du travail

der Beruf (e)	la profession, le métier	✐ **die Berufsaussichten :** les débouchés
einen Beruf aus/üben	exercer un métier	Syn. **berufstätig sein :** être dans la vie active
die Arbeit (en)	le travail	✐ **der Arbeitsmarkt :** le marché du travail
die Zeitarbeit	le travail en intérim	✐ **die Teilzeitarbeit :** le travail à temps partiel
der Job (s) *(fam.)*	le boulot	✐ **der Studentenjob :** le boulot d'étudiant
der Arbeitsplatz (¨e)	l'emploi	Syn. **die Stelle** (n) **:** le poste, l'emploi
die Lehrstelle (n)	la place en apprentissage	
der Arbeitsvertrag (¨ e)	le contrat de travail	✐ **der befristete/unbefristete ~ :** le contrat à durée déterminée/à durée indéterminée
die Schwarzarbeit	le travail au noir	
die Arbeit wechseln	changer de travail	

Die Arbeitsbedingungen *Les conditions de travail*

der Tarifvertrag (¨e)	*la convention collective*	**die Tarifpartner :** *les partenaires sociaux*
die Arbeitszeit (en)	*le temps de travail*	**gleitende** ou **flexible Arbeitszeiten :** *des horaires flexibles*
die Überstunden	*les heures supplémentaires*	**~ machen :** *faire des heures supplémentaires*
die Arbeitszeit-verkürzung (en)	*la réduction du temps de travail*	
die Ausbildung	*la formation*	
die Weiterbildung	*la formation continue*	
der Feiertag (e)	*le jour férié*	**der Werktag** (e) **:** *le jour ouvrable*
der Lohn (¨e)	*le salaire*	Syn. **das Gehalt** (¨er) **:** *le salaire, le traitement*
der Mindestlohn (¨e)	*le salaire minimal*	**die Lohnerhöhung** (en) **:** *l'augmentation de salaire*
der Gehaltsstreifen (-)	*la fiche de paie*	Syn. **der Gehaltszettel** (-)
gut/schlecht verdienen	*bien/ne pas bien gagner sa vie*	
das Dienstalter	*l'ancienneté*	
(zu + D) **befördert werden** (u, o, i/ist)	*avoir une promotion (à)*	
versetzt werden (u, o, i/ist)	*être muté*	
der Ruhestand	*la retraite [état]*	**im ~ sein :** *être à la retraite*
die Rente	*la retraite [pension]*	**die Frührente :** *la préretraite* **in ~ gehen** (i, a/ist) **:** *partir à la retraite*

Expressions

Däumchen drehen : *se tourner les pouces* • **schuften/ackern** *(fam.)* **:** *trimer* • **schaffen** *(fam.)* **:** *bosser* • **pfuschen** *(fam.)* **:** *faire du mauvais boulot* • **eine ruhige Kugel schieben** (o, o) **:** *se la couler douce* • **sich in etwas** (A) **rein/hängen :** *se passionner pour qqch, être à fond dans qqch* • **viel um die Ohren haben :** *avoir beaucoup de choses à faire, être débordé* • **Packen wir's an.** *On s'y met.* • **die Ärmel hoch/krempeln :** *se retrousser les manches* • **ein Drückeberger :** *un tire-au-flanc*

Eine Arbeit suchen Chercher un emploi

auf Arbeitssuche sein	être à la recherche d'un emploi	
die Stellenanzeige (n)	l'offre d'emploi	
der Bewerber (-)	le candidat	**sich für einen Posten bewerben** (a, o, i) : être candidat à un emploi
die Bewerbung (en)	la candidature	**das Bewerbungsschreiben** (-) : la lettre de motivation **das Bewerbungsgespräch** (e) : l'entretien d'embauche
der Lebenslauf (¨e)	le curriculum vitae	→ p. 226 (Se présenter dans son curriculum vitæ)
die Berufserfahrung	l'expérience professionnelle	SYN. **die Berufspraxis**
das Praktikum (Praktika)	le stage	
die Probezeit (en)	la période d'essai	
eingestellt werden (u, o, i/ist)	être embauché	
der Personalleiter (-)	le directeur des ressources humaines	

Die Arbeitslosigkeit Le chômage

seine Stelle verlieren (o, o)	perdre son emploi	
jdm kündigen	licencier qqn	
jdn entlassen (ie, a, ä)	licencier qqn	**die Entlassung :** le licenciement
jdn feuern *(fam.)*	virer qqn	
Stellen kürzen	supprimer des postes	SYN. **Stellen streichen** (i, i)
der Stellenabbau	les suppressions d'emplois	
die Kurzzeitarbeit	le chômage partiel	
der Arbeitslose	le chômeur	REM. adj. subst. **(ein Arbeitsloser, die Arbeitslosen)**
arbeitslos sein	être au chômage	
der Erwerbslose	la personne sans emploi	
das Arbeitslosengeld	les indemnités de chômage	~ **bekommen** (a, o) : toucher des indemnités de chômage
das Arbeitsamt (¨er)	l'agence pour l'emploi	

In einer Firma *Au sein d'une entreprise*

die Firma (Firmen)	*l'entreprise*	Syn. **das Unternehmen** (-), **der Betrieb** (e)
die Gesellschaft (en)	*la société*	
der Sitz	*le siège*	
die Abteilung (en)	*le service*	**der Abteilungsleiter** (-) **:** *le chef de service*
der Arbeitgeber (-)	*l'employeur, le patron*	**der Arbeitgeberverband** (¨e) **:** *l'organisation patronale*
der Mitarbeiter (-)	*l'employé d'une entreprise*	**2.** *le collaborateur*
der Angestellte	*l'employé*	Rem. part. subst.
der Arbeitnehmer (-)	*le salarié*	
der Kollege (n, n)	*le collègue*	**einen Kollegen vertreten** (a, e, i) **:** *remplacer un collègue*
der Partner (-)	*le partenaire*	**der Geschäftspartner :** *le partenaire commercial*
der Firmenchef (s)	*le patron d'entreprise*	**der Firmeninhaber** (-) **:** *le propriétaire de l'entreprise*
die Führungskräfte	*les cadres*	
der Vorstands-vorsitzende	*le PDG*	Rem. part. subst.
der Betriebsleiter (-)	*le directeur d'entreprise*	
der Betriebsrat (¨e)	*le comité d'entreprise*	
der Umsatz (¨e)	*le chiffre d'affaires*	**den ~ steigern :** *augmenter le chiffre d'affaires*
die Pleite (n) *(fam.)*	*la faillite*	
in Konkurs gehen (ie, a, ä/ist)	*faire faillite*	Syn. **pleite sein** *(fam.)*
Insolvenz an/melden	*déposer le bilan*	
die Firma auf/kaufen	*racheter l'entreprise*	
eine Firma übernehmen (a, o, i)	*reprendre une entreprise*	

☞ L'autonomie des partenaires sociaux

■ En Allemagne, le principe de l'*autonomie des partenaires sociaux* **(Tarifautonomie)** est inscrit dans la Loi fondamentale : ce sont les *partenaires sociaux* **(Tarifpartner)**, c'est-à-dire les syndicats et les chefs d'entreprise ou organisations patronales, qui négocient la durée du travail, les congés payés et les salaires.

■ L'État fixe des règles générales mais n'intervient pas dans les décisions des partenaires sociaux.

Die Gewerkschaften *Les syndicats*

die Gewerkschaft (en)	*le syndicat*	
das Mitglied (er)	*le membre, l'adhérent*	
verhandeln	*négocier*	✐ **die Verhandlung** (en) **:** *la négociation*
fordern	*demander, revendiquer*	✐ **die Forderung** (en) **:** *la revendication*
verlangen	*exiger*	
der Streik (s)	*la grève*	✐ **zum ~ auf/rufen** (ie, u) **:** *appeler à la grève*
streiken	*faire grève*	
die Arbeit nieder/legen	*cesser le travail, se mettre en grève*	ANT. **die Arbeit wieder auf/nehmen** (a, o, i) **:** *reprendre le travail*
die Demonstration (en)	*la manifestation*	
(für/gegen + A) demonstrieren	*manifester (pour/contre)*	

16 Die Umwelt beschreiben
Décrire son environnement

Der Satz des Pythagoras: Bei einem rechtwinkligen Dreieck ist das Quadrat der Hypotenuse gleich der Summe der Kathetenquadrate.

Théorème de Pythagore : Dans un triangle rectangle, le carré de l'hypothénuse est égal à la somme des carrés des longueurs des côtés de l'angle droit.

Die Formen *Les formes*

das Quadrat (e)	*le carré*	**quadratisch :** carré
das Rechteck (e)	*le rectangle*	**rechteckig :** rectangulaire
das Dreieck (e)	*le triangle*	**dreieckig :** triangulaire
der Kreis (e)	*le cercle*	**kreisförmig :** circulaire
der rechte Winkel (-)	*l'angle droit*	
rund	*rond*	ANT. **spitz :** pointu
der Würfel (-)	*le cube*	**2.** *le dé à jouer*
die Kugel (n)	*la sphère*	**2.** *la boule*
der Zylinder (-)	*le cylindre*	**zylindrisch :** cylindrique
gerade	*droit*	ANT. **krumm :** courbe
senkrecht	*vertical*	ANT. **waagerecht :** horizontal
parallel	*parallèle*	
diagonal	*diagonal*	
schräg	*en travers, de travers*	

Die Farben *Les couleurs*

weiß	*blanc*	**weißlich :** blanchâtre
schwarz	*noir*	
grau	*gris*	
rot	*rouge*	
blau	*bleu*	**himmelblau :** bleu ciel
grün	*vert*	**militärgrün :** kaki

gelb	*jaune*	
braun	*marron, brun*	
rosa	*rose*	
lila	*mauve*	
hell	*clair*	ANT. **dunkel :** *foncé*
farbig	*en couleur*	
bunt	*coloré*	

Expressions

blau sein *(fam.)* **:** *être saoul* • **blauäugig sein :** *être naïf* • **blau/rot an/laufen** (ie, au, äu/ist) **:** *devenir tout bleu/tout rouge* • **noch grün hinter den Ohren sein :** *être encore jeune et inexpérimenté* • **das Gleiche in Grün :** *la même chose, kif kif* • **Der Typ ist mir nicht grün.** *Je n'aime pas ce type.* • **schwarz sehen** (a, e, ie) **:** *être pessimiste* • **Das wird mir zu bunt !** *Ça dépasse les bornes !*

Materialien *Matériaux*

das Holz	*le bois*	
das Metall	*le métal*	**metallisch :** *métallique*
der Stein	*la pierre*	**der Backstein :** *la brique*
der Zement	*le ciment*	
der Marmor	*le marbre*	
das Glas	*le verre*	
das Plastik	*le plastique*	SYN. **der Kunststoff :** *la matière plastique*
der Gummi	*le caoutchouc*	
das Papier	*le papier*	
die Pappe	*le carton*	SYN. **der Karton**
der Ton	*l'argile*	

→ p. 47 (Tissus et matières)

Die Zahlen und Nummern *Les nombres et les chiffres*

Die Kardinalzahlen *Les nombres cardinaux*

0 **null**, 1 **eins**, 2 **zwei**, 3 **drei**, 4 **vier**, 5 **fünf**, 6 **sechs**, 7 **sieben**, 8 **acht**, 9 **neun**, 10 **zehn**, 11 **elf**, 12 **zwölf**, 13 **dreizehn**, 14 **vierzehn**, 15 **fünfzehn**, 16 **sechzehn**, 17 **siebzehn**, 18 **achtzehn**, 19 **neunzehn**, 20 **zwanzig**, 21 **einundzwanzig**, 22 **zweiundzwanzig**..., 30 **dreißig**, 40 **vierzig**..., 100 **hundert**, 1000 **tausend**, 1 000 000 **eine Million**, 1000 000 000 **eine Milliarde**

Die Ordinalzahlen *Les nombres ordinaux*

1. **der/die/das erste**, 2. **der/die/das zweite**, 3. **der/die/das dritte**, 4. **der/die/das vierte**, 5. **der/die/das fünfte**, 6. **der/die/das sechste**, 7. **der/die/das siebte**, 8. **der/die/das achte**, 9. **der/die/das neunte**, 10. **der/die/das zehnte**, 11. **der/die/das elfte**, 12. **der/die/das zwölfte**, 13. **der/die/das dreizehnte**, 14. **der/die/das vierzehnte**, 15. **der/die/das fünfzehnte**, 16. **der/die/das sechzehnte**, 17. **der/die/das siebzehnte**, 18. **der/die/das achtzehnte**, 19. **der/die/das neunzehnte**, 20. **der/die/das zwanzigste**, 21. **der/die/das einundzwanzigste**, 22. **der/die/das zweiundzwanzigste**..., 30. **der/die/das dreißigste**, 40. **der/die/das vierzigste**..., 100. **der/die/das hundertste**, 1000. **der/die/das tausendste**, 1 000 000. **der/die/das millionste**, 1 000 000 000. **der/die/das milliardste**

Die Bruchzahlen *Les fractions*

die Hälfte (n)	*la moitié*	
das Drittel (-)	*le tiers*	
das Viertel (-)	*le quart*	**2.** *le quartier*
das Fünftel (-)	*le cinquième*	
das Hundertstel (-)	*le centième*	

Die Mengen *Les quantités*

die Zahl (en)	*le nombre*	**zählen :** *compter*
die Nummer (n)	*le numéro*	
das Gewicht (e)	*le poids*	
wiegen (o, o)	*peser*	REM. vt et vi
das Pfund	*la livre*	
das Gramm	*le gramme*	**das Kilogramm :** *le kilo*

& Notez bien

- Les unités de mesure de genre masculin et neutre restent invariables : **3 Pfund Äpfel** (*3 livres de pommes*), **500 Gramm Mehl** (*500 grammes de farine*).
- Les unités de mesure de genre féminin se mettent, en revanche, au pluriel : **2 Tassen Kaffee** (*2 tasses de café*).

der Teil (e)	*la partie*	
das Stück (e)	*le morceau*	
ganz	*entier, total*	
doppelt	*double*	ANT. **halb :** *demi(e)*
wenig	*peu*	
ein wenig	*un peu*	SYN. **ein bisschen**
knapp	*juste, insuffisant*	

fehlen	*manquer*	Ant. **aus/reichen :** *suffire*
genug	*assez*	
viel	*beaucoup*	Rem. comp. et sup. irr. **(mehr/am meisten :** *plus/le plus)*
zahlreich	*nombreux*	
alles (N, A)	*tout*	Rem. **allem** (D)
alle (N, A)	*tous, toutes*	Rem. **allen** (D), **aller** (G)

Die Maße Les dimensions

die Fläche (n)	*la superficie*	
messen (a, e, i)	*mesurer*	✐ **das Maß** (e) **:** *la mesure, la dimension*
schätzen	*estimer*	
der Meter (-)	*le mètre*	✐ **der Kilometer** (-) **:** *le kilomètre*
groß	*grand*	Rem. comp. et sup. irr. **(größer, der größte)**
klein	*petit*	Ant. **riesig :** *géant, énorme*
breit	*large*	✐ **die Breite :** *la largeur*
schmal	*étroit*	
lang	*long*	Rem. comp. et sup. irr.
kurz	*court*	Rem. comp. et sup. irr.
hoch	*haut*	Rem. comp. et sup. irr.
tief	*profond*	✐ **die Tiefe :** *la profondeur*

Sich im Raum orientieren S'orienter dans l'espace

die Stelle (n)	*l'endroit, la place*	
der Ort (e)	*le lieu*	
das Gebiet (e)	*le secteur*	
die Lage (n)	*la situation*	✐ **gelegen :** *situé*
die Richtung (en)	*la direction*	✐ **die Himmelsrichtung :** *le point cardinal*
hier	*ici*	
da	*là*	
dort	*là-bas*	
nah (von + D)	*proche*	✐ **in der Nähe sein :** *être à proximité*

weit entfernt	*éloigné (de)*	
auf (+ A/D)	*sur*	
über (+ A/D)	*au-dessus de*	
oben	*en haut*	**oberhalb** (+ G) **:** *au-dessus de*
unter (+ A/D)	*sous*	**unterhalb** (+ G) **:** *en dessous de*
unten	*en bas* (adv.)	
in (+ A/D)	*dans*	**innerhalb** (+ G) **:** *à l'intérieur de*
drinnen	*dedans, à l'intérieur*	ANT. **draußen :** *dehors, à l'extérieur*
außerhalb (+ G)	*à l'extérieur de*	
vorn	*devant* (adv.)	
vor (+ A/D)	*devant*	
gegenüber	*(d')en face*	
hinten	*derrière* (adv.)	
hinter (+ A/D)	*derrière*	
drüben	*de l'autre côté*	
zwischen (+ D/A)	*entre*	
rechts	*à droite*	~ **ab/biegen** (o, o/ist) **:** *tourner à droite*
links	*à gauche*	
geradeaus	*tout droit*	
quer	*en travers*	**etwas überqueren :** *traverser qqch*
übersichtlich	*où l'on se repère bien*	ANT. **unübersichtlich :** *où l'on ne se repère pas bien*
überall	*partout*	ANT. **nirgends, nirgendwo :** *nulle part*

→ p. 248 (S'informer sur les lieux, demander son chemin)
p. 256 (Donner des indications dans la rue)

17 Der urbane Raum

L'environnement urbain

Freibad Kulmbach
Öffnungszeiten
Mitte Mai bis Ende August:
Mo. – Fr. 06.30 – 20.00 Uhr
Sa. u. So. 08.00 – 20.00 Uhr
Ende August bis Mitte September:
Mo. – Fr. 06.30 – 19.00 Uhr
Sa. u. So. 08.00 – 19.00 Uhr
Die Öffnungszeiten an Feiertagen entnehmen Sie bitte der örtl. Tagespresse.

Piscine découverte Kulmbach / Horaires
Mi-mai à fin août : / lun. – ven. / 6 h 30 – 20 h / sam. et dim. / 8 h – 20 h
Fin août à mi-septembre : / lun. à ven. / 6 h 30 – 19 h / sam. et dim. / 8 h – 19 h
Pour connaître les horaires d'ouverture des jours fériés, veuillez consulter la presse locale.

Stadtarten und städtische Strukturen
Types de villes et structures urbaines

die Stadt (¨e)	*la ville*	✐ **in der ~ leben :** *vivre en ville*
die Stadtplanung	*l'urbanisme, l'aménagement urbain*	**der Stadtplan** (¨e) **:** *le plan de la ville* ✐ **städtisch :** *urbain, citadin*
die Hauptstadt (¨e)	*la capitale*	
die Großstadt (¨e)	*la grande ville*	✐ **die Kleinstadt :** *la petite ville*
die Altstadt (¨e)	*la vieille ville*	
das Zentrum (Zentren)	*le centre-ville*	SYN. **die Stadtmitte, die Innenstadt**
der Vorort (e)	*la banlieue*	
der Stadtbezirk (e)	*l'arrondissement*	
das Stadtviertel (-)	*le quartier*	✐ **das Wohnviertel/das Elendsviertel :** *le quartier résidentiel/le bidonville*
der Platz (¨e)	*la place*	
die Straße (n)	*la rue*	✐ **die Einbahnstraße :** *la rue à sens unique*
die Umgehungsstraße (n)	*le périphérique*	SYN. **die Ringstraße, der Stadtring**

& Notez bien

- Pour localiser une action dans une rue, on utilise la préposition **auf**.
  Er läuft auf der Straße. *Il marche dans la rue.*
- On utilise la préposition **in** pour situer un immeuble ou une maison dans une rue.
  Er wohnt in dieser Straße. *Il habite dans cette rue.*

die Gasse (n)	*la ruelle*
sanieren	*rénover*

& Notez bien

- Les noms d'habitants de ville et les adjectifs formés sur la ville se forment par l'ajout du suffixe **-er** au nom de la ville : **Berlin, Berliner** (*berlinois*), **der Berliner** (*le Berlinois*) ; **Paris, Pariser** (*parisien*), **der Pariser** (*le Parisien*).
- L'adjectif en **-er** formé sur le nom de ville reste invariable : **die Pariser Viertel** (*les quartiers de Paris*).
- Voici le nom allemand de quelques villes.
  Köln : *Cologne*; **Frankfurt :** *Francfort*; **München :** *Munich*; **Aachen :** *Aix-la-Chapelle*; **Mainz :** *Mayence*; **Wien :** *Vienne*; **Nizza :** *Nice*; **Straßburg :** *Strasbourg*; **Mühlhausen :** *Mulhouse*; **London :** *Londres*; **Rom :** *Rome*; **Mailand :** *Milan*; **Venedig :** *Venise*.

Die Elemente der städtischen Landschaft
Les éléments d'un paysage urbain

der Bürgersteig (e)	*le trottoir*	**der Bürger** (-) **:** *le citoyen*
die Fußgängerzone (n)	*la zone piétonnière*	
die Kreuzung (en)	*le carrefour*	
der Zebrastreifen (-)	*le passage piéton*	
die Brücke (n)	*le pont*	
der Park (s)	*le parc*	SYN. **die Parkanlage** (n)
die Grünanlage (n)	*l'espace vert*	
der Brunnen (-)	*la fontaine*	**2.** *le puits*
die (Verkehrs)ampel (n)	*le feu tricolore*	**an der ~ halten** (ie, a, ä) **:** *s'arrêter au feu*
das Schild (er)	*le panneau, l'enseigne*	
die Straßenlaterne (n)	*le réverbère*	
der Briefkasten (¨)	*la boîte aux lettres*	
die Telefonzelle (n)	*la cabine téléphonique*	SYN. **die Telefonkabine** (n)
der Parkplatz (¨e)	*le parking*	**2.** *la place de parking*
das Tor (e)	*la porte*	
die Stadtmauer (n)	*le mur d'enceinte*	

Die Gebäude *Les bâtiments*

das Gebäude (-)	*le bâtiment*	**das Wohngebäude :** *l'immeuble d'habitation*
das Rathaus (¨er)	*l'hôtel de ville*	
das Polizeirevier (e)	*le commissariat*	
der Bahnhof (¨e)	*la gare*	**der Hauptbahnhof :** *la gare centrale*
das Krankenhaus (¨er)	*l'hôpital*	
das Gericht (e)	*le tribunal*	
die Kirche (n)	*l'église*	**der Kirchturm** (¨e) **:** *le clocher*
der Dom (e)	*la cathédrale*	
das Geschäft (e)	*la boutique, le magasin*	SYN. **der Laden** (¨)
das Kaufhaus (¨er)	*le grand magasin*	
das Parkhaus (¨er)	*le parking couvert*	
die Tiefgarage (n)	*le parking souterrain*	
das Schwimmbad (¨er)	*la piscine*	
der Friedhof (¨e)	*le cimetière*	SYN. **der Kirchhof** (¨e)
die Post	*la poste*	
das Theater (-)	*le théâtre*	SYN. **das Schauspielhaus** (¨er)
die Oper (n)	*l'opéra*	SYN. **das Opernhaus** (¨er)
die Schule (n)	*l'école*	

Die städtischen Verkehrsmittel
Les moyens de transport urbain

der Verkehr	*la circulation*	
die U-Bahn (en) **(Untergrundbahn)**	*le métro (souterrain)*	
die S-Bahn (en) **(Schnellbahn)**	*le métro (régional ≈ RER)*	
die Straßenbahn (en)	*le tramway*	**der Busfahrer** (-) **:** *le conducteur de bus*
der Bus (se)	*le bus*	
die Haltestelle (n)	*l'arrêt*	
die Endstation	*le terminus*	
der Fahrschein (e)	*le ticket*	
die Netzkarte (n)	*l'abonnement*	
schwarz fahren (u, a, ä/ist)	*frauder dans les transports*	**der Schwarzfahrer** (-) **:** *le fraudeur*
das Taxi (s)	*le taxi*	**der Taxistand** (¨e) **:** *la station de taxis*
das Auto (s)	*la voiture*	
das Motorrad (¨er)	*la moto*	**der Motorradfahrer** (-) **:** *le motard*
das Moped (s)	*la mobylette*	
das Zweirad (¨er)	*le deux-roues*	
das Fahrrad (¨er)	*le vélo*	SYN. **das Rad** (¨er)
der Radweg (e)	*la piste cyclable*	
Rad fahren (u, a, ä / ist)	*faire du vélo*	
der Fußgänger (-)	*le piéton*	
zu Fuß gehen (i, a / ist)	*aller à pied*	
mit dem Auto/ dem Bus/der U-Bahn fahren (u, a, ä / ist)	*prendre la voiture, le bus, le métro*	
auf (+ A) **warten**	*attendre [le bus, le métro]*	
parken	*se garer*	
streiken	*faire la grève*	
der Streik (s)	*la grève*	**der Bahnstreik :** *la grève des trains*

→ p. 248 (S'informer sur les lieux, demander son chemin)
p. 249 (S'informer sur ce qui est autorisé, interdit dans la rue)

18 Naturräume

L'environnement naturel

Meeresstille
Tiefe Stille herrscht im Wasser,
Ohne Regung ruht das Meer,
Und bekümmert sieht der Schiffer
Glatte Fläche ringsumher.
Keine Luft von keiner Seite!
Todesstille fürchterlich!
In der ungeheuren Weite
Reget keine Welle sich!

Johann Wolfgang von Goethe (1749-1832)

Calme de la mer
Un calme profond règne sur l'eau,
La mer repose, immobile,
Et le nautonier scrute soucieusement
La surface lisse qui l'entoure.
Nulle brise ne souffle de nulle part!
Ce silence de mort est épouvantable!
Dans l'immense étendue
Pas une vague!

trad. Gérard de Nerval

die Landschaft (en) — *le paysage*
die Natur — *la nature*
die Gegend (en) — *la région*
wild — *sauvage*

Auf dem Land *À la campagne*

das Land — *la campagne* — **2.** *le pays*; **ländlich :** *campagnard, champêtre*
das Dorf (¨er) — *le village*
der Bauer (n, n) — *le paysan*

der Bauernhof (¨e)	*la ferme*	
der Hügel (-)	*la colline*	✐ **hügelig :** vallonné
die Ebene (n)	*la plaine*	
die Wiese (n)	*la prairie*	
der Wald (¨er)	*la forêt, le bois*	✐ **bewaldet :** boisé
das Feld (er)	*le champ*	✐ **der Feldarbeiter** (-) **:** l'ouvrier agricole
der Acker (¨)	*le champ [cultivé]*	
die Hecke (n)	*la haie*	
der Graben (-)	*le fossé*	
der Weg (e)	*le chemin*	✐ **am Wegesrand :** au bord du chemin
der Pfad (e)	*le sentier*	
der Bach (¨e)	*le ruisseau*	
der Teich (e)	*l'étang*	
der Tümpel (-)	*la mare*	✐ **der Froschtümpel :** la mare aux grenouilles

& Notez bien

- On utilise la préposition **auf** lorsque **das Land** signifie *la campagne*.
  auf dem Land leben : vivre à la campagne
  aufs Land ziehen (o, o/ist) **:** s'installer à la campagne

Am Meer *À la mer*

das Meer (e)	*la mer*	SYN. **die See**
das Wasser	*l'eau*	
die Welle (n)	*la vague*	SYN. **die Woge** (n) *(sout.)* : le flot
die Küste (n)	*la côte*	✐ **die Steilküste :** la falaise
die Gezeiten (pl.)	*les marées*	
die Ebbe	*la marée basse*	
die Flut	*la marée haute*	✐ **die Sturmflut :** le raz-de-marée
die Bucht (en)	*la baie, la crique*	
der Strand (¨e)	*la plage*	✐ **am ~ :** à la plage
der Sand	*le sable*	
der Hafen (¨)	*le port*	✐ **der Jachthafen :** le port de plaisance
der Leuchtturm (¨e)	*le phare*	

→ p. 204 (L'eau sur la planète)

In den Bergen *À la montagne*

der Berg (e)	*le mont*	**2.** *la montagne [isolée]*
die Bergkette (n)	*la chaîne de montagnes*	
das Gebirge (-)	*la montagne [région]*	
der Bergführer (-)	*le guide de montagne*	

& Notez bien

■ Pour traduire *la montagne* comme lieu de vie, de vacances, de randonnées etc., on utilise **das Gebirge** ou **die Berge** (au pluriel) :

in den Ferien ins Gebirge/in die Berge fahren :

partir à la montagne pendant les vacances

■ **Berg** au singulier peut désigner aussi bien *une montagne élevée qu'une colline.*

der Gipfel (-)	*le sommet*	
der Fels(en) (-)	*le rocher*	✐ **die Felswand** (¨e) **:** *la paroi rocheuse*
die Höhe (n)	*l'altitude*	✐ **der Höhenunterschied** (e) **:** *le dénivelé*
der Pass (¨e)	*le col*	
die Schlucht (en)	*la gorge*	
das Tal (¨er)	*la vallée*	
der Gletscher (-)	*le glacier*	
die Höhle (n)	*la grotte, la caverne*	
wandern (ist)	*faire de la marche à pied*	✐ **die Wanderung** (en) **:** *la randonnée*
bergsteigen	*faire de l'alpinisme*	✐ **der Bergsteiger** (-) **:** *l'alpiniste*
die Lawine (n)	*l'avalanche*	
die Berghütte (n)	*le chalet*	**2.** *le refuge*

➜ **p. 204** (L'eau sur la planète), **p. 206** (Le relief)

19 Tiere
Les animaux

Nach dem Berliner Hundesteuergesetz muss Hundesteuer zahlen, wer „zu Zwecken der privaten Lebensführung" in Berlin einen Hund hält. Die Steuer beträgt für einen Hund 120 € im Jahr, für jeden weiteren Hund 180 € im Jahr.
Jeder Hund muss innerhalb eines Monats nach der Anschaffung oder dem Zuzug nach Berlin angemeldet werden. Dies geschieht bei der Hundesteuerstelle des für den Halter bzw. die Halterin zuständigen Finanzamtes, die nach der Anmeldung auch die Hundesteuermarke ausgibt.

www.berlin.de

Selon la loi berlinoise de taxe sur les chiens, toute personne possédant un chien à Berlin « à des fins de vie privée » doit s'acquitter de la taxe sur les chiens. La taxe s'élève à 120 € par chien et par an, et à 180 € par an pour tout chien supplémentaire.
Tout chien doit être enregistré dans le mois qui suit son achat ou l'installation de son propriétaire à Berlin. Cette démarche s'effectue auprès du service de taxe sur les chiens du centre des impôts dont dépend son propriétaire. C'est ce service qui, une fois l'enregistrement effectué, remet la plaque attestant le paiement de la taxe.

das Tier (e)	*l'animal*	SYN. **das Viech** (er) *(fam.)* : *la bête, la bestiole*
das Haustier (e)	*l'animal domestique*	ANT. **das wilde Tier :** *l'animal sauvage*
die Tierwelt	*la faune*	
der Zoo (s)	*le zoo*	SYN. **der Tierpark** (s)
der Käfig (e)	*la cage*	
das Gehege (-)	*l'enclos*	
fressen (a, e, i)	*manger [pour les animaux]*	**2.** *(fam.) bouffer*
warmblütig	*à sang chaud*	ANT. **kaltblütig :** *à sang froid*
schädlich	*nuisible*	ANT. **nützlich :** *utile*
der Schmarotzer (-)	*le parasite*	
der Tierarzt (¨e)	*le vétérinaire*	
der Tierschutzverein (e)	*la société protectrice des animaux*	

Die Wirbeltiere *Les vertébrés*

Die Säugetiere *Les mammifères*

der Hund (e)	*le chien*	**die Hündin** (nen) **:** *la chienne*
die Katze (n)	*le chat*	**der Kater** (-) **:** *le chat, le matou [mâle]*
das Pferd (e)	*le cheval*	**das Nilpferd :** *l'hippopotame*
der Esel (-)	*l'âne*	
die Kuh (¨e)	*la vache*	
der Bulle (n, n)	*le taureau*	
das Kalb (¨er)	*le veau*	
das Schwein (e)	*le cochon*	**das Wildschwein :** *le sanglier*
die Sau (¨e)	*la truie*	
das Schaf (e)	*le mouton*	
das Lamm (¨er)	*l'agneau*	
die Ziege (n)	*la chèvre*	**der Ziegenbock** (¨e) **:** *le bouc*
der Hirsch (e)	*le cerf*	**die Hirschkuh** (¨e) **:** *la biche*
das Reh (e)	*le daim*	
der Fuchs (¨e)	*le renard*	
der Bär (en, en)	*l'ours*	**der Eisbär :** *l'ours polaire*
das Kaninchen (-)	*le lapin*	
der Hase (n, n)	*le lièvre*	
die Maus (¨e)	*la souris*	**die Fledermaus :** *la chauve-souris*
die Ratte (n)	*le rat*	
der Igel (-)	*le hérisson*	
der Maulwurf (¨e)	*la taupe*	
der Biber (-)	*le castor*	
das Murmeltier (e)	*la marmotte*	
der Löwe (n, n)	*le lion*	**die Löwin :** *la lionne*
der Elefant (en, en)	*l'éléphant*	
der Panther (-)	*la panthère*	
das Nashorn (¨er)	*le rhinocéros*	
die Giraffe (n)	*la girafe*	
der Tiger (-)	*le tigre*	
der Affe (n, n)	*le singe*	
der Wal (e)	*la baleine*	SYN. **der Walfisch** (e)
die Robbe (n)	*le phoque*	
das Fell (e)	*le poil*	
die Schnauze (n)	*le museau*	

das Maul (¨er)	*la gueule*	
der Schwanz (¨e)	*la queue*	
die Pfote (n)	*la patte*	✐ **die Vorderpfote/die Hinterpfote :** *la patte avant/arrière*
das Horn (¨er)	*la corne*	

Die Vögel *Les oiseaux*

der Hahn (¨e)	*le coq*	
das Huhn (¨er)	*la poule, le poulet*	✐ **die Henne** (n) **:** *la poule*
die Ente (n)	*le canard*	
die Gans (¨e)	*l'oie*	
der Schwan (¨e)	*le cygne*	
die Taube (n)	*le pigeon, la colombe*	✐ **der Taubendreck :** *les salissures de pigeon*
die Schwalbe (n)	*l'hirondelle*	
die Möwe (n)	*la mouette*	
der Spatz (en, en)	*le moineau*	Syn. **der Haussperling** (e)
die Amsel (n)	*le merle*	
die Meise (n)	*la mésange*	
die Nachtigall (en)	*le rossignol*	
der Papagei (en, en)	*le perroquet*	
die Elster (n)	*la pie*	
der Rabe (n, n)	*le corbeau*	
der Storch (¨e)	*la cigogne*	✐ **das Storchennest** (er) **:** *le nid de cigogne*
die Eule (n)	*le hibou*	
der Adler (-)	*l'aigle*	
der Strauß (e)	*l'autruche*	Syn. **der Vogel Strauß**
der Pinguin (e)	*le pingouin*	
der Flügel (-)	*l'aile*	
der Schnabel (¨)	*le bec*	
das Nest (er)	*le nid*	
das Ei (er)	*l'œuf*	✐ **Eier legen :** *pondre des œufs*
brüten	*couver*	
fliegen (o, o/ist)	*voler*	
singen (a, u)	*chanter*	
piepsen	*piailler*	
zwitschern	*gazouiller*	✐ **das Vogelgezwitscher :** *le piaillement des oiseaux*

Die Fische *Les poissons*

der Süßwasserfisch (e)	le poisson d'eau douce	
der Lachs (e)	le saumon	
die Forelle (n)	la truite	
der Hering (e)	le hareng	**der Heringsschwarm** (¨e) **:** le banc de harengs
die Makrele (n)	le maquereau	
der Kabeljau (e/s)	le cabillaud	
der Karpfen (-)	la carpe	
der Barsch (e)	le bar	
der Rochen (-)	la raie	
der Aal (e)	l'anguille	
der Hai (e)	le requin	Syn. **der Haifisch** (e)
die Schuppe (n)	l'écaille	
die Flosse (n)	la nageoire	
schwimmen (a, o/ist)	nager	

Die Reptilien *Les reptiles*

die Schlange (n)	le serpent	**der Schlangenbiss** (e) **:** la morsure de serpent
die Kreuzotter (n)	la vipère	
die Natter (n)	la couleuvre	
die Eidechse (n)	le lézard	
die Schildkröte (n)	la tortue	**der (Schildkröten)panzer** (-) **:** la carapace (de tortue)
das Krokodil (e)	le crocodile	
beißen (i, i)	mordre, piquer [serpent]	
kriechen (o, o/ist)	ramper	

Die Amphibien *Les batraciens*

die Kröte (n)	le crapaud	
der Frosch (¨e)	la grenouille	**das (Frosch)gequake** (-) **:** le coassement des grenouilles
die Kaulquappe (n)	le têtard	

Expressions

Schwein haben *(fam.)* **:** avoir du pot • **einen Vogel haben/eine Meise haben** *(fam.)* **:** être fou, avoir un grain • **Halt's Maul!** *(fam.)* Tais-toi!, La ferme! • **Schlange stehen** (a, a) **:** faire la queue • **eine Gänsehaut haben :** avoir la chair de poule

Die Wirbellosen Les invertébrés

Die Insekten Les insectes

die Fliege (n)	*la mouche*	
die Mücke (n)	*le moustique*	**der Mückenstich** (e) : *la piqûre de moustique*
die Biene (n)	*l'abeille*	
die Wespe (n)	*la guêpe*	
die Hornisse (n)	*le frelon*	
die Ameise (n)	*la fourmi*	**der Ameisenhaufen** (-) : *la fourmilière*
der Schmetterling (e)	*le papillon*	
der Käfer (-)	*le scarabée*	**der Marienkäfer :** *la coccinelle*
die Kakerlake (n)	*le cafard, la blatte*	
der Floh (¨e)	*la puce*	
die Laus (¨e)	*le pou*	**die Blattlaus :** *le puceron*
die Raupe (n)	*la chenille*	
die Motte (n)	*la mite*	
die Heuschrecke (n)	*la sauterelle*	SYN. **der Grashüpfer** (-)
der Fühler (-)	*l'antenne*	
der Stachel (n)	*le dard*	**der Wespenstachel :** *le dard de guêpe*
stechen (a, o, i)	*piquer [insecte]*	

Andere Wirbellose Autres invertébrés

die Spinne (n)	*l'araignée*	**das Spinnennetz** (e) : *la toile d'araignée*
der Wurm (¨er)	*le ver*	
die Made (n)	*la larve*	SYN. **die Larve** (n)
der Krebs (e)	*le crabe*	**2.** *l'écrevisse*
die Auster (n)	*l'huître*	
die Schnecke (n)	*l'escargot*	**2.** *la limace*
der Seeigel (-)	*l'oursin*	
die Qualle (n)	*la méduse*	

Expressions

für die Katz sein : *ne servir à rien* • **bekannt wie ein bunter Hund :** *connu comme le loup blanc* • **keinen Bock auf** (+ A) **haben** *(fam.)* **:** *ne pas avoir envie (de)* • **zwei Fliegen mit einer Klappe schlagen** (u, a, ä) **:** *faire d'une pierre deux coups* • **wo sich Fuchs und Hase gute Nacht sagen :** *un endroit complètement perdu*

20 Pflanzen
Les plantes

Wer wagt es, sich den donnernden Zügen entgegen zu stellen? – Die kleinen Blümchen zwischen den Eisenbahnschwellen.

Erich Kästner (1899-1974)

Qui ose affronter le fracas des trains qui s'approchent ? – Les petites fleurs poussant entre les rails.

die Pflanze (n) — *la plante* — ✐ **die Heilpflanze** (n) **:** *la plante médicinale*

die Pflanzenwelt — *la flore*

die Wurzel (n) — *la racine*

das Blatt (¨er) — *la feuille*

der Saft (¨e) — *la sève*

der Samen (-) — *le grain, la semence* — SYN. **das Samenkorn** (¨er)

der Keim (e) — *le germe*

gießen (o, o) — *arroser* — ✐ **die Gießkanne** (n) **:** *l'arrosoir*

Die Bäume *Les arbres*

der Stamm (¨e) — *le tronc*

der Ast (¨e) — *la (grosse) branche* — ✐ **die Astgabel** (n) **:** *la fourche*

der Zweig (e) — *la (petite) branche*

die Rinde (n) — *l'écorce*

das Holz — *le bois [matériau]* — ✐ ~ **sammeln :** *ramasser du bois*

Die Obstbäume *Les arbres fruitiers*

der Apfelbaum (¨e) — *le pommier*

der Birnbaum (¨e) — *le poirier*

der Kirschbaum (¨e) — *le cerisier* — ✐ **die Kirschblüte** (n) **:** *la floraison des cerisiers*

der Pfirsichbaum (¨e) — *le pêcher*

der Zitronenbaum (¨e) — *le citronnier*

der Feigenbaum (¨e)	*la figuier*	
der Mandelbaum (¨e)	*l'amandier*	
der Nussbaum (¨e)	*le noyer*	
der Olivenbaum (¨e)	*l'olivier*	
die Frucht (¨e)	*le fruit*	
ernten	*cueillir, récolter*	
reif	*mûr*	ANT. **unreif :** *pas mûr*
faul	*pourri*	

Andere Bäume *Autres arbres*

die Eiche (n)	*le chêne*	**die Eichel** (n) **:** *le gland*
die Kastanie (n)	*le châtaignier*	
die Buche (n)	*le hêtre*	
die Birke (n)	*le bouleau*	
die Erle (n)	*l'aulne*	
die Esche (n)	*le frêne*	
die Ulme (n)	*l'orme*	
die Pappel (n)	*le peuplier*	
die Platane (n)	*le platane*	
der Ahorn (e)	*l'érable*	
die Linde (n)	*le tilleul*	
die Tanne (n)	*le sapin*	SYN. **der Tannenbaum**
die Fichte (n)	*l'épicéa*	
die Kiefer (n)	*le pin*	
die Weide (n)	*le saule*	**die Trauerweide :** *le saule pleureur*
die Zeder (n)	*le cèdre*	
die Zypresse (n)	*le cyprès*	

Die Blumen *Les fleurs*

die Blume (n)	*la fleur [la plante]*	**der Blumenstrauß** (¨e) **:** *le bouquet de fleurs*
die Blüte (n)	*la fleur [dans le processus de floraison]*	
die Knospe (n)	*le bourgeon*	
das Blumenblatt (¨er)	*le pétale*	
der Stängel (-)	*la tige*	
der Dorn (en)	*l'épine*	
die Blumenzwiebel (n)	*le bulbe*	SYN. **die Knolle**
pflücken	*cueillir*	

Einige Blumen *Quelques fleurs*

die Rose (n)	*la rose*	**die Pfingstrose :** *la pivoine*
die Tulpe (n)	*la tulipe*	
das Veilchen (-)	*la violette*	
das Stiefmütterchen (-)	*la pensée*	
die Nelke (n)	*l'œillet*	
die Geranie (n)	*le géranium*	
die Dahlie (n)	*le dahlia*	
die Lilie (n)	*le lys*	
der Krokus (se)	*le crocus*	
die Osterglocke (n)	*la jonquille*	
das Schneeglöckchen (-)	*le perce-neige*	
das Maiglöckchen (-)	*le muguet*	
der Mohn (e)	*le pavot*	**der Klatschmohn :** *le coquelicot*
der Flieder (-)	*le lilas*	
die Sonnenblume (n)	*le tournesol*	
der Raps	*le colza*	

Andere Pflanzen *Autres plantes*

das Gras	*l'herbe*	
der Klee	*le trèfle*	**das vierblättrige Kleeblatt** (¨er) **:** *le trèfle à quatre feuilles*
das Efeu	*le lierre*	
der Farn	*le fougère*	SYN. **das Farnkraut**
die Flechte (n)	*le lichen*	
das Moos (e)	*la mousse*	
der Pilz (e)	*le champignon*	

→ p. 157 (Les céréales)

Expressions

Wurzeln schlagen (u, a, ä) **:** *s'enraciner* • **ein Glückspilz :** *un veinard* • **wie Pilze aus dem Boden schießen** (o, o/ist) **:** *pousser comme des champignons* • **Der Apfel fällt nicht weit vom Stamm.** *Les chiens ne font pas des chats.* • **ein Mauerblümchen :** *une personne effacée et qui a peu de succès, une jeune fille qui fait tapisserie* • **etwas durch die Blume sagen :** *dire qqch à demi-mots* • **etwas unverblümt sagen :** *dire qqch tout net ou franchement* • **keine Rose ohne Dornen :** *pas de roses sans épines*

21 Umweltverschmutzung und Umweltschutz

Pollution et défense de l'environnement

Je crois que cette méthode pour faire des économies d'électricité est quand même un peu compliquée.

Die Zerstörung des Planeten

La planète en danger

die Umwelt	l'environnement	
zerstören	détruire	
verschwenden	gaspiller	
verschmutzen	polluer	SYN. **verseuchen**
die Umweltverschmutzung	la pollution de l'environnement	**die Wasserverschmutzung/die Luftverschmutzung :** la pollution de l'eau/de l'air
der Schadstoff (e)	le polluant	**jdm/etwas** (D) **schaden :** nuire à qqn/qqch
aus/stoßen (ie, o, ö)	rejeter	
der Störfall (¨e)	l'incident [chimique, nucléaire]	

Giftige Substanzen *Substances toxiques*

der Asbest	*l'amiante*	
das Blei	*le plomb*	✐ **bleifrei :** *sans plomb*
die Chemikalien	*les produits chimiques*	
das Pestizid (e)	*le pesticide*	
das Abgas (e)	*le gaz d'échappement*	
der Atommüll	*les déchets nucléaires*	
radioaktiv	*radioactif*	
die Verstrahlung	*la contamination*	
die Lagerung	*le stockage*	✐ **lagern :** *stocker*

Ökologische Katastrophen *Catastrophes écologiques*

die Öko-Katastrophe	*la catastrophe écologique*	
vom Aussterben bedroht sein	*être menacé de disparition*	✐ **aus/sterben** (a, o, i/ist) **:** *disparaître [espèces]*
aus/rotten	*exterminer*	
der saure Regen	*les pluies acides*	
die Ölpest	*la marée noire*	
das Ozonloch	*le trou de la couche d'ozone*	
der Treibhauseffekt	*l'effet de serre*	
der Klimawandel	*le changement climatique*	SYN. **der Klimawechsel** (-)
die Erderwärmung	*le réchauffement climatique*	
das Schmelzen der Gletscher	*la fonte des glaciers*	
das Waldsterben	*le dépérissement des forêts*	
die Entwaldung	*le déboisement*	SYN. **die Abholzung**

Der Umweltschutz
La défense de l'environnement

umweltfreundlich	*écologique, non-polluant*	
umweltschonend	*qui respecte l'environnement*	
biologisch abbaubar	*biodégradable*	
umweltbewusst	*conscient des problèmes écologiques*	✐ **das umweltbewusste Verhalten :** *le comportement écologique*
etwas (A) **vor etwas** (D) **schützen**	*protéger qqch de qqch*	

der Naturschutz	*la protection de la nature*	✐ **das Naturschutzgebiet** (e) **:** *la réserve naturelle*
der Umweltschützer (-)	*le protecteur de l'environnement*	
die Ökosteuer	*la taxe écologique*	

Die Müllentsorgung *Le traitement des déchets*

der Müll	*les poubelles, les ordures*	✐ **die Mülltrennung :** *le tri des déchets*
der Mülleimer (-)	*la poubelle*	✐ **die Mülltonne** (n) **:** *la benne à ordures*
der Abfall	*les déchets*	
recyceln	*recycler*	PHON. prononciation anglaise
der Kompost	*le compost*	
die Pfandflasche (n)	*la bouteille consignée*	ANT. **die Einwegflasche** (n) **:** *la bouteille jetable*
die Verpackung (en)	*l'emballage*	
das Recyclingpapier	*le papier recyclé*	
der Recyclinghof	*la déchetterie*	
die Kläranlage (n)	*la station d'épuration*	
die Müllverbrennungsanlage (n)	*l'usine d'incinération des déchets*	

☞ Le tri des déchets

■ Le tri des déchets est systématique en Allemagne. Dans les maisons, il y a souvent trois poubelles : une pour les déchets organiques **(Kompost/Bioabfall)**, une pour les emballages recyclables **(Grüner Punkt)**, une pour le reste **(Restmüll)**. Il y a aussi une collecte pour le papier **(Altpapier)** et le verre **(Altglas)**.

Energie und nachhaltige Entwicklung *Énergie et développement durable*

der Energieverbrauch	*la consommation d'énergie*	
Energie sparen	*économiser l'énergie*	✐ **die Energiesparlampe** (n) **:** *l'ampoule à faible consommation*
die Energiesparmaßnahmen	*les mesures pour économiser de l'énergie*	
die Energieverschwendung	*le gaspillage de l'énergie*	
die Isolierung (en)	*l'isolation*	

→ p. 163 (Les énergies renouvelables)

22 Spiele und Sport

Jeux et sports

Ein Rätsel
Wenn man es braucht,
wirft man es weg.
Wenn man es nicht braucht,
holt man es wieder zurück.

der Anker

Devinette / *Quand on en a besoin, / on la jette, / quand on n'en a pas besoin, / on la récupère.*

l'ancre

Die Spiele *Les jeux*

das Spiel (e)	*le jeu*	**2.** *la partie*
die Spielregel (n)	*la règle du jeu*	
spielen	*jouer*	
der Spieler (-)	*le joueur*	**der Falschspieler** (-) **:** *le tricheur*
der Gegner (-)	*l'adversaire*	
gewinnen (a, o)	*gagner*	**der Gewinner** (-) **:** *le gagnant*
verlieren (o, o)	*perdre*	**der Verlierer** (-) **:** *le perdant*
wetten	*parier*	
auf (+ A) **setzen**	*miser sur*	
das Glück	*la chance*	ANT. **das Pech :** *la malchance*
mogeln	*tricher*	SYN. **schummeln** *(fam.)*

Die Kinderspiele *Les jeux d'enfant*

das Versteckspiel (-)	*le jeu de cache-cache*	**sich verstecken :** *se cacher*
die Reise nach Jerusalem	*les chaises musicales*	
Blindekuh	*colin-maillard*	
Himmel und Hölle	*la marelle*	
im Sandkasten spielen	*jouer dans le bac à sable*	
der Spielplatz (¨e)	*l'aire de jeux*	

Die Gesellschaftsspiele *Les jeux de société*

das Kartenspiel (e) — *le jeu de cartes*
die Spielkarte (n) — *la carte*
der Trumpf (¨e) — *l'atout*
Schach — *les échecs* — ~ **spielen :** *jouer aux échecs*
der Stein (e) — *le pion* — **der Dominostein :** *le domino*
Mensch-ärgere-dich-nicht — *les petits chevaux*
der Würfel (-) — *le dé*

Die Denkspiele *Les jeux d'esprit*

das Rätsel (-) — *l'énigme, la devinette* — **jdm ein ~ auf/geben** (a, e, i) **:** *poser une devinette à qqn*
das Bilderrätsel (-) — *le rébus*
das Kreuzworträtsel (-) — *les mots croisés*
lösen — *résoudre* — **die Lösung** (en) **:** *la solution*
raten (ie, a, ä) — *deviner*

Expressions

schachmatt : *échec et mat* • **ein Spielverderber sein :** *être un rabat-joie* • **etwas aufs Spiel setzen :** *risquer qqch* • **auf dem Spiel stehen** (a, a) **:** *être en jeu* • **schlechte Karten haben :** *être mal parti ou mal barré* • **auf die falsche Karte setzen :** *parier sur la mauvaise carte, se tromper* • **Kopf oder Zahl?** *Pile ou face ?* • **Wer ist dran?** *À qui le tour ?* • **Die Würfel sind gefallen :** *Les dés en sont jetés.*

Die Spielsachen *Les jouets*

das Spielzeug — *le jouet* — REM. (pl.) **die Spielsachen**
der Ball (¨e) — *le ballon*
die Puppe (n) — *la poupée*
der Teddybär (en, en) — *l'ours en peluche* — SYN. **der Teddy** (s)
die Murmel (n) — *la bille*
die Bauklötze — *les cubes*
der Kreisel (-) — *la toupie*
die Modelleisenbahn — *le train miniature*
der Roller (-) — *la trottinette*
die Schaukel (n) — *la balançoire* — **schaukeln :** *se balancer*
der Drachen (-) — *le cerf-volant*
das Videospiel (e) — *le jeu vidéo*

Die Welt des Sports *Le monde du sport*

der Sport (Sportarten)	*le sport*	~ **treiben** (ie, ie) **:** *faire du sport*
der Freizeitsport	*le sport de loisir*	
der Leistungssport	*le sport de compétition*	
der Sportler (-)	*le sportif*	**sportlich :** *sportif*
der Profi (s)	*le professionnel*	
der Sportverein (e)	*le club sportif*	
die Mannschaft (en)	*l'équipe*	
der Schiedsrichter (-)	*l'arbitre*	
das Stadion (Stadien)	*le stade*	
der Sportplatz (¨e)	*le terrain de sport*	
das Trikot (s)	*le maillot*	
das Spiel (e)	*le match*	
der Wettkampf (¨e)	*la compétition*	
das Turnier (e)	*le tournoi*	
das Finale (-)	*la finale*	**ins ~ kommen** (a, o/ist) **:** *arriver en finale*
die Meisterschaft (en)	*le championnat*	
der Sieg (e)	*la victoire*	**der Sieger** (-) **:** *le vainqueur*
der Pokal (e)	*la coupe*	
die Medaille (n)	*la médaille*	
der Rekord (e)	*le record*	
trainieren	*s'entraîner*	**der Trainer** (-) **:** *l'entraîneur*
jdn schlagen (u, a, ä)	*battre qqn*	
unentschieden	*(match) nul*	

Ballsport *Les sports de balle*

der Ball (¨e)	*la balle, le ballon*	
der Fußball	*le foot*	~ **spielen :** *jouer au foot*
das Tor (e)	*le but*	**der Torwart** (e) **:** *le gardien de but*
der Basketball	*le basket*	
der Korb (¨e)	*le panier*	
das Rugby	*le rugby*	
der Handball	*le hand-ball*	
der Volleyball	*le volley-ball*	
das Tennis	*le tennis*	**der Tennisplatz** (¨e) **:** *le terrain de tennis*
das Tischtennis	*le ping-pong*	
das Golf	*le golf*	

Wintersport *Les sports d'hiver*

Ski fahren (u, a, ä/ist)	*faire du ski*	SYN. **Ski laufen** (ie, au, äu/ist)
Langlauf machen	*faire du ski de fond*	
Ski springen (a, u/ist)	*faire du saut à ski*	
Schlittschuh fahren (u, a, ä/ist)	*faire du patin à glace*	SYN. **Eis laufen** (ie, au, äu/ist)
Schlitten fahren (u, a, ä/ist)	*faire de la luge*	SYN. **rodeln** (ist)

Wassersport *Les sports aquatiques*

schwimmen (a, o/ist, hat)	*nager, faire de la natation*	**das Brustschwimmen/das Kraulschwimmen :** *la brasse/le crawl*
rudern (ist, hat)	*faire de l'aviron*	
paddeln (ist, hat)	*faire du canoë-kayak*	
segeln (ist, hat)	*faire de la voile*	**das Segel** (-) **:** *la voile*
surfen (ist, hat)	*surfer*	SYN. **Wellen reiten** (inf.)
tauchen (ist, hat)	*faire de la plongée sous-marine*	

& Notez bien

■ Les verbes **segeln, schwimmen, paddeln...** peuvent s'utiliser soit avec l'auxiliaire **haben** soit avec l'auxiliaire **sein**. On utilise **sein** lorsqu'ils fonctionnent comme verbes de déplacement, **sein** ou **haben** lorsqu'ils désignent une activité.

Er ist über den Fluss geschwommen. *Il a traversé le fleuve à la nage.*
Er hat den ganzen Nachmittag geschwommen (ou **Er war den ganzen Nachmittag schwimmen**). *Il a nagé (fait de la natation) tout l'après-midi.*

Andere Sportarten *Autres sports*

die Leichtathletik	*l'athlétisme*	**der Athlet** (en, en) **:** *l'athlète*
joggen (ist)	*faire du jogging*	
rennen (a, a/ist)	*courir [vite]*	
Rad fahren (u, a, ä/ist)	*faire du vélo*	**das Radrennen** (-) **:** *la course cycliste*
turnen	*faire de la gymnastique*	
fechten (o, o, i)	*faire de l'escrime*	
klettern (hat, ist)	*faire de l'escalade*	
boxen	*faire de la boxe*	
reiten (i, i/ist, hat)	*faire du cheval*	

→ p. 248 (S'informer sur les activités et les loisirs)

23 Der Tourismus

Le tourisme

Campingplatz Rissbach
Der gepflegte Campingplatz befindet sich direkt am Moselufer, umgeben von Weinbergen. Es erwarten Sie großzügige Stellplätze.
Für Kinder gibt es auf dem Campingplatz Trampolin, Tischtennis, Tischfußball, Riesenrutsche und vieles mehr.
An der Rezeption erhalten Sie täglich frische Brötchen; Snacks und Getränke auf unserer Mosel Terrasse.
Die zentrale Lage des Campingplatzes in Traben-Trarbach bietet die Möglichkeit, alle bekannten Weinorte von Koblenz bis Trier zu besuchen.

Camping Rissbach
Ce camping bien entretenu se trouve directement sur les rives de la Moselle, entouré de vignes. Des emplacements confortables vous y attendent. Pour les enfants, le camping propose : trampoline, ping-pong, baby-foot, toboggan géant et beaucoup d'autres choses encore.
À l'accueil, vous trouvez tous les jours des petits pains frais ; snacks et boissons sur notre terrasse sur la Moselle.
La situation centrale du camping à Traben-Trarbach permet de visiter toutes les localités viticoles célèbres entre Coblence et Trèves.

Auf Reisen gehen *Partir en voyage*

die Ferien	*les vacances*	
der Urlaub	*les congés, les vacances*	✐ **in (den) ~ fahren** (u, a, ä/ist) **:** *partir en vacances* ✐ **auf/in/im ~ sein :** *être en vacances*
die Reise (n)	*le voyage*	
reisen (ist)	*voyager*	✐ **verreisen** (ist) **:** *partir en voyage*
buchen	*réserver [voyage, vol, train]*	✐ **ausgebucht :** *complet*
das Reisebüro (s)	*l'agence de voyage*	→ p. 241 (Dans une agence de voyage)
die Pauschalreise (n)	*le voyage organisé*	

das Reiseziel (e)	*la destination*	
das Ausland	*l'étranger*	**ins ~ fahren** (u, a, ä/ist) **:** aller à l'étranger
der Tourist (en, en)	le touriste	**touristisch :** touristique
packen	*faire ses bagages*	**das Gepäck :** les bagages
der Koffer (-)	la valise	
der Rucksack (¨e)	le sac à dos	**der Rucksacktourist** (en, en) *(fam.)* **:** le routard
die Reisetasche (n)	le sac de voyage	
weg/fahren (u, a, ä/ist)	partir	**die Abfahrt :** le départ
an/kommen (a, o/ist)	arriver	**die Ankunft :** l'arrivée
die Verspätung (en)	le retard	

Die Formalitäten *Les formalités*

der Personalausweis (e)	la carte d'identité	
der Reisepass (¨e)	le passeport	
das Visum (Visen)	le visa	
die Grenze (n)	la frontière	**die ~ überschreiten** (i, i) **:** passer la frontière
der Zoll	la douane	**etwas verzollen :** déclarer qqch
die Wechselstube (n)	le bureau de change	

Vor Ort *Sur place*

die Sehenswürdigkeiten (pl.)	les curiosités	
das Fremdenverkehrsamt (¨er)	l'office de tourisme	
die Besichtigung (en)	la visite	**besichtigen :** visiter
die Rundfahrt (en)	la visite guidée, le circuit	
der Ausflug (¨e)	l'excursion	
der Reiseführer (-)	le guide	**die Führung** (en) **:** la visite guidée
entdecken	découvrir	
sich erholen	se reposer, se détendre	SYN. **sich entspannen**

Die Unterkunft *L'hébergement*

der Gast (¨e)	le client	**2.** l'invité, le convive
der Aufenthalt (e)	le séjour	
das Hotel (s)	l'hôtel	**das ~ garni :** l'hôtel sans restaurant

die Rezeption	*la réception*	SYN. **der Empfang**
das Zimmer (-)	*la chambre*	✐ **das Doppelzimmer/das Einzelzimmer :** *la chambre double/simple*
an/reisen (ist)	*arriver*	
übernachten	*passer la nuit, dormir*	
die Vollpension	*la pension complète*	✐ **die Halbpension :** *la demi-pension*
die Jugendherberge (n)	*l'auberge de jeunesse*	
der Campingplatz (¨e)	*le camping*	✐ **campen :** *camper*
das Zelt (e)	*la tente*	✐ **zelten :** *camper*
der Wohnwagen (-)	*la caravane*	
das Wohnmobil (e)	*le camping-car*	

Die Verkehrsmittel *Les moyens de transport*

Mit dem Auto verreisen *Voyager en voiture*

das Auto (s)	*la voiture*	SYN. **der Wagen** (-)
fahren (u, a, ä/ist)	*rouler, aller (vi)*	**2.** (hat) *conduire (vt)*
der Führerschein (e)	*le permis de conduire*	

& Notez bien

■ Le verbe **fahren** (ou **fliegen**) se conjugue avec **sein** ou **haben** en fonction de son sens.

– Le verbe intransitif exprimant le déplacement se construit avec **sein**.

Er ist nach München gefahren. *Il est allé à Munich (en voiture ou en train).*

– Le verbe transitif exprimant la conduite se construit avec **haben**.

Er hat dieses Auto noch nicht gefahren.
Il n'a pas encore conduit cette voiture.

los/fahren (u, a, ä/ist)	*démarrer, partir*	
überholen	*dépasser, doubler*	
bremsen	*freiner*	
das Benzin	*l'essence*	
tanken	*prendre de l'essence*	✐ **die Tankstelle** (n) **:** *la station-essence*
die Autobahn (en)	*l'autoroute*	✐ **die Autobahngebühr** (en) **:** *le péage*
der Rastplatz (¨e)	*l'aire de repos*	
die Landstraße (n)	*la route (nationale)*	
der Verkehr	*la circulation*	

das Schild (er)	*le panneau*	**ausgeschildert sein :** *être indiqué (sur les panneaux)*
der Stau (s)	*le bouchon, l'embouteillage*	
die Panne (n)	*la panne*	**eine ~ haben :** tomber en panne
der Unfall (¨e)	*l'accident*	**einen ~ haben :** avoir un accident
der Sicherheitsgurt (e)	*la ceinture de sécurité*	
sich an/schallen	*attacher la ceinture*	
ab/schleppen	*remorquer*	
trampen (ist)	*faire du stop*	Syn. **per Anhalter reisen** (ist)

Auf dem Bahnhof *À la gare*

der Bahnhof (¨e)	*la gare*	**der Hauptbahnhof :** *la gare centrale*
die Gepäckaufbewahrung	*la consigne*	
der Zug (¨e)	*le train*	**der Schnellzug/der Bummelzug** *(fam.)* **:** le train express/le tortillard
der Fahrplan (¨e)	*l'horaire*	
die Fahrkarte (n)	*le billet*	Syn. **der Fahrschein** (e), **das Ticket** (s)
der Zuschlag (¨e)	*le supplément*	
die Fahrt (en)	*le voyage, le trajet*	**die Hin- und Rückfahrt :** *l'aller-retour*
der Bahnsteig (e)	*le quai*	
das Gleis (e)	*la voie*	
der Wagen (-)	*le wagon, la voiture*	**der Speisewagen :** *le wagon-restaurant*
das Abteil (e)	*le compartiment*	
der Schaffner (-)	*le contrôleur*	
gültig	*valable [pour le billet]*	Ant. **ungültig :** non valable
ab/fahren (u, a, ä/ist)	*partir*	**die Abfahrt :** *le départ*
aus/steigen (ie, ie/ist)	*descendre [du train]*	Ant. **ein/steigen** (ie, ie/ist) **:** monter [dans le train]
um/steigen (ie, ie/ist)	*changer (de train), prendre une correspondance*	
der Anschluss (¨e)	*la correspondance*	**den ~ verpassen :** rater la correspondance

→ p. 239 (S'informer, informer à la gare)
p. 259 (Formuler, comprendre des ordres à la gare)
p. 271 (Donner des conseils à la gare)

Am Flugplatz *À l'aéroport*

das Flugzeug (e)	*l'avion*	**der Flug** (¨e) **:** *le vol*
der Charter (-)	*le charter*	
die Fluggesellschaft (en)	*la compagnie aérienne*	
der Flughafen (¨)	*l'aéroport*	Syn. **der Flugplatz** (¨e)
das Flugticket (s)	*le billet d'avion*	
fliegen (o, o/ist)	*voyager en avion*	**2.** voler
ein/checken	*s'enregistrer*	
starten	*décoller*	Syn. **ab/fliegen** (o, o/ist)
landen (ist)	*atterrir*	**die Zwischenlandung** (en) **:** *l'escale*
ab/stürzen (ist)	*s'écraser*	

Auf See *En bateau*

das Schiff (e)	*le bateau, le navire*	**schiffbar :** *navigable*
das Boot (e)	*le bateau*	
die Jacht (en)	*le yacht*	
der Passagier (e)	*le passager*	
die Schiffsbesatzung	*l'équipage*	
die Kreuzfahrt (en)	*la croisière*	
die Überquerung (en)	*la traversée*	**die Atlantiküberquerung :** *la traversée de l'Atlantique*
ein/schiffen	*embarquer*	
seekrank werden (u, o, i/ist)	*avoir le mal de mer*	
der Schiffbruch (¨e)	*le naufrage*	

& Notez bien

■ Attention aux verbes **ankommen** et **landen**, qui expriment une relation locative et non directive. Derrière les prépositions mixtes, on utilise donc le datif et devant les noms de villes et de pays neutres la préposition **in**.

Er ist pünktlich in Frankfurt angekommen.
Il est arrivé à l'heure à Francfort.

24 Feste, Traditionen

Fêtes et traditions

O Tannenbaum
O Tannenbaum, o Tannenbaum,
wie grün sind deine Blätter!
Du grünst nicht nur zur Sommerzeit,
nein auch im Winter, wenn es schneit
O Tannenbaum, o Tannenbaum,
wie grün sind deine Blätter!

Ernst Anschütz (1824)

Mon beau sapin
Mon beau sapin, roi des forêts
Que j'aime ta verdure!
Quand par l'hiver, bois et guérets
Sont dépouillés de leurs attraits
Mon beau sapin, roi des forêts
Tu gardes ta parure.

das Fest (e)	*la fête*	
die Feier (n)	*la fête [à une certaine occasion]*	**die Familienfeier/die Geburtstagsfeier/die Abschiedsfeier :** *la fête de famille/d'anniversaire/d'adieu*
feiern	*fêter*	
der Feiertag (e)	*le jour férié*	**der Nationalfeiertag** (e) **:** *la fête nationale*

La fête nationale

■ Depuis 1990, la fête nationale a lieu le 3 octobre, *jour de l'unité allemande* **(Tag der deutschen Einheit)**.

das Festessen	*le repas de fête*	
der Brauch (¨e)	*la coutume*	
jdm etwas schenken	*offrir qqch à qqn*	**das Geschenk** (e) **:** *le cadeau*

tanzen	*danser*	✎ **einen Walzer ~ :** *danser une valse*
jdn zum Tanzen auf/fordern	*inviter qqn à danser*	
der Ball (¨e)	*le bal*	
sich verkleiden	*se déguiser*	✎ **die Verkleidung** (en) **:** *le déguisement*
die Hochzeit (en)	*le mariage*	
die Verlobung (en)	*les fiançailles*	✎ **der Verlobungsring** (e) **:** *la bague de fiançailles*
das Familienfest (e)	*la fête de famille*	
die Einladung (en)	*l'invitation*	✎ **ein/laden** (u, a, ä) **:** *inviter*
Faschingsdienstag	*Mardi gras*	

☞ Le carnaval

■ En Allemagne de l'Ouest et du Sud, le carnaval est une fête très populaire, qui attire de grandes foules. Il existe plusieurs mots pour le désigner : **Karneval**, **Fasching**, **Fastnacht**.
■ Le point culminant du carnaval se situe le week-end qui précède le *mercredi des Cendres* **(Aschermittwoch)**.
■ Les plus grands défilés ont lieu le lundi **(Rosenmontag)**.

Ostern	*Pâques*	✎ **das Osterei** (er) **:** *l'œuf de Pâques*
Palmsonntag	*le dimanche des Rameaux*	
Karfreitag	*le vendredi saint*	
Himmelfahrt	*l'Ascension*	
Pfingsten	*la Pentecôte*	Syn. **das Pfingstfest**
Allerheiligen	*la Toussaint*	
Weihnachten	*Noël*	✎ **der Weihnachtsbaum :** *le sapin de Noël*
Silvester	*la Saint-Sylvestre*	
Neujahr	*le nouvel an*	
der erste Mai	*le premier mai*	

→ p. 229 (Présenter des vœux)

☞ Les fêtes des Mères et des Pères

■ En Allemagne la fête des Mères **(Muttertag)** se fête le deuxième dimanche de mai, tandis qu'elle est fixée en France au dernier dimanche de mai.
■ La fête des Pères **(Vatertag)** se fête en Allemagne le jeudi de l'Ascension.

Volksfeste Fêtes populaires

das Oktoberfest — *la Fête de la bière*
das Dorffest (e) — *la fête du village*
das Straßenfest (e) — *la fête de quartier*
der Umzug (¨e) — *le cortège*

der Laternenumzug (¨e) : *la procession aux flambeaux*

der Kracher (-) — *le pétard*
das Feuerwerk — *le feu d'artifice*

der Jahrmarkt (¨e) — *la fête foraine*
das Karussell (e) — *le manège*
das Riesenrad — *la grande roue*
die Schaubude (n) — *le stand forain*
die Schießbude (n) — *le stand de tir*
die Zuckerwatte — *la barbe à papa*
der kandierte Apfel (¨) — *la pomme d'amour*

25 Die Wissenschaften

Les sciences

Phantasie ist wichtiger als Wissen.

Albert Einstein (1879-1955)

L'imagination est plus importante que le savoir.

Die Forschung *La recherche*

die Wissenschaft (en)	*la science*	✐ **das Wissen :** *le savoir*
der Wissenschaftler (-)	*le scientifique*	✐ **wissenschaftlich :** *scientifique*
die Vorgehensweise (n)	*la démarche*	✐ **vor/gehen** (i, a/ist) **:** *procéder*
die Theorie (n)	*la théorie*	✐ **theoretisch :** théorique
die Hypothese (n)	*l'hypothèse*	➔ p. 283 (Dire que l'on n'est pas certain, que l'on doute)
das Modell (e)	*le modèle*	✐ **modellieren :** *modéliser*
etwas ab/leiten aus (+ D)	*déduire qqch de*	➔ p. 299 (Expliquer, se justifer, indiquer les causes), p. 301 (Indiquer les raisons, les conséquences)
etwas beweisen (ie, ie)	*démontrer qqch*	✐ **der Beweis** (**für** + A) **:** *la preuve (de)*
überprüfen	*vérifier [une thèse]*	
die Forschung (en)	*la recherche*	✐ **forschen :** *faire de la recherche*
die Erfindung (en)	*l'invention*	✐ **erfinden** (a, u) **:** *inventer*
die Entdeckung (en)	*la découverte*	✐ **entdecken :** *découvrir*
das Labor (s/e)	*le laboratoire*	✐ **der Laborant** (en, en) **:** *le laborantin*
der Versuch (e)	*l'expérience, l'essai*	
das Versuchskaninchen (-)	*le cobaye*	
das Experiment (e)	*l'expérience*	✐ **ein ~ durch/führen :** *faire une expérience*
das Ergebnis (se)	*le résultat*	✐ **sich aus** (+ D) **ergeben** (a, e, i) **:** *résulter de*
etwas an/wenden (a, a)	*appliquer qqch*	

Expressions

eine Wissenschaft für sich sein : *être tout un art* • **das Rad neu erfinden** (a, u) **:** *réinventer la roue ou le fil à couper le beurre* • **nur graue Theorie sein :** *n'être que de la théorie*

Formale Wissenschaften *Sciences formelles*

Die Mathematik *Les mathématiques*

der Mathematiker (-)	*le mathématicien*	
die Algebra	*l'algèbre*	
die Geometrie	*la géométrie*	
die Arithmetik	*l'arithmétique*	
das Rechnen	*le calcul*	**die Rechenoperation** (en) **:** *l'opération arithmétique*
die Statistik	*la statistique*	
die Gleichung (en)	*l'équation*	
der Lehrsatz (¨e)	*le théorème*	
die Mengenlehre	*la théorie des ensembles*	**die Menge** (n) **:** *la quantité, l'ensemble*
die Zahl (en)	*le nombre*	**die Bruchzahl :** *la fraction*

Die Logik *La logique*

das Urteil (e)	*le jugement*	
die Aussage (n)	*la proposition*	
die logische Schlussfolgerung (en)	*la déduction logique*	
das Paradox, das Paradoxon (Paradoxa)	*le paradoxe*	
die Wahrheit	*la vérité*	**wahr :** *vrai*

Naturwissenschaften *Les sciences de la nature*

Die Physik *La physique*

der Physiker (-)	*le physicien*	
die Optik	*l'optique*	**optisch :** *optique*
die Akustik	*l'acoustique*	**akustisch :** *acoustique*
die Elektronik	*l'électronique*	**elektronisch :** *électronique*
die Kernphysik	*la physique atomique*	SYN. **die Atomphysik**

die Kraft (¨e)	*la force*	✐ **die Trägheitskraft/die Schwerkraft :** *la force d'inertie/de gravité*
die Masse (n)	*la masse*	
der Druck	*la pression*	
der Strom	*le courant*	
die Spannung	*la tension*	
der Widerstand	*la résistance*	
das magnetische Feld (er)	*le champ magnétique*	
die Welle (n)	*l'onde*	
die Partikel (n)	*la particule*	REM. aussi **das Partikel** (-)

Die Chemie *La chimie*

der Chemiker (-)	*le chimiste*	
die Lösung (en)	*la solution*	✐ **etwas** (**in** + D) **lösen :** *dissoudre qqch (dans)*
das Reagenzglas	*l'éprouvette*	
das Molekül (e)	*la molécule*	
das Element (e)	*l'élément*	
das Atom (e)	*l'atome*	
der Festkörper (-)	*le solide*	✐ **fest :** *solide*
die Flüssigkeit	*le liquide*	✐ **flüssig :** *liquide*
die Säure (n)	*l'acide*	
die Base (n)	*la base*	
verdampfen	*se vaporiser*	✐ **der Dampf :** *la vapeur*
mit (+ D) **reagieren**	*réagir avec*	✐ **die Reaktion :** *la réaction*

Die Biologie *La biologie*

der Biologe (n, n)	*le biologiste*	✐ **biologisch :** *biologique*
das Mikroskop (e)	*le microscope*	✐ **mikroskopisch :** *microscopique*
die Zelle (n)	*la cellule*	
die Membran (en)	*la membrane*	
das Gewebe (-)	*le tissu*	
sezieren	*disséquer*	
verändern	*modifier*	
die Genetik	*la génétique*	
das Gen (e)	*le gène*	✐ **genmanipuliert :** *manipulé génétiquement*
die D.N.S.	*l'ADN*	

Die Geisteswissenschaften
Les sciences humaines

Die Philosophie *La philosophie*

das Denken	*la pensée [le fait de penser]*	✎ **der Gedanke** (ns, n) **:** *la pensée [idée]*
die Idee (n)	*l'idée*	
der Begriff (e)	*le concept, la notion*	✎ **begreifen** (i, i) **:** comprendre, saisir
die Vernunft	*la raison*	
rational	*rationnel*	
die Weltanschauung (en)	*la conception du monde*	
das Subjekt (e)	*le sujet*	✎ **subjektiv :** *subjectif*
der Gegenstand (¨e)	*l'objet*	
das Sein	*l'être*	✎ **das Dasein :** *l'existence*
das Nichts	*le néant*	
die Freiheit	*la liberté*	✎ **frei :** *libre*
der Wille (ns, n)	*la volonté*	✎ **die Willkür :** *l'arbitraire*
das Gewissen	*la conscience morale*	
die Schuld	*la faute [morale]*	

Die Psychologie und die Psychoanalyse
La psychologie et la psychanalyse

der Psychologe (n, n)	*le psychologue*	
der Psychoanalytiker (-)	*le psychanalyste*	
das Bewusstsein	*la conscience*	
das Bewusste	*le conscient*	REM. adj. subst.
das Unbewusste	*l'inconscient*	REM. adj. subst.
die Wahrnehmung	*la perception*	✎ **wahr/nehmen** (a, o, i) **:** *percevoir*
der Trieb (e)	*la pulsion*	
die Verdrängung (en)	*le refoulement*	✎ **verdrängen :** *refouler*
das Verhalten (Verhaltensweisen)	*le comportement*	✎ **sich verhalten** (ie, a, ä) **:** *se comporter*
die Störung (en)	*le dérèglement, le dysfonctionnement*	
die Fehlhandlung (en)	*l'acte manqué*	
die Deutung (en)	*l'interprétation*	✎ **die Traumdeutung :** *l'interprétation des rêves*

Die Sprachwissenschaft *La linguistique*

die Sprache (n)	*la langue, la parole*	**der Sprecher** (-) **:** *le locuteur*
der Sprachwissenschaftler (-)	*le linguiste*	SYN. **der Linguist** (en, en)
die Fremdsprache (n)	*la langue étrangère*	
das Sprachvermögen	*le langage [faculté]*	
die Grammatik (en)	*la grammaire*	**grammatikalisch :** *grammatical*
die Rechtschreibung	*l'orthographe*	**die Rechtschreibreform :** *la réforme de l'orthographe*
die Phonetik	*la phonétique*	**phonetisch :** *phonétique*
das Wort (¨er)	*le mot*	≠ **das Wort** (e) **:** *la parole, le propos*
die Wortbildung	*la formation lexicale*	
die Bedeutung (en)	*le sens, la signification*	
der Satz (¨e)	*la phrase*	**das Satzzeichen** (-) **:** *le signe de ponctuation*
die Rede (n)	*le discours*	
umgangssprachlich	*familier*	**die Umgangssprache :** *le langage familier*

➜ p. 29 (Parler)

Die Sozialwissenschaften *Les sciences sociales*

die Wirtschaft (en)	*l'économie*	**die Volkswirtschaftslehre/die Betriebswirtschaftslehre :** *la macro-économie/la micro-économie*
die Politikwissenschaft	*les sciences politiques*	
die Soziologie	*la sociologie*	**soziologisch :** *sociologique*
die Anthropologie	*l'anthropologie*	
die Völkerkunde	*l'ethnologie*	SYN. **die Ethnologie**
die Gesellschaft (en)	*la société*	
das Individuum (Individuen)	*l'individu*	
die Gruppe (n)	*le groupe*	
die Interaktion	*l'interaction*	
handeln	*agir*	

➜ p. 151 (Économie et finance)

Die Geographie *La géographie*

die physische Geographie	*la géographie physique*
die Humangeographie	*la géographie humaine*
der Geograph (en, en)	*le géographe*

die Kartographie	*la cartographie*
die Landkarte (n)	*la carte*

➜ p. 184 (La population mondiale)
p. 204 (Caractéristiques géologiques de notre planète)
p. 208 (Le climat, le temps qu'il fait)
p. 212 (Continents et pays)

Die Geschichtswissenschaft L'histoire

die Epoche (n)	*l'époque*	
die Geschichte	*l'histoire [en général]*	
die Alte Geschichte	*l'histoire ancienne*	
die mittelalterliche Geschichte	*l'histoire médiévale*	
die neuere Geschichte	*l'histoire moderne*	
die Zeitgeschichte	*l'histoire contemporaine*	
die Kunstgeschichte	*l'histoire de l'art*	
die Geschichtsschreibung	*l'historiographie*	
der Historiker (-)	*l'historien*	**historisch :** historique
die Quelle (n)	*la source*	
das Archiv (e)	*l'archive*	
die Archäologie	*l'archéologie*	**archäologisch :** archéologique
die Ausgrabung (en)	*la fouille*	
das Dokument (e)	*le document*	
das Zeugnis (se)	*le témoignage*	
die Inschrift (en)	*l'inscription*	

➜ p. 193 (Le temps qui passe)
p. 200 (Les grandes périodes de l'histoire)

& Notez bien

■ Les mots d'origine étrangère terminés en **-ie** sont accentués sur la dernière syllabe, ceux en **-isch** sur l'avant-dernière : **die Biologie** mais **biologisch**, **die Chemie** mais **chemisch**. **Politik** et **Physik** sont également accentués sur la dernière syllabe mais **Genetik** l'est sur la deuxième syllabe.

26 Religionen und Glauben
Religions et croyances

Religion ist der Seufzer der bedrängten Kreatur, das Gemüt einer herzlosen Welt, wie sie der Geist geistloser Zustände ist. Sie ist das Opium des Volks.

Karl Marx, *Zur Kritik der hegelschen Rechtsphilosophie*, 1844.

La religion est le soupir de la créature opprimée, l'âme d'un monde sans cœur, comme elle est l'esprit des conditions sociales d'où l'esprit est exclu. Elle est l'opium du peuple.

Der Glaube, der Unglaube, der Laizismus
La foi, l'incroyance, la laïcité

die Religion (en)	*la religion*	⇨ **religiös :** *religieux, croyant*
der Monotheismus	*le monothéisme*	
der Polytheismus	*le polythéisme*	
der Gläubige	*le croyant, le fidèle*	Rem. adj. subst. **(ein Gläubiger)**
der Atheist (en, en)	*l'athée*	
an (+ A) **glauben**	*croire en ou à*	
der Glaube (ns, n)	*la foi*	⇨ **der Aberglaube :** *la superstition*
fromm	*pieux*	⇨ **die Frömmigkeit :** *la piété*
geistlich	*religieux, spirituel*	≠ **geistig :** *intellectuel*

& Notez bien

■ Ne pas confondre les adjectifs **geistlich** et **geistig**, tous deux dérivés du substantif **Geist** (*esprit*) : **geistlich** relève du domaine religieux (en français : *spirituel, sacré, religieux*) ; **geistig** s'applique au domaine intellectuel (en français : *mental, intellectuel*).

beten	*prier*	⇨ **das Gebet** (e) **:** *la prière*
an/beten	*adorer*	⇨ **die Anbetung :** *l'adoration*
der Gott (¨er)	*le dieu*	⇨ **die Gottheit** (en) **:** *la divinité*
ewig	*éternel*	⇨ **die Ewigkeit :** *l'éternité*
der Engel (-)	*l'ange*	⇨ **der Erzengel :** *l'archange*

die Seele (n)	*l'âme*	**die Seelenwanderung :** *la réincarnation*
das Paradies (e)	*le paradis*	
das Jenseits	*l'au-delà*	
die Sünde (n)	*le péché*	**sündigen :** *pécher*
das Ritual (e)	*le rituel*	
der Kult (e)	*le culte*	
die Vorschrift (en)	*la prescription, la règle*	**vor/schreiben** (ie, ie) **:** *prescrire, imposer*
das Dogma (Dogmen)	*le dogme*	
das Opfer (-)	*le sacrifice*	
die Wallfahrt (en)	*le pélerinage*	
nach (+ D) **pilgern**	*aller en pélerinage à*	**der Pilger** (-) **:** *le pélerin*
erlösen	*sauver*	**die Erlösung :** *la rédemption*
segnen	*bénir*	**der Segen :** *la bénédiction*
predigen	*prêcher*	**die Predigt** (en) **:** *le sermon*
fasten	*jeûner*	**die Fastenzeit :** *le carême*
sich zu (+ D) **bekehren**	*se convertir (à)*	**die Bekehrung :** *la conversion*
der Heide (n, n)	*le païen*	
der Ketzer (-)	*l'hérétique*	**ketzerisch :** *hérétique*
die Sekte (n)	*la secte*	
der Anhänger (-)	*l'adepte*	
die Glaubensfreiheit	*la liberté religieuse*	
weltlich	*laïc, profane*	
laizistisch	*laïque*	**der Laizismus :** *la laïcité*

Das Christentum *Le christianisme*

der Christ (en, en)	*le chrétien*	**christlich :** *chrétien*
Jesus Christus	*Jésus-Christ*	REM. G : **Jesu Christi**
das Kreuz (e)	*la croix*	**die Kreuzigung :** *la Crucifixion*
die Auferstehung	*la résurrection*	**auf/erstehen** (a, a,/ist) **:** *ressusciter*
das Alte/Neue Testament	*l'Ancien/le Nouveau Testament*	
das Evangelium (Evangelien)	*l'Évangile*	
die zehn Gebote	*les dix commandements*	
die Hölle	*l'enfer*	

der Teufel (-)	*le diable*	
das Jüngste Gericht	*le jugement dernier*	
der, die Heilige	*le saint, la sainte*	REM. adj. subst.
die Kirche (n)	*l'Église, l'église, le temple [protestant]*	**der Kirchgänger** (-) **:** *le pratiquant*
der Altar (¨e)	*l'autel*	
der Gottesdienst (e)	*l'office religieux*	
die Messe	*la messe*	
das Sakrament (e)	*le sacrement*	
die Taufe (n)	*le baptême*	**jdn taufen :** baptiser qqn
katholisch	*catholique*	**der Katholik** (en, en) **:** *le catholique*
evangelisch	*protestant*	
der Protestant (en, en)	*le protestant*	
orthodox	*orthodoxe*	
der Katechismus	*le catéchisme*	
die Firmung	*la confirmation*	
die Kommunion	*la communion*	
die Konfirmation	*la confirmation [protestants]*	**der Konfirmandenunterricht :** *le catéchisme (protestants)*
das Abendmahl	*la Cène, la communion [protestants]*	
die Beichte (n)	*la confession*	**beichten :** *(se) confesser*
der Geistliche	*le religieux*	REM. adj. subst.
der Priester (-)	*le prêtre*	
der Pfarrer (-)	*le pasteur, le curé*	
der Bischof (¨e)	*l'évêque*	**der Erzbischof :** *l'archevêque*
der Papst (¨e)	*le pape*	
das Kloster (¨)	*le monastère, le cloître*	
der Mönch (e)	*le moine*	
die Ordensschwester (n)	*la sœur*	

Expressions

Hier ist die Hölle los! *Il y a de l'ambiance !* • **Teufel!** Diable ! [expression d'étonnement] • **der Teufelskreis :** *le cercle vicieux* • **den Teufel an die Wand malen :** *jouer les oiseaux de mauvais augure* • **Weiß der Teufel!** Dieu sait ! [je n'en ai pas la moindre idée] • **ein armer Teufel :** *un pauvre diable* • **in Teufels Küche kommen** (a, o/ist) **:** *se mettre en mauvaise posture* • **Der Teufel steckt im Detail.** Le diable est dans les détails. • **päpstlicher als der Papst :** *plus royaliste que le roi* • **sündhaft teuer sein :** *être très cher*

La situation de l'Église en Allemagne

■ En Allemagne, l'Église et l'État ne sont pas séparés. Il existe un *impôt d'Église* **(Kirchensteuer)**, et des *cours de religion* **(Religionsunterricht)** sont proposés à l'école.

■ La majorité des Allemands se déclarent chrétiens, même si de plus en plus choisissent actuellement de *quitter l'Église* **(aus der Kirche austreten)**, c'est-à-dire de ne plus payer l'impôt d'Église.

■ Le Sud et l'Ouest de l'Allemagne sont majoritairement catholiques, l'Est et le Nord majoritairement protestants.

Das Judentum *Le judaïsme*

der Jude (n, n)	*le juif*	**jüdisch** : *juif*
Jahve	*Jahvé*	
die Bibel	*la Bible*	**biblisch** : *biblique*
die Thora	*la Thora*	
der Rabbiner (-)	*le rabbin*	**rabbinisch** : *rabbinique*
das gelobte Land	*la Terre promise*	
die Synagoge (n)	*la synagogue*	
der Sabbat	*le sabbat*	
die Beschneidung	*la circoncision*	**beschnitten** : *circoncis*

Der Islam *L'islam*

der Moslem (s)	*le musulman*	Syn. **der Muslim** (e)
moslemisch	*musulman*	
islamisch	*islamique*	
Allah	*Allah*	
Mohamed	*Mahomet*	
der Prophet (en, en)	*le prophète*	
der Koran	*le Coran*	**die Koranschule** (n) : *l'école coranique*
der Imam	*l'imam*	
die Moschee (n)	*la mosquée*	
das Minaret	*le minaret*	
Mekka	*la Mecque*	
der Ramadam	*le Ramadam*	
der Schleier (-)	*le voile*	**verschleiert** : *voilé*
das Kopftuch (¨er)	*le foulard*	

Andere Religionen und Glaubensarten
Autres religions et croyances

der Buddhismus	*le bouddhisme*	✎ **der Buddhist** (en, en) **:** *le bouddhiste*
der Brahmanismus	*le brahmanisme*	✎ **der Brahmane** (n, n) **:** *le brahmane*
der Hinduismus	*l'hindouisme*	✎ **der Hindu** (s) **:** *l'hindou*
der Guru (s)	*le gourou*	
der Animismus	*l'animisme*	
der Taoismus	*le taoïsme*	
der Konfuzianismus	*le confucianisme*	

Mythen, Märchen und Sagen
Mythes, contes et légendes

der Mythos (Mythen)	*le mythe*	
die Sage (n)	*la légende*	SYN. **die Legende** (n)
das Märchen (-)	*le conte de fées*	
der Kobold (e)	*le lutin*	
der Drache (n, n)	*le dragon*	
das Einhorn (¨er)	*la licorne*	
die Fee (n)	*la fée*	
die Hexe (n)	*la sorcière*	✎ **jdn verhexen :** *jeter un sort à qqn*
das Gespenst (er)	*le fantôme*	
der Werwolf (¨e)	*le loup-garou*	
der Vampir (e)	*le vampire*	
der Menschenfresser (-)	*l'ogre*	
der Riese (n, n)	*le géant*	
der Zwerg (e)	*le nain*	

27 Das künstlerische Schaffen und die Kunststile

La création et les styles artistiques

Et voici ma dernière œuvre.
Elle s'appelle : « De l'art ou du commerce ? »

Das künstlerische Schaffen

La création artistique

die Kunst (¨e)	*l'art*	
der Künstler (-)	*l'artiste*	**künstlerisch :** *artistique*
bekannt	*connu*	
berühmt	*célèbre*	
das Talent (e)	*le talent*	**talentiert :** *talentueux*
der Stil (e)	*le style*	

ästhetisch	*esthétique*	
schön	*beau*	Ant. **hässlich :** *laid*
kitschig	*kitsch*	
echt	*vrai, authentique*	
schaffen (u, a)	*créer*	
dar/stellen	*représenter*	
das Atelier (s)	*l'atelier*	
das Modell (e)	*le modèle*	
das Kunstwerk (e)	*l'œuvre d'art*	✐ **das Meisterwerk** (e) **:** *le chef-d'œuvre*
die Sammlung	*la collection*	✐ **der Sammler** (-) **:** *le collectionneur*
der Kunstliebhaber (-)	*l'amateur d'art*	
die Vernissage (n)	*le vernissage*	
die Auktion (en)	*la vente aux enchères*	
versteigern	*vendre aux enchères*	
der Meistbietende	*le plus offrant*	Rem. part. subst.
das Original (e)	*l'original*	
die Kopie (n)	*la copie*	
die Fälschung (en)	*la contrefaçon*	✐ **fälschen :** *falsifier*

Die Kunststile *Les styles artistiques*

die Romanik	*le style roman*	✐ **romanisch :** *roman*
die Gotik	*l'art gothique*	✐ **die Spätgotik :** *le gothique flamboyant*
gotisch	*gothique*	
der Klassizismus	*le classicisme*	
die Renaissance	*la Renaissance*	
der Barock	*le baroque*	✐ **barock** (adj.) **:** *baroque*
das Rokoko	*le rococo*	
die Romantik	*le romantisme*	✐ **romantisch :** *romantique*
der Realismus	*le réalisme*	
der Neoklassizismus	*le style néoclassique*	
der Impressionismus	*l'impressionnisme*	✐ **impressionistisch :** *impressionniste*
der Jugendstil	*l'Art nouveau*	
die Avantgarden	*les avant-gardes*	
der Expressionismus	*l'expressionnisme*	✐ **expressionistisch :** *expressionniste*
der Futurismus	*le futurisme*	

der Surrealismus	*le surréalisme*	
der Dadaismus	*le dadaïsme*	
modern	*moderne*	ANT. **klassisch :** *classique*
zeitgenössisch	*contemporain*	
abstrakt	*abstrait*	ANT. **gegenständlich :** *figuratif*

Quelques courants et mouvements artistiques dans l'espace germanophone

■ **Das Biedermeier** (*le Biedermeier*) : période artistique et culturelle en Allemagne et en Autriche s'étendant du Congrès de Vienne (1815) à la Révolution de 1848. Le Biedermeier correspond à une période de restauration politique avec restriction des libertés, repli sur la sphère privée et développement d'un art et d'une culture de la bourgeoisie. Il est surtout connu pour des réalisations dans les arts décoratifs et, dans une moindre mesure, la peinture, la littérature, la musique. Les meubles Biedermeier se caractérisent par leurs lignes courbes et leur raffinement alliés à une relative sobriété. En peinture, on trouve des tableaux réalistes illustrant des scènes de la vie courante (Carl Spitzweg).

■ **Der Jugendstil** (en Allemagne) et **der Sezessionsstil** (en Autriche) : *l'Art nouveau* (en France), mouvement artistique du début du XXe siècle. L'Art nouveau est surtout connu pour ses réalisations en matière d'architecture et arts appliqués mais, en Autriche, il connaît aussi des développements en peinture (Gustav Klimt).

■ **Die Brücke :** groupe de peintres expressionnistes fondé à Dresde en 1905 par Erich Heckel, Ernst Ludwig Kirchner et Karl Schmidt-Rottluff. D'autres artistes rejoindront le groupe par la suite : Emil Nolde, Max Pechstein. Le groupe se dissout en 1913.

■ **Der blaue Reiter** (*le cavalier bleu*) : groupe d'artistes créé en 1911 à Munich. Fondé sur une esthétique formulée dans les textes de Franz Marc et de Wassily Kandinsky, le mouvement rassemble des peintres abstraits (Wassily Kandinsky, Paul Klee) mais aussi figuratifs (August Macke, Otto Mueller). Il se disperse avec la Première Guerre mondiale.

■ **Der Dadaismus** (*le dadaïsme*) : mouvement intellectuel, artistique et littéraire, fondé en 1916 à Zurich par Hugo Ball. Il se caractérise par des positions nihilistes et subversives, refusant les normes esthétiques et revendiquant une totale liberté de l'artiste. En Allemagne, le peintre Max Ernst ainsi que le poète et artiste Kurt Schwitters en sont des représentants de premier ordre.

L'art dégénéré

■ **Die entartete Kunst** (*l'art dégénéré*) est un terme forgé par les nazis pour désigner l'art moderne, qui n'était pas conforme à l'idéologie nazie.

28 Literatur und Lektüre

La littérature et la lecture

Die Deutschen thun nicht viel, aber sie schreiben desto mehr. [...] Das sinnige deutsche Volk liebt es zu denken und zu dichten, und zum Schreiben hat es immer Zeit. Es hat sich die Buchdruckerkunst selbst erfunden, und nun arbeitet es unermüdlich an der großen Maschine. [...] Was wir in der einen Hand haben mögen, in der anderen Hand haben wir immer ein Buch.

Wolfgang Menzel, (1798-1873)

Les Allemands ne font pas grand-chose, mais ils écrivent d'autant plus. [...] Le peuple allemand, réfléchi, aime par dessus tout penser et composer des poèmes, et il a toujours le temps d'écrire. Il s'est inventé l'imprimerie, et maintenant, il travaille sans cesse sur la grosse machine. [...] Peu importe ce que nous tenons dans une main, dans l'autre, nous avons toujours un livre.

das Werk (e)	*l'œuvre*	✐ **das Nachschlagewerk :** *l'ouvrage de référence*
der Autor (en)	*l'auteur*	
der Schriftsteller (-)	*l'écrivain*	
der Leser (-)	*le lecteur*	≠ **der Lektor** (en) **:** *le lecteur d'une maison d'édition/à l'université*
der Text (e)	*le texte*	
die Belletristik	*la littérature, les belles-lettres*	
schreiben (ie, ie)	*écrire*	
erzählen	*raconter*	✐ **der Erzähler** (-) **:** *le narrateur*
lesen (a, e, ie)	*lire*	✐ **vor/lesen :** *lire à haute voix*

☞ Le salon du livre de Francfort

Chaque année, à l'automne, se tient à Francfort-sur-le-Main le plus grand salon du livre au monde **(Frankfurter Buchmesse)**. Il accueille environ 7 000 exposants et 280 000 visiteurs.

Die literarischen Gattungen *Les genres littéraires*

Die Prosa *La prose*

der Roman (e)	*le roman*	✎ **der Kriminalroman :** *le roman policier*
die Erzählung (en)	*le récit, le conte*	
die Geschichte (n)	*l'histoire*	
die Novelle (n)	*la nouvelle*	SYN. **die Kurzgeschichte** (n)
das Märchen (-)	*le conte de fées*	
das Kinderbuch (¨er)	*le livre pour enfants*	
das/der Essay (s)	*l'essai*	
die Biographie (n)	*la biographie*	
das Tagebuch (¨er)	*le journal intime*	
die Trivialliteratur	*la littérature de gare*	

Die Lyrik *La poésie*

das Gedicht (e)	*le poème*	
die Strophe (n)	*la strophe*	
der Vers (e)	*le vers*	
der Reim (e)	*la rime*	✎ **reimen :** *rimer*
gebunden	*en vers*	ANT. **ungebunden :** *non versifié*
dichten	*écrire qqch en vers*	
der Dichter (-)	*le poète*	✎ **dichterisch :** *poétique*

Das Drama *Le théâtre*

das Theaterstück (e)	*la pièce de théâtre*	
die Komödie (n)	*la comédie*	SYN. **das Lustspiel** (e)
die Tragödie (n)	*la tragédie*	SYN. **das Trauerspiel** (e)
der Monolog (e)	*le monologue*	ANT. **der Dialog** (e) **:** *le dialogue*
der Akt (e)	*l'acte*	
der Auftritt (e)	*la scène*	

Das Buch *Le livre*

das Buch (¨er)	*le livre*	
der Band (¨e)	*le tome*	
das Exemplar (e)	*l'exemplaire*	
der Verlag (e)	*la maison d'édition*	SYN. **das Verlagshaus** (¨er)
veröffentlichen	*publier*	✎ **die Veröffentlichung** (en) **:** *la publication*
heraus/geben (a, e, i)	*éditer*	

die Ausgabe (n)	l'édition	✎ **die Sonderausgabe :** l'édition spéciale
drucken	imprimer	✎ **der Buchdruck :** l'imprimerie
im Druck sein	être sous presse	
erscheinen (ie, ie/ist)	paraître	Syn. **heraus/kommen** (a, o/ist) **:** sortir
die Übersetzung (en)	la traduction	✎ **übersetzen :** traduire

Die verschiedenen Buchtypen Les différents types de livre

der Bildband (¨e)	le beau livre, le livre d'art	
das Lexikon (Lexika)	l'encyclopédie	Syn. **die Enzyklopädie** (n)
das Wörterbuch (¨er)	le dictionnaire	
das Handbuch (¨er)	le manuel	
das Taschenbuch (¨er)	le livre de poche	
der Comic (s)	la bande-dessinée	

Die Teile eines Buches Les parties d'un livre

der Titel (-)	le titre	
der Buchdeckel (-)	la couverture	
der Umschlag (¨e)	la jaquette	
gebunden	relié	
die Seite (n)	la page	
das Vorwort (e)	la préface	Ant. **das Nachwort** (e) **:** la postface
das Inhaltsverzeichnis (se)	le sommaire, la table des matières	
das Kapitel (-)	le chapitre	
die Zeile (n)	la ligne	
die Fußnote (n)	la note de bas de page	

Ein Buch kaufen oder ausleihen
Acheter ou emprunter un livre

die Buchhandlung (en)	la librairie	✎ **der Buchhändler** (-) **:** le libraire
das Antiquariat (e)	la librairie d'occasion	✎ **der Antiquar** (e) **:** le bouquiniste
kaufen	acheter	
bestellen	commander	
vergriffen	épuisé	
der Bestseller (-)	le best-seller	Syn. **der Dauerbrenner** (-)
die Mediathek (en)	la médiathèque	

die Videothek (en)	*la vidéothèque*	
die Bibliothek (en)	*la bibliothèque*	✎ **in die ~ gehen** (i, a/ist) **:** *aller à la bibliothèque*
die Stadtbücherei (en)	*la bibliothèque municipale*	
der Bücherbus (se)	*le bibliobus*	
der Bibliotheks-ausweis (e)	*la carte de bibliothèque*	
der Katalog (e)	*le catalogue*	
ein Buch aus/leihen (ie, ie)	*emprunter un livre*	✎ **die Ausleihe :** *le prêt*
verliehen	*emprunté*	
entleihbar	*empruntable*	Syn. **ausleihbar**
ein Buch zurück/geben (a, e, i)	*rendre un livre*	✎ **die Rückgabe :** *le retour*
die Mahnung (en)	*le rappel*	
verlängern	*prolonger*	
die Lesung (en)	*la lecture publique*	

☞ Expressions

Eselsohren in ein Buch machen : *corner les pages d'un livre* • **zwischen den Zeilen lesen** (a, e, ie) **:** *lire entre les lignes* • **der Bücherwurm, die Leseratte :** *le rat de bibliothèque* • **einen Roman verschlingen** (a, u) **:** *dévorer un roman*

29 Bildende Kunst und Architektur
Les beaux-arts et l'architecture

Wer hohe Türme bauen willen, muss lange beim Fundament verweilen.
Anton Bruckner (1824-1896)

Qui veut construire des tours hautes doit passer beaucoup de temps sur les fondations.

Die Malerei *La peinture*

malen	*peindre*	**der Maler** (-) **:** *le peintre*
das Gemälde (-)	*le tableau, la toile*	SYN. **das Bild** (er) **:** *le tableau*
das Porträt (s)	*le portrait*	SYN. **das Bildnis** (se)
das Stillleben (-)	*la nature morte*	
das Landschaftsbild (er)	*le paysage*	

& Notez bien

■ On utilise le verbe **malen** pour la peinture d'art, le verbe **streichen** (i, i) pour la peinture de bâtiment.

der Entwurf (¨e)	*l'esquisse*	
die Farbe (n)	*la peinture*	**2.** *la couleur* **die Ölfarbe :** *la peinture à l'huile*
der Pinsel (-)	*le pinceau*	
die Leinwand (¨e)	*la toile*	
die Staffelei (en)	*le chevalet*	
der Rahmen (-)	*le cadre*	**rahmenlos :** *sans cadre*
das Aquarell (e)	*l'aquarelle*	
die Kohlezeichnung (en)	*le fusain*	
das Licht	*la lumière*	ANT. **der Schatten :** *l'ombre*

der Aufbau	*la composition*	
der Hintergrund	*l'arrière-plan*	⊘ **der Vordergrund :** *le premier plan*
zeichnen	*dessiner*	⊘ **die Zeichnung** (en) **:** *le dessin*
skizzieren	*esquisser*	
jdn porträtieren	*faire le portrait de qqn*	
einem Künstler Modell sitzen (a, e)	*poser pour un artiste*	

Die Bildhauerei *La sculpture*

der Bildhauer (-)	*le sculpteur*	
die Skulptur (en)	*la sculpture [œuvre]*	SYN. **die Plastik** (en)
die Statue (n)	*la statue*	
das Flachrelief (s)	*le bas-relief*	
die Radierung (en)	*la gravure*	
der Holzstich (e)	*la gravure sur bois*	
der Kupferstich (e)	*la gravure sur cuivre*	
meißeln	*sculpter*	
schnitzen	*sculpter dans le bois*	⊘ **holzgeschnitzt :** *taillé dans le bois*
gießen (o, o)	*fondre, mouler*	

Die Architektur *L'architecture*

der Architekt (en, en)	*l'architecte*	⊘ **architektonisch :** *architectonique*
der Bau (Bauten)	*le bâtiment*	
das Denkmal (¨er)	*le monument*	⊘ **der Denkmalschutz :** *les monuments historiques*
der Grundriss (e)	*le plan*	
das Gewölbe (-)	*la voûte*	⊘ **gewölbt :** *voûté*
der Bogen (¨)	*l'arc*	⊘ **kreisbogenförmig :** *en arc de cercle*
die Kuppel (n)	*la coupole*	
die Säule (n)	*la colonne*	
der Pfeiler (-)	*le pilier*	
das Kapitell (e)	*le chapiteau*	

→ p. 123 (La création artistique)

☞ Le Bauhaus

■ Le **Bauhaus** (littéralement *maison de la construction*) était une école d'architecture et d'arts appliqués fondée à Weimar en 1919.

■ Cette école exista jusqu'en 1933, à Weimar, Dessau puis Berlin, comptant comme enseignants des artistes et des architectes aussi célèbres que Walter Gropius, son fondateur, Johannes Itten, Wassily Kandinsky, Paul Klee, Lyonel Feininger, Mies van der Rohe, Marcel Breuer.

■ Les principes et les réalisations du **Bauhaus** jouèrent un rôle très important pour l'architecture moderne et le design.

Im Museum *Au musée*

das Museum (Museen)	*le musée*	
die Kunstgalerie (n)	*la galerie d'art*	
die Ausstellung (en)	*l'exposition*	**aus/stellen :** *exposer [une œuvre]*
in eine Ausstellung gehen (i, a/ist)	*visiter une exposition*	**der Austellungskatalog** (e) : *le catalogue de l'exposition*
die Führung (en)	*la visite guidée*	**eine ~ mit/machen :** *participer à une visite guidée*
besichtigen	*visiter*	
der Eintritt (e)	*l'entrée, le billet*	

30 Die Musik
La musique

Vermeide, in Konzerten zu plaudern.

Adolph Freiherr von Knigge, *Über den Umgang mit Menschen* (1788)

Évite de bavarder au concert.

komponieren	*composer*	✎ **der Komponist** (en, en) **:** *le compositeur*
singen (a, u)	*chanter*	
der Sänger (-)	*le chanteur*	✎ **der Gesang :** *le chant [activité]*
die Stimme (n)	*la voix*	✎ **an/stimmen :** *entonner*
das Lied (er)	*le chant, la chanson [pièce]*	≠ **das Chanson** (s) **:** *la chanson [à texte]*
der Chor (¨e)	*le chœur, la chorale*	✎ **im ~ singen** (a, u) **:** *chanter dans un chœur*
die Band (s)	*le groupe de musique*	PHON. prononciation anglaise
der Schlager (-)	*le tube, la chanson à succès*	

Musikgattungen *Les genres musicaux*

die klassische Musik	*la musique classique*	SYN. **die Klassik**
die geistliche Musik	*la musique sacrée*	
die Kammermusik	*la musique de chambre*	
das Streichquartett	*le quatuor à cordes*	
die Symphonie (n)	*la symphonie*	
die Oper (n)	*l'opéra*	➜ p. 137 (L'opéra)
die Popmusik	*la musique pop*	
der Jazz	*le jazz*	
der Rock	*le rock*	
das, der Techno	*la techno*	
der Rap	*le rap*	

Ein Instrument spielen Pratiquer un instrument

das (Musik)-instrument (e)	*l'instrument (de musique)*	
der Musiker (-)	*le musicien*	
das Musikstück (e)	*le morceau*	
der Takt (e)	*la mesure*	✐ **den ~ an/geben** (a, e, i) **:** *battre la mesure*
die Note (n)	*la note*	**2.** (pl.) *la partition*
der Ton (¨e)	*le son*	
die Tonleiter (n)	*la gamme*	
üben	*s'exercer*	
spielen	*jouer*	
stimmen	*accorder*	✐ **verstimmt :** *désaccordé*
begleiten	*accompagner*	✐ **jdn auf dem Klavier ~ :** *accompagner qqn au piano*
der Dirigent (en, en)	*le chef d'orchestre*	✐ **dirigieren :** *diriger un orchestre*
das Orchester (-)	*l'orchestre*	✐ **das Symphonieorchester :** *l'orchestre symphonique*

Die Zupf- und Streichinstrumente

Les instruments à cordes pincées et frottées

die Geige (n)	*le violon*	✐ **~ spielen :** *jouer du violon*
das Cello (s)	*le violoncelle*	REM. autre pl. : **Celli**
der Kontrabass (¨e)	*la contrebasse*	
die Bratsche (n)	*l'alto*	
die Gitarre (n)	*la guitare*	
die Harfe (n)	*la harpe*	
die Saite (n)	*la corde*	

Die Blasinstrumente Les instruments à vent

die Flöte (n)	*la flûte*	✐ **die Querflöte :** *la flûte traversière*
die Klarinette (n)	*la clarinette*	
die Oboe (n)	*le hautbois*	
das Fagott (e)	*le basson*	
die Trompete (n)	*la trompette*	
das Saxophon (e)	*le saxophone*	
die Posaune (n)	*le trombone*	
das Horn (¨er)	*le cor*	✐ **das Jagdhorn :** *le cor de chasse*

Die Tasteninstrumente *Les instruments à clavier*

das Klavier (e) *le piano*
der Flügel (-) *le piano à queue*
das Cembalo (s) *le clavecin* REM. autre pl. : **Cembali**
die Orgel (n) *l'orgue*
die Ziehharmonika (s) *l'accordéon*

Die Schlaginstrumente *Les percussions*

das Schlagzeug (e) *la batterie*
die Trommel (n) *le tambour*
die Pauke (n) *la timbale*
das Tamburin (e) *le tambourin*
die Kastagnetten (pl.) *les castagnettes*

☞ Les notes de musique

■ En allemand, on désigne les notes de musique par des lettres de A à H : **das C** (*le do*), **das D** (*le ré*), **das E** (*le mi*), **das F** (*le fa*), **das G** (*le sol*), **das A** (*le la*), **das H** (*le si bémol*), **das B** (*le si*).

■ On exprime le dièse à l'aide des lettres **-is** adjointes à la note : **das Cis** (*le do dièse*), le bémol à l'aide des lettres **-es** : **das Ces** (*le do bémol*).

■ **Dur** et **Moll** désignent le mode (*majeur et mineur*).

eine Sonate in A-Dur : *une sonate en la majeur*
eine Fuge in C-Moll : *une fugue en do mineur*

---

31 Die darstellenden Künste
Les arts du spectacle

Das Publikum beklatscht ein Feuerwerk, aber keinen Sonnenaufgang.
Friedrich Hebbel (1813-1863)

Le public applaudit un feu d'artifice, mais pas le lever du soleil.

Das Theater *Le théâtre*

das Theater (-)	*le théâtre*	**ins ~ gehen** (i, a/ist) **:** *aller au théâtre*
das Schauspielhaus (¨er)	*le théâtre [bâtiment]*	
Theater spielen	*faire du théâtre*	
das Stück (e)	*la pièce (de théâtre)*	
ein Stück auf/führen	*jouer, donner une pièce*	
die Aufführung (en)	*la représentation*	**die Uraufführung :** *la création, la première*
die Vorstellung (en)	*la représentation*	
der Zuschauer (-)	*le spectateur*	
der Platz (¨e)	*la place*	**die Platzanweiserin** (nen) **:** *l'ouvreuse*
die Reihe (n)	*le rang*	
der Schauspieler (-)	*l'acteur*	**die Schauspielerin** (nen) **:** *l'actrice*
die Hauptrolle (n)	*le rôle principal*	ANT. **die Nebenrolle :** *le rôle secondaire*
die Inszenierung (en)	*la mise en scène*	**inszenieren :** *mettre en scène*
der Regisseur (e)	*le metteur en scène*	**Regie führen :** *mettre en scène*
die Bühne (n)	*la scène*	**das Bühnenbild :** *les décors*
die Pause (n)	*l'entracte*	
die Probe (n)	*la répétition*	**proben :** *répéter* **die Generalprobe :** *la répétion générale*
das Lampenfieber	*le trac*	➜ **p. 127** (Le théâtre)

Die Oper *L'opéra*

die Oper (n)	*l'opéra* [*composition, genre*]	✐ **in die ~ gehen** (i, a/ist) **:** *aller à l'opéra*
das Opernhaus (¨er)	*l'opéra* [*le bâtiment*]	
lyrisch	*lyrique*	
die Arie (n)	*l'aria*	
die Weise (n)	*l'air*	
der Opernsänger (-)	*le chanteur d'opéra*	✐ **die Opernsängerin** (nen) **:** *la chanteuse d'opéra*
der Sopran	*la voix de soprano, la soprano*	
der Alt	*la voix d'alto, l'alto*	
der Bariton	*la voix de baryton, le baryton*	
der Tenor	*la voix de ténor, le ténor*	

Der Tanz *La danse*

der Tanz (¨e)	*la danse*	✐ **der Gesellschaftstanz/der klassische ~ :** *la danse de salon/la danse classique*
der Tanzschritt (e)	*le pas de danse*	
die Tanzstunde (n)	*la leçon de danse*	
tanzen	*danser*	✐ **der Tänzer** (-) **:** *le danseur*
die Choreografie	*la chorégraphie*	
das Ballett (e)	*le ballet*	✐ **der Balletttänzer** (-) **:** *le danseur de ballet*

Der Zirkus *Le cirque*

der Zirkus (se)	*le cirque*	✐ **der Wanderzirkus :** *le cirque ambulant*
das Zirkuszelt (e)	*le chapiteau*	
die Manege (n)	*la piste*	≠ **das Karussell :** *le manège*
die Zirkusnummer (n)	*le numéro de cirque*	
der Akrobat (en, en)	*l'acrobate*	✐ **akrobatisch :** *acrobatique*
der Jongleur (e)	*le jongleur*	✐ **jonglieren :** *jongler*
der Clown (s)	*le clown*	PHON. prononciation anglaise
der Zauberer (-)	*le magicien*	✐ **zaubern :** *faire de la magie*
der Dompteur (e)	*le dompteur*	PHON. prononciation française

dressieren	*dresser*	✎ **die Dressur** (en) **:** *le dressage*
bändigen	*dompter*	✎ **der Tierbändiger** (-) **:** *le dompteur*
die Peitsche (n)	*le fouet*	✎ **peitschen :** *fouetter*
das Raubtier (e)	*le fauve*	
der Springreifen (-)	*le cerceau*	

Zu einer Veranstaltung gehen
Aller au spectacle

aus/gehen (i, *a/ist*)	sortir	
die Eintrittskarte (n)	*le billet d'entrée, la place*	Syn. **die Karte** (n)
Karten besorgen	*prendre des places*	
Karten vor/bestellen	*réserver des places*	
ausverkauft	*complet*	
das Programmheft (e)	*le programme [de la soirée]*	Syn. **das Programm** (e)
die Garderobe	*le vestiaire*	
das Publikum	*le public*	
(Beifall) klatschen	*applaudir*	
aus/pfeifen (i, i)	*siffler [un acteur, une pièce]*	
Zugabe!	*Une autre !*	

→ p. 241 (S'informer au musée, au théâtre, au cinéma)
p. 261 (Formuler des demandes au cinéma, au théâtre)
p. 318 (Dire que l'on aime, n'aime pas la musique, le cinéma, le théâtre)

& Notez bien

■ Le verbe **ausgehen** (*sortir*) s'emploie pour les sorties en ville, au théâtre, au concert, au restaurant, etc. Le verbe **hinausgehen** traduit sortir au sens d'*aller dehors*.

samstagabends ausgehen : *sortir le samedi soir*
Er nahm seinen Regenschirm und ging hinaus. (fam. : **ging raus**)
Il prit son parapluie et sortit.

32 Fotografie und Film
Photographie et cinéma

Menschen am Sonntag, Deutschland 1929-1930
Robert Siodmaks semidokumentarischer Spielfilm gilt als eines der wichtigsten Werke der ausgehenden Stummfilmzeit und gehört sicherlich zu den berühmtesten Vertretern der „Neuen Sachlichkeit". Der Film zeigt die Alltagserlebnisse junger Berliner – Christel, Wolf, Annie, Brigitte und Erwin – während eines Wochenendes, in dessen Mittelpunkt ein gemeinsamer Sonntagsausflug an den Nikolassee steht. Dokumentarische Aufnahme und dramaturgische Inszenierung verbinden sich hierbei zu einer modernen Momentaufnahme, die zugleich den Status Quo des Weimarer Kinos Ende der 1920er Jahre reflektiert.

www.filmportal.de

Les hommes le dimanche, Allemagne, 1929-1930
Le film semi-documentaire de Robert Siodmak est considéré comme l'une des œuvres les plus importantes de la fin de l'époque du muet et compte certainement parmi les représentants les plus célèbres de la « Nouvelle Objectivité ». Le film montre le quotidien de jeunes Berlinois – Christel, Wolf, Annie, Brigitte et Erwin – durant un week-end, avec comme événement central une excursion commune, le dimanche, sur les rives du Nikolassee. Le regard documentaire et la mise en scène dramaturgique se combinent ici pour former un arrêt sur images moderne, reflétant en même temps le statut quo du cinéma de Weimar à la fin des années 1920.

Die Fotografie La photographie

fotografieren	photographier	✐ **der Fotograf** (en, en) **:** le photographe
das Foto (s)	la photo	✐ **ein Schwarzweißfoto :** une photo noir et blanc
das Bild (er)	la photo, l'image	
das Dia (s)	la diapositive	
die Kamera (s)	l'appareil-photo	**2.** la caméra ✐ **die Digitalkamera :** l'appareil-photo numérique
der Fotoapparat (e)	l'appareil-photo	
der Blitz	le flash	Syn. **das Blitzlicht** (er)

LEXIQUE THÉMATIQUE

das Objektiv (e)	*l'objectif*	
das Zoom (s)	*le zoom*	**zoomen :** *zoomer*
das Licht	*la lumière*	**die Belichtung :** *l'exposition*
das Gegenlicht	*le contre-jour*	**im ~ :** *à contre-jour*
unterbelichtet	*sous-exposé*	ANT. **überbelichtet :** *surexposé*
ein/stellen	*régler, mettre au point*	
der Film (e)	*la pellicule*	
entwickeln	*développer*	
scharf	*net*	ANT. **unscharf :** *flou*
matt	*mat*	ANT. **glänzend :** *brillant*

Der Film *Le cinéma*

Die Filmgattungen *Les genres cinématographiques*

der Spielfilm (e)	*le film de fiction*	
der Dokumentarfilm (e)	*le documentaire*	
der Kurzfilm (e)	*le court métrage*	
der Zeichentrickfilm (e)	*le dessin animé*	
der Krimi (s)	*le film policier*	
der Liebesfilm (e)	*le film d'amour*	
der Abenteuerfilm (e)	*le film d'aventures*	
der Wildwestfilm (e)	*le western*	SYN. **der Western**
der Stummfilm (e)	*le film muet*	
schnulzig	*à l'eau de rose*	
spannend	*captivant*	**langweilig :** *ennuyeux*
unterhaltsam	*divertissant*	
die Originalfassung (en)	*la version originale*	
die Synchronfassung (en)	*la version doublée*	
der Untertitel (-)	*le sous-titre*	
die Verfilmung	*l'adaptation cinématographique*	**einen Roman verfilmen :** *adapter un roman à l'écran*
der Vorspann	*le générique de début*	ANT. **der Nachspann :** *le générique de fin*

Die Filmproduktion *La production d'un film*

der Film (e)	*le film*	**2.** *le cinéma [art]*
der Produzent (en, en)	*le producteur*	**die Filmproduktion :** *la production de films*
der Filmemacher (-)	*le cinéaste*	

die Regie (n)	*la mise en scène*	✎ ~ **führen :** *mettre en scène*
der Regisseur (e)	*le metteur en scène*	PHON. prononciation française
der Schauspieler (-)	*l'acteur*	✎ **die Schauspielerin** (nen) **:** *l'actrice*
der Filmstar (s)	*la star de cinéma*	
die Hauptrolle (n)	*le rôle principal*	
die Nebenrolle (n)	*le rôle secondaire*	
der Statist (en, en)	*le figurant*	
das Drehbuch (¨er)	*le scénario*	✎ **der Drehbuchautor** (en) **:** *le scénariste*
die Besetzung	*la distribution, le casting*	
die Kulisse (n)	*les décors*	
einen Film drehen	*tourner un film*	✎ **die Dreharbeiten :** *le tournage*
die Kamera (s)	*la caméra*	**2.** *l'appareil-photo*
der Filmverleiher (-)	*le distributeur*	
das Filmfestival (s)	*le festival*	

☞ Le festival de Berlin

■ **Die Berlinale,** *la* Berlinale ou Festival international du Film de Berlin **(Internationale Filmfestspiele Berlin)** est un des grands festivals de cinéma. Il se déroule tous les ans en février à Berlin.

■ Le meilleur film se voit décerner l'ours d'or **(der goldene Bär)**.

Ins Kino gehen *Aller au cinéma*

das Kino (s)	*le cinéma [lieu]*	✎ **das Programmkino** (s) **:** *le cinéma d'art et d'essai*
sich (D) **einen Film an/sehen** (a, e, ie)	*voir un film*	
das Plakat (e)	*l'affiche*	
die Leinwand (¨e)	*l'écran*	
der Erfolg (e)	*le succès*	
der Kultfilm (e)	*le film culte*	ANT. **der Flop** (s) **:** *le flop*
die Werbung (en)	*la publicité*	
heraus/kommen (a, o, /ist)	*sortir*	
laufen (ie, au, äu/ist)	*passer, être en salle*	
spielen	*se passer, se dérouler [pour l'action]*	

➜ p. 318 (Dire que l'on aime, n'aime pas la musique, le cinéma, le théâtre)

33 Die Medien

Les médias

(1) Jeder hat das Recht, seine Meinung in Wort, Schrift und Bild frei zu äußern und zu verbreiten und sich aus allgemein zugänglichen Quellen ungehindert zu unterrichten. Die Pressefreiheit und die Freiheit der Berichterstattung durch Rundfunk und Film werden gewährleistet. Eine Zensur findet nicht statt.

Auszug aus dem *Grundgesetz der Bundesrepublik Deutschland,*
Artikel 5 – Freiheit der Meinungsäußerung.

(1) Chacun a le droit d'exprimer et de diffuser librement son opinion par la parole, par l'écrit et par l'image, et de s'informer sans entraves aux sources qui sont accessibles à tous. La liberté de la presse et la liberté d'informer par la radio, la télévision et le cinéma sont garanties. Il n'y a pas de censure.

Extrait de la Loi fondamentale de la République fédérale d'Allemagne,
article 5 – Liberté d'opinion.

Der Journalistenberuf *Le métier de journaliste*

der Journalist (en, en)	*le journaliste*	
die Medien	*les médias*	✐ **die Massenmedien :** *les mass media*
die Meinung (en)	*l'opinion*	
der Reporter (-)	*le reporter*	✐ **die Reportage** (n) **:** *le reportage*
der Redakteur (e)	*le rédacteur*	✐ **der Chefredakteur :** *le rédacteur en chef*
der Korrespondent (en, en)	*le correspondant*	
die Nachricht (en)	*l'information*	✐ **die Nachrichtenagentur** (en) **:** *l'agence de presse*
der Bericht (e)	*le compte rendu, l'article [factuel]*	
der Kommentar (e)	*le commentaire*	
die Meldung (en)	*la dépêche*	
das Interview (s)	*l'interview*	✐ **interviewen :** *interviewer*
die Quelle (n)	*la source*	

über (+ A) **informieren**	*informer de*	
über (+ A) **berichten**	*rendre compte de (qqch)*	
recherchieren	*enquêter*	
zitieren	*citer*	✎ **das Zitat** (e) **:** *la citation*
objektiv	*objectif*	SYN. **sachlich**
unparteiisch	*impartial*	
informativ	*informatif*	
skandalös	*scandaleux*	

Die Printmedien *La presse écrite*

die Zeitung (en)	*le journal*	✎ **die Tageszeitung/die Wochenzeitung :** *le quotidien/ l'hebdomadaire*
in der Zeitung stehen (a, a)	*être dans le journal*	
die Zeitschrift (en)	*la revue, le magazine*	SYN. **die Illustrierte** *ou* **das Magazin** (e)
die Titelseite (n)	*la une*	
die Schlagzeile (n)	*le gros titre*	✎ **in großen Schlagzeilen :** *en gros titres*
der Zeitungsartikel (-)	*l'article*	✎ **der Leitartikel** (-) **:** *l'éditorial*
der Wirtschaftsteil (e)	*la rubrique économique*	
das Feuilleton (s)	*la rubrique culture*	
Vermischtes	*les faits divers*	
die Karikatur (en)	*la caricature*	
die Anzeige (n)	*la petite annonce*	SYN. **das Inserat** (e)
etwas (A) **inserieren**	*mettre une petite annonce au sujet de*	SYN. **ein Inserat für** (+ A) **auf/geben** (a, e, i)
die Auflage (n)	*le tirage*	
die Ausgabe (n)	*l'édition*	
regional	*régional*	ANT. **überregional :** *national, suprarégional*
veröffentlichen	*publier*	
etwas (A) **abonnieren**	*s'abonner à*	✎ **das Abonnement** (s) **:** *l'abonnement*

& Notez bien

- Attention à la construction du verbe **abonnieren**, qui est transitif.
  eine Zeitung abonnieren : *s'abonner à un journal*
  eine Zeitung abonniert haben : *être abonné à un journal.*

☞ Les journaux en Allemagne

■ Les principaux *quotidiens nationaux* **(überregionale Zeitungen)** allemands sont ***die Frankfurter Allgemeine Zeitung (FAZ)*** et ***die Welt***, journaux conservateurs, et ***die Süddeutsche Zeitung (SZ)*** et ***die Frankfurter Rundschau***, de tendance libérale de gauche.

■ Les principaux *hebdomadaires d'actualité* **(Wochenzeitungen, Wochenzeitschriften)** sont ***die Zeit***, ***der Spiegel*** et ***Focus***.

■ Le journal le plus lu en Allemagne est le tabloïd *Bild*.

Das Radio *La radio*

das Radio (s)	*la radio*	Syn. **der Rundfunk** ✎ ~ **hören :** *écouter la radio*
der Radioapparat (e)	*le poste de radio*	
der Radiosender (-)	*l'émetteur, la station*	
die Kurzwelle	*les ondes courtes*	✎ **die Ultrakurzwelle (UKW) :** *la modulation de fréquence (FM)*
die Nachrichten	*les informations*	
die Presseschau (en)	*la revue de presse*	
das Hörspiel (e)	*la pièce radiophonique*	
senden	*émettre*	Rem. verbe faible

& Notez bien

■ **Senden** au sens d'*émettre* est un verbe faible **(sendete, gesendet)** ; **senden** au sens d'*envoyer* est un verbe mixte **(sandte, gesandt)**.

aus/strahlen	*diffuser*	✎ **einen Werbespot ~ :** *diffuser un spot publicitaire*
empfangen (i, a, ä)	*capter, recevoir*	
rauschen	*grésiller*	

Das Fernsehen *La télévision*

das Fernsehen	*la télévision*	✎ **im ~ :** *à la télévision*
das Kabelfernsehen/ das Satellitenfernsehen	*la télévision par câble/ par satellite*	
fern/sehen (a, e, ie)	*regarder la télévision*	Syn. **Fernsehen gucken** *(fam.)*
der Fernseher (-)	*le poste de télévision*	Syn. **das Fernsehgerät** (e)
ein/schalten	*allumer*	Ant. **aus/schalten :** *éteindre*

der Fernsehsender (-)	*la chaîne*	
das Programm (e)	*le programme*	
die Tagesschau	*le journal télévisé*	
die Sendung (en)	*l'émission*	✐ **eine ~ moderieren :** *présenter une émission*
der Film (e)	*le film*	
die Fernsehdebatte (n)	*le débat télévisé*	
die Werbung (en)	*la publicité*	
der Moderator (en)	*l'animateur*	
die Ansagerin (nen)	*la speakerine*	
das Fernsehstudio (s)	*le studio de télévision*	
übertragen (u, a, ä)	*retransmettre*	✐ **live ~ :** *retransmettre en direct*
die Übertragung (en)	*la retransmission*	✐ **die Live-Übertragung :** *la retransmission en direct*
die Fernsehgebühren	*la redevance télé*	

→ p. 150 (La publicité)

☞ La radio et la télévision en Allemagne

■ Les principales stations de radio publiques sont **Deutschlandfunk** et **die Deutsche Welle**. Il y a aussi de grandes stations régionales : **Südwestrundfunk**, **Westdeutscher Rundfunk**, **Mitteldeutscher Rundfunk**, **Norddeutscher Rundfunk**, etc.

■ Les principales *chaînes de télévision publiques* **(öffentlich-rechtliche Fernsehsender)** sont **ARD** (première chaîne) et **ZDF** (deuxième chaîne).
ProSieben, **SAT1**, etc. sont des chaînes de télévision *privées* **(private Fernsehsender)**.

■ En Allemagne, il existe une *redevance* **(Gebühr)** sur la télévision et la radio. Elle doit être acquittée auprès de la **GEZ (Gebühreneinzugszentrale)**.

34 Die Kommunikationsarten

Les techniques de communication

Download, [daʊnloʊd], der *u.* das; -s, -s <engl.> (*EDV* das Herunterladen); **downloaden** [daʊnloʊdn] engl.> (*EDV* Daten von einem Computer, aus dem Internet herunterladen); ich habe downgeloadet.

Duden – Die deutsche Rechtschreibung, 24. Auflage, Bibliographisches Institut & F.A. Brockhaus AG, Mannheim 2006.

Die Post *Le courrier*

die Post	*la poste*	**2.** *le courrier*
zur Post gehen (i, a/ist)	*aller à la poste*	

☞ Le logo de la Poste

■ En Allemagne, le logo de la Poste est le cor du postillon **(Posthorn)**.

der Brief (e)	*la lettre*	✎ **der Einschreibebrief :** *la lettre recommandée*
schreiben (ie, ie)	*écrire*	✎ **unterschreiben :** *signer*
die Postkarte (n)	*la carte postale*	
das Telegramm (e)	*le télégramme*	
das Paket (e)	*le paquet*	✎ **das Päckchen** (-) **:** *le petit paquet*
jdm etwas schicken	*envoyer qqch à qqn*	
der Briefumschlag (¨e)	*l'enveloppe*	SYN. **das Kuvert** (s)
die Postleitzahl (en)	*le code postal*	
die Adresse (n)	*l'adresse*	SYN. **die Anschrift** (en)
die Briefmarke (n)	*le timbre*	✎ **die Sonderbriefmarke :** *le timbre de collection*
einen Brief frankieren	*affranchir une lettre*	
das Porto	*le port*	
mit Luftpost	*par avion*	
der Stempel (-)	*le cachet, le tampon*	✎ **ab/stempeln :** *tamponner*
der Briefkasten (¨)	*la boîte aux lettres*	✎ **die Briefkastenleerung** (en) **:** *la levée*

das Postamt (¨er)	*le bureau de poste*	✐ **der Postbeamte** (part. subst.) : *l'employé des postes*
ein/werfen (a, o, i)	*poster*	
der Briefträger (-)	*le facteur*	

→ p. 222 (Saluer, prendre congé dans une lettre), p. 242 (S'informer à la poste), p. 260 (Formuler des demandes à la poste)

Das Telefon *Le téléphone*

das Telefon (e)	*le téléphone*	✐ **das schnurlose ~ :** *le téléphone sans fil* ✐ **am ~ :** *au téléphone*
jdn an der Strippe haben	*avoir qqn au bout du fil*	
der Apparat (e)	*l'appareil*	
das Handy (s)	*le téléphone portable*	PHON. prononciation anglaise
die Telefonzelle (n)	*la cabine téléphonique*	SYN. **die Telefonkabine** (n)
das Telefonat (e)	*la conversation téléphonique*	SYN. **das Telefongespräch** (e)
die SMS	*le SMS*	
mit jdm telefonieren	*parler avec qqn au téléphone*	✐ **jdn telefonisch erreichen** *joindre qqn par téléphone*
jdn an/rufen (ie, u)	*appeler qqn*	✐ **der Anrufbeantworter** (-) **:** *le répondeur*
eine Nachricht hinterlassen (ie, a, ä)	*laisser un message*	
jdn zurück/rufen (ie, u)	*rappeler qqn*	
auf/legen	*raccrocher*	ANT. **ab/heben** (o, o), **ab/nehmen** (a, o, i) **:** *décrocher*
die Telefonnummer (n)	*le numéro [téléphonique]*	✐ **unter der Nummer :** *au numéro*
eine Nummer wählen	*composer un numéro*	✐ **sich verwählen :** *se tromper de numéro*
die Telefonkarte (n)	*la carte téléphonique*	
das Ortsgespräch (e)	*la communication locale*	
das Ferngespräch (e)	*la communication internationale*	SYN. **das Auslandsgespräch**
die Vorwahl (en)	*l'indicatif*	
das Telefonbuch (¨er)	*l'annuaire*	
die Auskunft	*les renseignements*	✐ **eine ~ erteilen :** *donner un renseignement*
jdn verbinden (a, u)	*mettre qqn en relation*	

die Leitung (en)	*la ligne*
der Telefonanschluss (¨e)	*la ligne*

klingeln	*sonner*
besetzt	*occupé*
gestört	*en dérangement*
unterbrechen (a, o, i)	*interrompre*

➔ p. 222 (Au téléphone), p. 221 (Saluer, prendre congé au téléphone), p. 255 (Formuler, comprendre des ordres au téléphone)

& Notez bien

■ **Leitung** désigne la ligne téléphonique en tant que canal de communication, **Anschluss** désigne l'accès à ce canal, d'où une différence d'emploi.

Die Leitung ist gestört/besetzt. La ligne est en dérangement/occupée.

Kein Anschluss unter dieser Nummer. Le numéro que vous avez demandé n'est pas attribué.

Das Internet *Internet*

das Netz	*le réseau*	
das Modem (s)	*le modem*	
der Provider (-)	*le fournisseur d'accès*	PHON. prononciation anglaise
der Browser (-)	*le navigateur*	PHON. prononciation anglaise
die Suchmaschine (n)	*le moteur de recherche*	
die Startseite (n)	*la page d'accueil*	
das Passwort (¨er)	*le mot de passe*	SYN. **das Kennwort**
das Internet-Café (s)	*le cybercafé*	

sich ans Internet an/schließen (o, o)	*se connecter à Internet*	**der Internetanschluss** (¨e) **:** *la connexion Internet*
ins Internet gehen (i, a/ist)	*aller sur Internet*	**im Internet surfen :** *surfer sur Internet*
etwas herunter/laden (u, a, ä)	*télécharger qqch*	SYN. **etwas down/loaden**

die E-Mail (s)	*le mail*	**E-Mails versenden** (a, a) **:** *envoyer des mails*
E-Mails ab/rufen (ie, u)	*télécharger des mails, récupérer des mails*	➔ p. 223 (Écrire un courriel)
die angehängte Datei (en)	*la pièce jointe*	SYN. **die Anlage** (n)
das, der Virus (en)	*le virus*	

Der Computer *L'ordinateur*

der Computer (-)	*l'ordinateur*	PHON. prononciation anglaise SYN. **der Rechner** (-)
der Laptop (s)	*l'ordinateur portable*	PHON. prononciation anglaise SYN. **der tragbare Computer**
der Bildschirm (e)	*l'écran*	**der Flachbildschirm :** *l'écran plat*
die Tastatur (en)	*le clavier*	
die Maus (¨e)	*la souris*	
das Kabel (-)	*le câble*	
der Akku (s)	*la batterie*	**den ~ auf/laden** (u, a, ä) **:** *charger la batterie*
die Festplatte (n)	*le disque dur*	
die Diskette (n)	*la disquette*	**das Diskettenlaufwerk** (e) **:** *le lecteur de disquette*
die CD-Rom (s)	*le CD-Rom*	
der USB-Stick (s)	*la clé USB*	PHON. prononciation anglaise pour **stick**
der Chip (s)	*la puce*	
der Drucker (-)	*l'imprimante*	**aus/drucken :** *imprimer*
die Datei (en)	*le fichier*	
der Ordner (-)	*le dossier*	
die Daten	*les données*	**die Datenbank** (en) **:** *la banque de données*
die Symbolleiste (n)	*la barre d'outils*	SYN. **die Toolbar** (s)
die Software (s)	*le logiciel*	PHON. prononciation anglaise
die Textverarbeitung	*le traitement de texte*	
den Computer starten	*démarrer l'ordinateur*	
den Computer herunter/fahren (u, a, ä)	*éteindre l'ordinateur*	
tippen	*taper*	**ein/tippen :** *saisir*
(**auf** + A) **klicken**	*cliquer (sur)*	**ein Menü an/klicken :** *cliquer sur un menu*
speichern	*enregistrer*	**der Speicher** (-) **:** *la mémoire*
löschen	*supprimer*	
kopieren	*copier*	
schneiden (i, i)	*couper*	
(**in** + A) **ein/fügen**	*coller (dans)*	
scannen	*scanner*	**der Scanner** (-) **:** *le scanneur*

Die Werbung *La publicité*

die Werbung (en)	*la publicité*	✐ **für etwas** (A) **werben** (a, o, i) **:** *faire de la publicité pour qqch*
die Reklame	*la publicité*	✐ **für etwas** (A) ~ **machen :** *faire de la publicité pour qqch*
der Werbespruch (¨e)	*le slogan publicitaire*	
der Werbespot (s)	*le spot publicitaire*	
das Werbeplakat (e)	*l'affiche publicitaire*	✐ **etwas plakatieren :** *afficher qqch*
die Aufmachung (en)	*la présentation, le conditionnement*	
die Marktstudie (n)	*l'étude de marché*	
die Marktlücke (n)	*le créneau*	✐ **eine** ~ **füllen :** *répondre à un besoin*
die Zielgruppe (n)	*le public visé/ciblé*	✐ **die Zielgruppenbestimmung :** *le ciblage*
die Werbeagentur (en)	*l'agence de publicité*	
die Werbekampagne (n)	*la campagne publicitaire*	
werbekräftig	*qui a de l'impact*	SYN. **werbewirksam**
die Wirkung (en)	*l'effet*	
das Kaufverhalten (-)	*le comportement de l'acheteur*	
die Marke (n)	*la marque*	
jdn beeinflussen	*influencer qqn*	✐ **der Einfluss auf** (+ A) **:** *l'influence sur*
jdn manipulieren	*manipuler qqn*	✐ **die Manipulation** (en) **:** *la manipulation*
jdn zum Kauf verleiten	*inciter qqn à l'achat*	

35 Wirtschaft und Finanzwesen

Économie et finance

On dirait que les cours se remettent à chuter.

Das Wirtschaftsleben *La vie économique*

die Wirtschaft	*l'économie*	☞ **wirtschaflich :** *économique*
die Marktwirtschaft	*l'économie de marché*	Ant. **die Planwirtschaft :** *l'économie planifiée*
der Markt (¨e)	*le marché*	☞ **der Marktanteil** (e) **:** *la part de marché*
die Privatwirtschaft	*le secteur privé*	☞ **privatisieren :** *privatiser*
das Angebot	*l'offre*	
die Nachfrage	*la demande*	
das Kapital (ien)	*le capital*	☞ **der Kapitalismus :** *le capitalisme*
das Bruttoinlandsprodukt	*le produit intérieur brut*	Rem. abréviation **das BIP :** *le PIB*
die Konjunktur (en)	*la conjoncture*	
das Wachstum	*la croissance*	
der Aufschwung	*l'essor, le boom économique*	
die Wirtschaftskrise (n)	*la crise économique*	

die Flaute (n)	le marasme [économique]	
die Inflation	l'inflation	✍ **die ~ bekämpfen :** lutter contre l'inflation
die Wirtschaft an/kurbeln	relancer l'économie	

Die Börse La Bourse

die Börse (n)	la Bourse	✍ **an der ~ :** à la Bourse
die Aktie (n)	l'action	✍ **die Aktiengesellschaft** (en) **:** la société par actions
der Aktionär (e)	l'actionnaire	
börsennotiert	coté en Bourse	
steigen (ie, ie/ist)	monter	ANT. **sinken** (a, u/ist) **:** baisser
spekulieren	spéculer	✍ **der Spekulant** (en, en) **:** le spéculateur
der Börsenkrach	le krach boursier	
ein/brechen (a, o, i/ist)	s'effondrer	

→ p. 187 (L'économie mondiale)

Das Geld L'argent

Die Währung La monnaie

die Währung (en)	la monnaie [d'un pays]	
die Devisen	les devises	REM. pluriel uniquement
der Kurs (e)	le cours	✍ **der Wechselkurs :** le taux de change
der Wert (e)	la valeur	✍ **das Wertpapier** (e) **:** le titre
stabil	stable	ANT. **schwankend :** fluctuant
ab/werten	dévaluer	ANT. **auf/werten :** réévaluer
der Euro	l'euro	
der Cent	le centime d'euro	
der (Schweizer) Franken	le franc (suisse)	
das (englische) Pfund	la livre (anglaise)	
der Dollar	le dollar	

& Notez bien

- Comme unités de mesure, les monnaies ne se mettent pas au pluriel : **100 Euro, 50 Dollar**, etc.

Die Zahlungsmittel *Les moyens de paiement*

das Geld	*l'argent*	REM. pl. : **die Gelder :** *les fonds*
das Kleingeld	*la monnaie [pièces]*	
das Bargeld	*l'argent liquide*	
das Geldstück (e)	*la pièce*	SYN. **die Münze** (n)
der Schein (e)	*le billet*	SYN. **die Banknote** (n)
der Scheck (s)	*le chèque*	✐ **der Reisescheck :** *le chèque de voyage*
die Kreditkarte (n)	*la carte de crédit*	
die Überweisung (en)	*le virement*	
zahlen	*payer*	✐ **etwas bezahlen :** *payer qqch* ✐ **bar ~ :** *payer en espèces*
wechseln	*faire de la monnaie*	
jdn etwas kosten	*coûter qqch à qqn*	✐ **die Kosten :** *les coûts*
Geld aus/geben (a, e, i)	*dépenser de l'argent*	✐ **die Ausgaben :** *les dépenses*
verschwenden	*gaspiller*	

☞ Les moyens de paiement

■ En Allemagne, on utilise beaucoup moins les *cartes de crédit* **(Kreditkarten)** et les *chèques* **(Schecks)** qu'en France.
■ Très souvent, on paie *en liquide* **(bar)** ou avec une *carte EC* **(EC-Karte)**, qui permet de *payer sans argent liquide* **(bargeldlos zahlen)**.

Auf der Bank *À la banque*

die Bank (en)	*la banque*	✐ **zur ~/auf die ~ gehen** (i, a/ist) **:** *aller à la banque*
sparen	*faire des économies*	✐ **die Ersparnisse :** *les économies*
das Konto (Konten)	*le compte*	✐ **ein ~ eröffnen/ein ~ schließen** (o, o) **:** *ouvrir/fermer un compte* ✐ **der Kontoauszug** (¨e) **:** *le relevé de compte*
Geld ein/zahlen	*déposer de l'argent*	
Geld (von einem Konto) ab/heben (o, o)	*retirer de l'argent (sur un compte)*	
Geld (**in** + D) **an/legen**	*placer, investir de l'argent (dans)*	
überweisen (ie, ie)	*virer [une certaine somme]*	✐ **Geld ~ :** *faire un virement*

das Überweisungsformular (e)	*le formulaire de virement*	
die Abbuchung (en)	*le prélèvement*	✐ **ab/buchen :** *prélever*
das Konto überziehen (o, o)	*se mettre à découvert*	
der Kredit (e)	*le crédit, le prêt*	Syn. **das Darlehen** ✐ **einen ~ auf/nehmen** (a, o, i)**/ etwas auf ~ kaufen :** *prendre un crédit/acheter qqch à crédit*
der Überziehungskredit (e)	*le découvert autorisé*	
der Zins (en)	*l'intérêt*	✐ **der Zinssatz** (¨e) **:** *le taux d'intérêt*
die Gebühr (en)	*la commission, la taxe*	
die Schulden	*les dettes*	✐ **verschuldet :** *endetté*
die Schulden/ den Kredit tilgen	*rembourser ses dettes/ son crédit*	
der Geldautomat (en, en)	*le distributeur automatique*	
die Sparkasse (n)	*la caisse d'épargne*	
das Sparbuch (¨er)	*le livret d'épargne*	
das Sparkonto (Sparkonten)	*le compte d'épargne*	
der Bankauszug (¨e)	*le relevé bancaire*	
das Guthaben (-)	*l'avoir*	

→ p. 243 (S'informer à la banque)
p. 260 (Formuler des demandes et comprendre des consignes à la banque)

& Notez bien

- Lorsque **Bank** a le sens de *banque*, son pluriel est **Banken**.
- Lorsqu'il a le sens de *banc*, son pluriel est **Bänke.**

Besitz, Einkommen und Steuern

La propriété, le revenu, les impôts

verdienen	*gagner*	✐ **der Verdienst** (e) **:** *le salaire*
der Lohn (¨e)	*le salaire*	
das Gehalt (¨er)	*le salaire, le traitement*	
das Einkommen (-)	*le revenu*	✐ **das Mindesteinkommen :** *le revenu minimum*
besitzen (a, e)	*posséder*	✐ **der Besitz** (e) **:** *la propriété*

das Eigentum	*la propriété*	✐ **der Eigentümer** (-) **:** *le propriétaire*
das Vermögen (-)	*la fortune*	**2.** *le patrimoine*
die Steuer (n)	*la taxe, l'impôt*	✐ **die Mehrwertsteuer/die Einkommenssteuer/die Vermögenssteuer :** *la TVA/l'impôt sur le revenu/l'impôt sur la fortune*
die Erbschaft (en)	*l'héritage*	✐ **die Erbschaftssteuer** (n) **:** *l'impôt sur l'héritage*
die Steuererklärung (en)	*la déclaration d'impôts*	
Steuern zahlen	*payer des impôts*	✐ **der Steuerzahler** (-) **:** *le contribuable*
steuerpflichtig	*imposable*	ANT. **steuerfrei :** *non imposable*
der Steuerberater (-)	*le conseiller fiscal*	
die Steuerprüfung (en)	*le contrôle fiscal*	
die Steuereinnahmen	*les rentrées fiscales*	
die Steuerhinterziehung	*la fraude fiscale*	

☞ Expressions

die Kohle, die Moneten, der Kies, die Mäuse, die Knete, der Zaster, das Moos *(fam.)* **:** *le blé, le fric* • **auf Pump leben** *(fam.)* **:** *vivre à crédit* • **jdn an/pumpen** *(fam.)* **:** *emprunter de l'argent à qqn, taxer qqn* • **pleite sein** *(fam.)* **:** *être à sec* • **abgebrannt sein** *(fam.)* **:** *être fauché* • **von der Hand in den Mund leben** *(fam.)* **:** *vivre au jour le jour* • **über die Runden kommen** (a, o/ist) *(fam.)* **:** *s'en tirer [avec l'argent qu'on a]* • **Geld verbraten** (ie, a, ä) *(fam.)* **:** *dilapider de l'argent* • **das Geld zum Fenster hinaus/werfen** (a, o, i) *(fam.)* **:** *jeter l'argent par les fenêtres*

36 Die Naturressourcen

Les ressources naturelles

Es stimmt gar nicht, dass Kühe Milch geben. Die Bauern nehmen sie ihnen einfach weg.

Robert Lembke (1913-1989)

Dire que les vaches donnent du lait n'est pas exact. Ce sont les fermiers qui le leur prennent.

Landwirtschaftliche Arbeiten und Erzeugnisse
Travaux et produits agricoles

die Landwirtschaft	*l'agriculture*	**das Land :** *la campagne*
der biologische Landbau	*l'agriculture biologique*	
der Bauer (n, n)	*le paysan, l'agriculteur*	**die Bäuerin** (nen) **:** *la paysanne*
der Bauernhof (¨e)	*la ferme [exploitation agricole]*	≠ **das Bauernhaus** (¨er) **:** *la ferme [habitation]*

→ p. 86 (À la campagne)

Auf dem Feld arbeiten *Travailler aux champs*

das Feld (er)	*le champ [terrain] cultivable*	**auf dem ~ arbeiten :** *travailler aux champs*
der Acker (¨)	*le champ [cultivé]*	
die Brache (n)	*la friche, la jachère*	**brach/liegen** (a, e) **:** *être en friche*
an/bauen	*cultiver*	**der Anbau :** *la culture*
um/graben (u, a, ä)	*retourner la terre, bêcher*	**den Garten ~ :** *bêcher le jardin*
der Boden (¨)	*le sol*	
düngen	*mettre de l'engrais*	**das Düngemittel** (-) *ou* **der Dünger** (-) **:** *l'engrais*
der Mist	*le fumier*	**~ streuen :** *épandre du fumier*
säen	*semer*	**die Saat** (en) **:** *la semence*
etwas pflanzen	*planter qqch*	
bewässern	*irriguer*	**die Bewässerung :** *l'irrigation*
beschneiden (i, i)	*tailler*	
behandeln	*traiter*	

das Unkraut	*les mauvaises herbes*	✐ ~ **jäten :** *arracher les mauvaises herbes*
der Schädling (e)	*le parasite*	✐ **Schädlinge bekämpfen :** *lutter contre les parasites*
mähen	*faucher*	
die Ernte (n)	*la moisson*	✐ **ernten :** *moissonner*
der Ertrag (¨e)	*le rendement*	

→ p. 94 (Les plantes)

Die Getreidesorten *Les céréales*

der Weizen	*le froment, le blé*	✐ **der Buchweizen :** *le sarrasin*
der Hafer	*l'avoine*	
der Mais	*le maïs*	
der Reis	*le riz*	
der Roggen	*le seigle*	
die Gerste	*l'orge*	

Der Gartenbau *L'horticulture*

der Gemüsegarten (¨)	*le potager*	✐ **das Gemüse :** *les légumes*
der Obstgarten (¨)	*le verger*	✐ **das Obst :** *les fruits*
die Baumschule (n)	*la pépinière*	
die Gärtnerei (en)	*la jardinerie*	✐ **der Gärtner** (-) **:** *le jardinier*

→ p. 94 (Les plantes), p. 38 (Légumes et légumineuses)

Der Weinbau *La viticulture*

der Weingarten (¨)	*la vigne*	Syn. **der Wingert** (e)
der Wein (e)	*le vin*	✐ **die Weinrebe** (n) **:** *la vigne*
der Winzer (-)	*le vigneron*	
die Weinlese	*les vendanges*	
lesen (a, e, ie)	*récolter*	
das Fass (¨er)	*le tonneau*	
gären (ist, hat)	*fermenter*	Rem. part. II **: gegoren**

Landwirtschaftliche Geräte und Maschinen *Les outils et machines agricoles*

der Pflug (¨e)	*la charrue*	✐ **pflügen :** *labourer*
die Sense (n)	*la faux*	
die Gabel (n)	*la fourche*	
der Spaten (-)	*la bêche*	
die Sichel (n)	*la faucille*	

der Rechen (-)	*le râteau*	SYN. **die Harke** (n)
der Schubkarren (-)	*la brouette*	
der Traktor (en)	*le tracteur*	SYN. **der Trecker** (-)
die Erntemaschine (n)	*la moissonneuse*	
der Mähdrescher (-)	*la moissonneuse-batteuse*	

Die Tierzucht *L'élevage*

züchten	*élever*	✐ **die Tierzucht/die Viehzucht/die Bienenzucht :** *l'élevage/l'élevage de bétail/l'apiculture*
die Tierhaltung	*l'élevage*	✐ **die Freilandhaltung :** *l'élevage en plein air*
das Vieh	*le bétail*	
die Herde (n)	*le troupeau*	
der Stall (¨e)	*l'étable*	✐ **der Saustall** (propre et fig.)**/der Kuhstall/der Hühnerstall :** *la porcherie/l'étable/le poulailler*
weiden	*paître*	✐ **die Weide** (n) **:** *le pré, le pâturage*
der Zaun (¨e)	*la clôture*	✐ **der elektrische Zaun :** *la clôture électrique*
das Stroh	*la paille*	≠ **der Strohhalm** (e) **:** *la paille [pour boire]*
das Heu	*le foin*	
füttern	*nourrir [des animaux]*	✐ **das Futter :** *le fourrage, la nourriture*
melken	*traire*	REM. part. II : **gemelkt** ou **gemolken**
scheren (o, o)	*tondre*	✐ **die Schere** (n) **:** *les ciseaux*
schlachten	*abattre*	✐ **der Schlachthof** (¨e) **:** *l'abattoir*

Die Fischerei *La pêche*

der Fisch (e)	*le poisson*	✐ **die Fischzucht :** *la pisciculture*
der Fischer (-)	*le pêcheur*	✐ **fischen :** *pêcher*
das Netz (e)	*le filet*	
angeln	*faire de la pêche à la ligne*	✐ **der Angler** (-) **:** *le pêcheur à la ligne*
fangen (i, a, ä)	*attraper*	✐ **das Fanggebiet** (e) **:** *la zone de pêche*

→ p. 91 (Les poissons)

Die Jagd *La chasse*

jagen — *chasser*
der Jäger (-) — *le chasseur*
die Falle (n) — *le piège* — **eine ~ auf/stellen :** *poser un piège*

→ p. 89 (Les animaux)

Der Bergbau *L'exploitation minière*

das Bergwerk (e) — *la mine* — **der Bergarbeiter** (-) : *le mineur*
der Tagebau — *la mine à ciel ouvert*
der Steinbruch (¨e) — *la carrière*
die Grube (n) — *la fosse, la mine*
ab/bauen — *extraire [des minerais]* — **der Abbau** : *l'extraction*

→ p. 206 (Les richesses du sous-sol)

Expressions

Das ist doch nicht auf deinem Mist gewachsen! *Tu n'as pas trouvé ça tout seul !* • **Mist!** *Merde !* (moins vulgaire que **Scheiße**) • **strohdumm sein** *(fam.)* : *être bête à manger du foin* • **aus einem guten Stall stammen :** *sortir d'une bonne maison* • **sich vom Acker machen** *(fam.)* : *ficher le camp, s'en aller* • **Jetzt ist Sense!** *Ça suffit !* • **mit der Herde laufen** (ie, au, äu/ist) : *suivre le troupeau* • **ein Herdenmensch :** *un mouton (de Panurge)*

37 Das verarbeitende Gewerbe

Les activités de transformation

Handwerk hat goldenen Boden.

Sprichwort

Il n'est si petit métier qui ne nourrisse son maître.

Dicton

Das Handwerk *L'artisanat*

das Handwerk	*l'artisanat*	**der Handwerker** (-) **:** *l'artisan*
der Meister (-)	*le maître*	
der Geselle (n, n)	*le compagnon*	
die Zunft (¨ e)	*la corporation*	

Das Kunsthandwerk *L'artisanat d'art*

die Werkstatt (¨en)	*l'atelier*	
die Töpferei	*la poterie*	**der Töpfer** (-) **:** *le potier*
der Ton	*l'argile*	
die Flechtkunst	*la vannerie*	
die Weberei	*le tissage*	**weben :** *tisser*
der Webstuhl (¨e)	*le métier à tisser*	
die Druckerei (en)	*l'imprimerie [lieu]*	≠ **der Buchdruck :** *l'imprimerie [technique]*
der Drucker (-)	*l'imprimeur*	**2.** *l'imprimante*
die Buchbinderei	*la reliure*	

Das Baugewerbe *Le bâtiment*

bauen	*construire, bâtir*	**bebaubar :** *constructible*
der Bauarbeiter (-)	*l'ouvrier du bâtiment*	
der Maurer (-)	*le maçon*	
der Gipser (-)	*le plâtrier*	
der Fliesenleger (-)	*le carreleur*	
der Elektriker (-)	*l'électricien*	**elektrisch :** *électrique*
der Klempner (-)	*le plombier*	

der Zimmermann (Zimmerleute)	*le charpentier*	
der Dachdecker (-)	*le couvreur*	
die Baustelle (n)	*le chantier*	
der Kran (¨e)	*la grue*	
der Bagger (-)	*la pelleteuse*	
das Gerüst (e)	*l'échafaudage*	
der Helm (e)	*le casque*	
der Beton	*le béton*	**der Stahlbeton :** *le béton armé*
der Zement	*le ciment*	
der Stein (e)	*la pierre*	**der Backstein :** *la brique*
der Gips	*le plâtre*	**gipsen :** *plâtrer*
die Glaswolle	*la laine de verre*	
der Ziegel (-)	*la tuile*	
der Schiefer (-)	*l'ardoise*	
die Baugrube aus/heben (o, o)	*creuser les fondations*	

→ p. 50 (La maison)

Die Welt der Industrie *Le monde de l'industrie*

die Industrie	*l'industrie*	**industriell :** *industriel*
die Fabrik (en)	*l'usine*	SYN. **das Werk** (e)
die Maschine (n)	*la machine*	
das Fließband (¨er)	*la chaîne*	**am ~ arbeiten :** *travailler à la chaîne*
das Verfahren (-)	*le procédé*	
das Produkt (e)	*le produit*	SYN. **das Erzeugnis** (se)
her/stellen	*produire*	SYN. **erzeugen, produzieren**
verarbeiten	*transformer*	
entwickeln	*développer*	

Die Stahl- und Metallindustrie *La sidérurgie et la métallurgie*

der Hochofen (¨)	*le haut-fourneau*	
der Stahl	*l'acier*	**rostfreier ~ :** *acier inoxydable*
der Stahlarbeiter (-)	*l'ouvrier sidérurgiste*	
das Eisen	*le fer*	**das Gusseisen :** *la fonte*
der Koks	*le coke*	
das Blech	*la tôle*	
der Draht (¨e)	*le fil métallique*	

Die chemische Industrie *L'industrie chimique*

der Chemiekonzern (e)	*le groupe chimique*	
das Chemielabor (e)	*le laboratoire de chimie*	✐ **der Laborant** (en, en) : *le laborantin*
der Schwefel	*le soufre*	
das Chlor	*le chlore*	
der Kunststoff (e)	*le plastique*	
der Farbstoff (e)	*le colorant*	✐ **die Farbe** (n) : *la peinture*

Andere Industriezweige *Autres branches industrielles*

die Automobilindustrie	*l'industrie automobile*
die Werft (en)	*le chantier naval*
der Maschinenbau	*la construction mécanique*
die Textilindustrie	*l'industrie textile*
die Lebensmittel-industrie	*l'industrie agro-alimentaire*
die Pharmaindustrie	*l'industrie pharmaceutique*

☞ L'industrie en Allemagne

L'Allemagne a une grande tradition industrielle, notamment dans la sidérurgie, la chimie, l'industrie électrique et l'automobile. Voici quelques grands noms.

- L'industrie sidérurgique et métallurgique : Thyssen, Krupp, Mannesmann, implantés dans la *région de la Ruhr* **(Ruhrgebiet)**.
- L'industrie chimique : IG-Farben (dissous après la guerre), Hoechst (aujourd'hui Aventis), Bayer, BASF, Henkel, Degussa.
- L'industrie électrique et électronique : Siemens, AEG, Miele.
- Les *constructeurs automobiles* **(die Autohersteller) :** Volkswagen (Wolfsburg), Opel (Rüsselsheim), Mercedez-Benz (Stuttgart), BMW (München), Porsche (Stuttgart).

Die Energieerzeugung *La production d'énergie*

Die Strom- und Wärmeerzeugung *La production d'électricité et de chaleur*

der Strom	*le courant, l'électricité*	✐ **der Stromausfall** (¨e) : *la panne d'électricité*
die Elektrizität	*l'électricité*	✐ **elektrisch :** *électrique*
die Hochspannungs-leitung (en)	*la ligne à haute tension*	
erzeugen	*produire*	

der Brennstoff (e)	*le combustible*	
die Verbrennung	*la combustion*	
die Kernkraft	*l'énergie nucléaire*	SYN. **die Atomkraft**
das Kernkraftwerk (e)	*la centrale nucléaire*	SYN. **das Atomkraftwerk**
das Wärmekraftwerk (e)	*la centrale thermique*	
das Wasserkraftwerk (e)	*la centrale hydraulique*	
der Staudamm (¨e)	*le barrage*	✐ **der Stausee** (n) : *le lac de barrage*

Fossile Energiequellen *Les énergies fossiles*

die Kohle (n)	*le charbon*
das Erdgas	*le gaz naturel*
die Ferngasleitung (en)	*le gazoduc*
das Erdöl	*le pétrole*
die Raffinerie (n)	*la raffinerie*
das Barrel (s)	*le baril*
(nach Erdöl) bohren	*forer (à la recherche de pétrole)*
Erdöl fördern	*extraire du pétrole*
pumpen	*pomper*
raffinieren	*raffiner*

→ p. 159 (L'exploitation minière)

Erneuerbare Energien
Les énergies renouvelables

die Solarenergie	*l'énergie solaire*	SYN. **die Sonnenenergie**
die Windenergie	*l'énergie éolienne*	SYN. **die Windkraft**
das Windkraftanlage (n)	*l'éolienne*	
das Gezeitenkraftwerk (e)	*la centrale marémotrice*	
die Erdwärme	*la géothermie*	
der Biotreibstoff (e)	*le bio-carburant*	
das Biogas	*le biogaz*	
die Biomasse	*la biomasse*	

→ p. 99 (Énergie et développement durable)

38 Dienstleistungen

Les services

Quel risque pour la sécurité !
Des projectiles au sein du stade !

Die Handelsaktivität *L'activité commerciale*

der Händler (-)	le commerçant	
der Einzelhandel	le commerce de détail	
der Großhandel	le commerce de gros	✐ **der Großhändler :** le grossiste
die Messe (n)	la foire-exposition, le salon	
der Konsum	la consommation	✐ **der Verbrauch :** la consommation
verbrauchen	consommer	✐ **der Verbraucher** (-) **:** le consommateur
das Produkt (e)	le produit	
die Ware (n)	la marchandise	✐ **der Warentest** (s) **:** le test d'un produit
der Artikel (-)	l'article	
die Auswahl (**an** + D)	le choix (en matière de)	
gut sortiert sein	être bien achalandé	✐ **das Sortiment :** l'assortiment
kaufen	acheter	✐ **der Kauf :** l'achat
verkaufen	vendre	✐ **der Verkauf :** la vente

☞ La consommation

■ En Allemagne, il y a moins de grandes surfaces en zone artisanale **(Verbrauchermärkte)** qu'en France, mais les magasins discount (Lidl, Aldi, Pennymarkt) sont très bien implantés, même en centre-ville.

■ La fondation **Stiftung Warentest** est l'équivalent de l'association 60 millions de consommateurs en France. Elle teste de nombreux produits et édite une revue mensuelle.

vermarkten	commercialiser	**die Vermarktung :** la commercialisation
auf den Markt bringen (a, a)	mettre sur le marché	ANT. **vom Markt nehmen** (a, o, i) **:** retirer du marché
verfügbar	disponible	ANT. **ausverkauft :** épuisé
bestellen	commander	**die Bestellung** (en) **:** la commande
liefern	livrer	**die Lieferung** (en) **:** la livraison **der Zulieferer** (-) **:** le fournisseur, le sous-traitant
der Vorrat (¨e)	la provision	
das Lager (-)	le stock	**auf ~ :** en stock
etwas ab/setzen	écouler qqch	**der Absatz** (¨e) **:** le débouché [pour un produit]

➜ p. 150 (Le marketing et la publicité)

Einkaufen Faire des achats

einkaufen gehen (i, a/ist)	faire des courses	**der Einkaufszettel** (-) **:** la liste des courses
mit/nehmen (a, o, i)	emporter	**zum Mitnehmen :** à emporter
um/tauschen	échanger	
das Geschäft (e)	le magasin, la boutique	SYN. **der Laden** (¨)
das Schaufenster (-)	la vitrine	
die Kasse (n)	la caisse	
der Preis (e)	le prix	
hoch	élevé	ANT. **niedrig :** bas
teuer	cher	
viel Geld kosten	coûter cher	
billig	pas cher, bon marché	SYN. **preiswert :** avantageux
ermäßigt	réduit	

kostenlos	*gratuit*	
der Schlussverkauf	*les soldes*	SYN. **der Ausverkauf**
das Sonderangebot (e)	*l'offre promotionnelle*	
das Schnäppchen (-) *(fam.)*	*la bonne affaire*	
feilschen	*marchander*	
die Mehrwertsteuer	*la TVA*	

→ p. 153 (Les moyens de paiement)
→ p. 235 (S'informer dans un grand magasin), p. 270 (Donner des conseils dans un magasin)

Kleinhändler *Petits commerçants*

der Lebensmittel-händler (-)	*l'épicier*	**das Lebensmittelgeschäft** (e) **:** *l'épicerie*
der Obst- und Gemüsehändler (-)	*le primeur*	
der Metzger (-)	*le boucher*	
der Fischhändler (-)	*le poissonnier*	
der Bäcker (-)	*le boulanger*	**die Bäckerei** (en) **:** *la boulangerie*
der Konditor (en)	*le pâtissier*	**die Konditorei** (en) **:** *la pâtisserie*
der Käsehändler (-)	*le fromager*	
der Buchhändler (-)	*le libraire*	
der Schuster (-)	*le cordonnier*	SYN. **der Schuhmacher** (-)
der Juwelier (e)	*le bijoutier*	
das Eisenwaren-geschäft (e)	*la quincaillerie*	
das Lederwaren-geschäft (e)	*la maroquinerie*	**die Lederwaren :** *les articles de maroquinerie*
das Schreibwaren-geschäft (e)	*la papeterie*	SYN. **das Papiergeschäft**

Supermärkte und Kaufhäuser *Supermarchés et grands magasins*

der Supermarkt (¨e)	*le supermarché*	
der Discounter (-)	*le magasin de discount*	SYN. **das Discountgeschäft** (e)
die Einkaufskette (n)	*la chaîne*	
das Kaufhaus (¨er)	*le grand magasin*	
das Einkaufszentrum (zentren)	*le centre commercial*	**der Einkaufswagen** (-) **:** *le caddy*
die Selbstbedienung	*le libre-service*	
die Abteilung (en)	*le rayon*	

Die Dienstleistungen *Les services*

die Öffnungszeiten	*les heures d'ouverture*	
geöffnet	*ouvert*	⚠ **durchgehend ~ :** *ouvert sans interruption*
geschlossen	*fermé*	
der Schalter (-)	*le guichet*	
Schlange stehen (a, a)	*faire la queue*	SYN. **an/stehen** (a, a)
das Amt (¨er)	*le bureau [service]*	**2.** *la fonction, le poste*
das Bankwesen	*la banque [domaine]*	➜ p. 151 (Économie et finances)
das Versicherungswesen	*les assurances [domaine]*	
die Versicherung (en)	*l'assurance*	⚠ **sich versichern :** *s'assurer*
das Gesundheitswesen	*la santé [domaine]*	➜ p. 31 (L'hygiène et la santé)
der öffentliche Dienst	*la fonction publique*	
der Beamte	*le fonctionnaire*	REM. part. subst. **(ein Beamter)**

Der Güterverkehr *Le transport de marchandises*

das Transportwesen	*le transport*	
der Straßentransport	*le transport routier*	
der Lastkraftwagen, der Lastwagen (-)	*le camion*	REM. abréviation **der LKW** (s)
der Schienentransport	*le transport ferroviaire*	
der Güterzug (¨e)	*le train de marchandises*	
der Lufttransport	*le transport aérien*	
der Schiffstransport	*le transport maritime*	
befördern	*transporter*	SYN. **transportieren**

LEXIQUE THÉMATIQUE

39 Völker und Staaten
Nations et États

DIESER BIOMETRISCHE PASS IST EINE ZIEMLICH PLUMPE FÄLSCHUNG!
j. borer

Ce passeport biométrique est un faux assez approximatif!

Länder und Staatsangehörigkeiten
Territoire et nationalité

der Staat (en)	*l'État*	✎ **staatlich :** *étatique, public*
die Staatsangehörigkeit (en)	*la nationalité*	✎ **die deutsche ~ besitzen** (a, e) **:** *posséder la nationalité allemande*
die Staatsbürgerschaft	*la nationalité, la citoyenneté*	✎ **die doppelte ~ :** *la double nationalité* ✎ **die deutsche ~ erwerben** (a, o, i) **:** *acquérir la nationalité allemande*
der Bürger (-)	*le citoyen*	✎ **der Mitbürger :** *le concitoyen*
sich einbürgern lassen (ie, a, ä)	*se faire naturaliser*	✎ **die Einbürgerung :** *la naturalisation*

der Ausweis (e)	*la carte d'identité*	
der Reisepass (¨e)	*le passeport*	
das Visum (Visa/Visen)	*le visa*	
die Aufenthalts-erlaubnis (se)	*le permis de séjour*	✍ **sich auf/halten** (ie, a, ä) **:** *séjourner*
verfallen (ie, a, ä/ist)	*expirer*	Syn. **ab/laufen** (ie, au, äu/ist)
das Land (¨er)	*le pays*	**2.** *le* **land** [das Bundesland]
das Ausland	*l'étranger [endroit]*	✍ **ausländisch :** *étranger* ✍ **der Ausländer** (-) **:** *l'étranger [personne]*
die Grenze (n)	*la frontière*	
das Vaterland	*la patrie*	
die Heimat	*le pays natal*	✍ **der Einheimische** (adj. subst.) **:** *l'autochtone*
das Volk (¨er)	*le peuple*	
die Fahne (n)	*le drapeau*	
die Nationalhymne (n)	*l'hymne national*	
der Auswanderer (-)	*l'émigrant*	Ant. **der Einwanderer** (-) **:** *l'immigré*
aus/wandern (ist)	*émigrer*	Syn. **emigrieren** (ist)
ein/wandern (ist)	*immigrer*	Syn. **immigrieren** (ist)
aus (Italien) stammen	*être d'origine (italienne)*	✍ **die Abstammung :** *l'origine*
sich nieder/lassen (ie, a, ä)	*s'installer, s'établir*	
der Asylbewerber (-)	*le demandeur d'asile*	Syn. **der Asylant** (en, en)
der Flüchtling (e)	*le réfugié*	
das Exil	*l'exil*	✍ **im ~ leben :** *vivre en exil*
illegal	*clandestin*	
jdn ab/schieben (o, o)	*reconduire qqn à la frontière*	

→ **p. 185** (La migration)
p. 189 (L'organisation des relations internationales)

☞ Les États fédéraux en Allemagne

- L'Allemagne est un pays fédéral.
- On désigne par **Bund** la *fédération* et par **Länder** les *différents États fédéraux.*
- Les **Länder** sont *compétents* **(zuständig)** dans certains domaines, comme l'éducation.
- Depuis la *réunification* **(Wiedervereinigung)**, les **Länder** sont au nombre de seize.

Die europäische Union (EU)
L'Union européenne (UE)

das EU-Mitglied (er)	*le membre de l'Union européenne*	↻ **Mitglied werden** (u, o, i/ist) **:** *devenir membre*
die EU-Mitgliedsstaaten	*les États membres de l'Union européenne*	
der EU bei/treten (a, e, i/ist)	*adhérer à l'Union européenne*	↻ **der EU-Beitritt** (e) **:** *l'adhésion à l'Union européenne*
der EU-Bürger (-)	*le citoyen de l'Union européenne*	
die EU-Verfassung	*la constitution européenne*	
die EU-Erweiterung	*l'élargissement de l'Union européenne*	
die europäische Integration	*l'intégration européenne*	
die EU-Kommission	*la Commission européenne*	
das europäische Parlament	*le Parlement européen*	
die europäische Zentralbank (en)	*la Banque centrale européenne*	
die Einheitswährung	*la monnaie unique*	
der Euro	*l'euro*	↻ **euroskeptisch :** *eurosceptique*

→ p. 214 (L'Europe)

Politische Systeme und Staatsformen
Systèmes et régimes politiques

die Demokratie (n)	*la démocratie*	↻ **demokratisch :** *démocratique*
die Republik (en)	*la république*	↻ **die Bundesrepublik Deutschland :** *la République fédérale d'Allemagne*
die Diktatur (en)	*la dictature*	↻ **diktatorisch :** *dictatorial*
das Regime (s)	*le régime [autoritaire]*	
die Monarchie (n)	*la monarchie*	↻ **der Monarch** (en, en) **:** *le monarque*
der König (e)	*le roi*	
ab/danken	*abdiquer*	
die Verfassung (en)	*la constitution*	↻ **verfassungswidrig :** *contraire à la constitution*

La Loi fondamentale

- La constitution allemande porte le nom de **Grundgesetz** (*Loi fondamentale*).
- C'est à la demande des alliés occidentaux que l'Allemagne de l'Ouest s'est dotée de ce texte en 1949 : la réunification de l'Allemagne était prévue dans les articles 23 et 146.

die Gewaltenteilung	*la séparation des pouvoirs*	
der Rechtsstaat (en)	*l'État de droit*	
das Grundrecht (e)	*le droit fondamental*	
legitim	*légitime*	ANT. **illegitim**
der Staatschef (s)	*le chef d'État*	
die Macht (¨e)	*le pouvoir*	**an der ~ sein/an die ~ kommen** (a, o/ist) : *être/arriver au pouvoir*
der Staatsstreich (e)	*le coup d'État*	
die Verschwörung (en)	*la conjuration*	**der Verschwörer** (-) : *le conjuré*
die Regierung stürzen	*renverser le gouvernement*	
der Notstand	*l'état d'urgence*	**den ~ aus/rufen** (ie, u) : *proclamer l'état d'urgence*

Die Diktatur *La dictature*

der Diktator (en)	*le dictateur*	**diktatorisch :** *dictatorial*
der Tyrann (en, en)	*le tyran*	**tyrannisch :** *tyrannique*
der Despot (en, en)	*le despote*	**despotisch :** *despotique*
autoritär	*autoritaire*	
totalitär	*totalitaire*	**der totalitäre Staat** (en) **:** *l'État totalitaire*
die Ideologie	*l'idéologie*	
die Propaganda	*la propagande*	
der Personenkult	*le culte de la personnalité*	
die Meinungsfreiheit	*la liberté d'opinion*	
die Pressefreiheit	*la liberté de presse*	
die Zensur	*la censure*	**zensieren :** *censurer*
die Verletzung der Menschenrechte	*la violation des droits de l'homme*	
ein/schränken	*limiter*	
unterdrücken	*étouffer, opprimer*	**die Unterdrückung :** *l'oppression*
jdn denunzieren	*dénoncer qqn*	
der Spitzel (-)	*le mouchard, l'espion*	**jdn bespitzeln :** *espionner qqn*

verfolgen	*poursuivre, pourchasser*	✐ **der politisch Verfolgte** (part. subst.) **:** *la victime de persécution politique*
foltern	*torturer*	✐ **die Folter :** *la torture*
hin/richten	*exécuter*	✐ **die Hinrichtung** (en) **:** *l'exécution*
erhängen	*pendre*	
erschießen (o, o)	*fusiller*	
enthaupten	*décapiter*	✐ **die Enthauptung** (en) **:** *la décapitation*
der Henker (-)	*le bourreau*	
grausam	*cruel*	
der Oppositionnelle	*l'opposant*	Rem. adj. subst.
der Andersdenkende	*le dissident*	Rem. part. subst.
der Widerstand	*la résistance*	✐ **der Widerstandskämpfer** (-) **:** *le résistant* ✐ **die Widerstandsbewegung** (en) **:** *le mouvement de résistance*
der Aufstand (¨e)	*le soulèvement*	✐ **einen ~ nieder/schlagen** (a, u, ä) **:** *réprimer un soulèvement*

→ p. 200 (Les grandes périodes de l'histoire)

40 Die Funktionsweise einer Demokratie

Le fonctionnement d'une démocratie

Der 16. Deutsche Bundestag, gewählt am 18. September 2005.

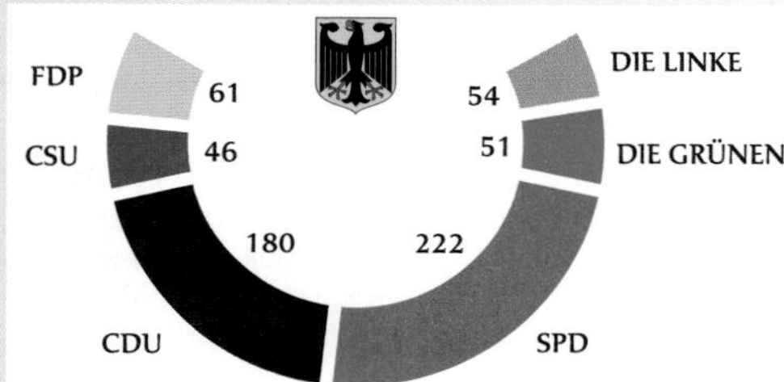

www.tatsachen-ueber-deutschland.de

Le 16e Parlement allemand, élu le 18 septembre 2005.

Politische Parteien und Wahlen

Partis politiques et élections

die Politik	*la politique*	**politisch :** *politique*
der Politiker (-)	*l'homme politique*	

Die politischen Parteien *Les partis politiques*

die Partei (en)	*le parti*	**das Parteiprogramm** (e) : *le programme du parti*
die konservative Partei	*le parti conservateur*	
die Rechtspartei (en)	*le parti de droite*	**die Rechte** (adj. subst.) : *la droite*
die äußerste Rechte	*l'extrême droite*	**rechtsradikal :** *d'extrême-droite*
die Linkspartei (en)	*le parti de gauche*	**die Linke** (adj. subst.) : *la gauche*

das Mitglied (er)	*le membre*	✐ **Mitglieder werben** (a, o, i) **:** *recruter des membres*
einer Partei bei/treten (a, e, i/ist)	*adhérer à un parti*	
einer Partei an/gehören	*appartenir à un parti*	

Politische Ideologien *Idéologies politiques*

demokratisch	*démocratique*	✐ **der Demokrat** (en, en) **:** *le démocrate*
sozialistisch	*socialiste*	✐ **der Sozialist** (en, en) **:** *le socialiste*
kommunistisch	*communiste*	✐ **der Kommunist** (en, en) **:** *le communiste*
liberal	*libéral*	✐ **neoliberal :** *néolibéral*

☞ Les partis politiques en Allemagne

- Attention, en allemand, **die Partei** (*le parti politique*) est de genre féminin.
- Les principaux partis politiques en République fédérale d'Allemagne sont :

– **die CDU (die Christlich-Demokratische Union) :** *la CDU (l'union chrétienne-démocrate)*
– **die SPD (die Sozialdemokratische Partei Deutschlands) :** *le SPD (le parti social-démocrate)*
– **die FDP (die Freie Demokratische Partei) :** *le FDP (le parti libéral-démocrate)*
– **die Grünen :** *les Verts* (parti des écologistes)
– **die Linke :** parti d'extrême gauche
– divers partis d'extrême-droite (qui recueillent un pourcentage très faible des voix) : **die NPD (Nationaldemokratische Partei Deutschlands), die DVU (Deutsche Volksunion), die Republikaner.**

Die Wahlen *Les élections*

die Wahl (en)	*l'élection, le vote*	✐ **das Wahlrecht** (e) **:** *le droit de vote*
die Parlamentswahlen	*les élections législatives*	
die geheime Wahl	*le vote à bulletin secret*	
die Briefwahl	*le vote par correspondance*	
die Volksabstimmung (en)	*le référendum*	SYN. **das Referendum** (Referenden)

Der Wahlkampf *La campagne électorale*

der Wahlkampf (¨e)	*la campagne électorale*	✐ **einen ~ führen :** *mener une campagne électorale*

das Wahlplakat (e)	*l'affiche électorale*	✐ **Plakate kleben :** coller des affiches
der Wahlspruch (¨e)	*le slogan, la devise*	
der Kandidat (en, en)	*le candidat*	✐ **der Spitzenkandidat :** *la tête de liste*
die Debatte (n)	*le débat*	
um Wählerstimmen werben (a, o, i)	*briguer les suffrages des électeurs*	
das Bündnis (se)	*l'alliance*	✐ **ein ~ ein/gehen** (i, a/ist) **:** *conclure une alliance*
die Umfrage (n)	*le sondage*	
der Befragte	*la personne interrogée*	REM. part. subst.

Der Wahlprozess *Le processus électoral*

wählen	*élire*	✐ **wieder wählen :** *réélire*
der Wähler (-)	*l'électeur*	
das Wahllokal (e)	*le bureau de vote*	
der Wahlgang (¨e)	*le scrutin, le tour*	✐ **der erste ~ :** *le premier tour*
das Wahlergebnis (se)	*le résultat des élections*	
die Wahlbeteiligung	*la participation électorale*	
die Mehrheit (en)	*la majorité*	
die Stimme (n)	*la voix*	✐ **der Stimmzettel** (-) **:** *le bulletin de vote*
für jdn seine Stimme ab/geben (a, e, i)	*voter pour qqn*	ANT. **einen leeren Stimmzettel ab/geben** (a, e, i) **:** *voter blanc*
für etwas (A) **stimmen**	*voter pour qqch*	ANT. **gegen etwas** (A) **stimmen :** *voter contre qqch*
sich (der Stimme) enthalten	*s'abstenir*	✐ **die Enthaltung** (en) **:** *l'abstention*
der Wahlsieg (e)	*la victoire électorale*	ANT. **die Wahlniederlage** (n) **:** *la défaite électorale*
gut ab/schneiden (i, i)	*faire un bon score*	
der Wahlbetrug	*la fraude électorale*	
bestechen (a, o, i)	*corrompre*	✐ **die Bestechung** (en) **:** *la corruption*

→ p. 282 (Dire que l'on est certain, convaincu dans un débat), p. 290 (Exprimer son opinion), p. 293 (Dire que l'on est pour, contre, indifférent)

☞ Les élections en Allemagne

■ En Allemagne, il existe quatre sortes d'élections : **Bundestagswahlen** (*élections au Parlement fédéral*), **Landtagswahlen** (*élections aux conseils régionaux*), **Kommunalwahlen** (*élections municipales*), **Europawahlen** (*élections européennes*).

Die Organisation der Staatsgewalt
L'organisation du pouvoir

Die rechtsprechende Gewalt *Le pouvoir législatif*

das Parlament (e)	*le Parlement*	
der Bundestag	*le Parlement fédéral*	✐ **tagen :** *siéger [Parlement]*
der Bundesrat	*le Bundesrat [représentant des Länder]*	
sitzen (a, e)	*siéger [député]*	✐ **der Sitz** (e) **:** *le siège*
die Sitzung (en)	*la séance*	
der, die Abgeordnete	*le député, la députée*	REM. part. subst.
das Gesetz (e)	*la loi*	✐ **gesetzlich :** *légal*
der Antrag (¨e)	*la motion*	
über (+ A) **ab/stimmen**	*voter sur [une proposition]*	✐ **die Abstimmung :** *le vote*
ein Gesetz verabschieden	*adopter une loi*	
in Kraft treten (a, e, i/ist)	*entrer en vigueur*	

Die exekutive Gewalt *Le pouvoir exécutif*

die Regierung (en)	*le gouvernement*	✐ **regieren :** *gouverner*
der Regierungschef (s)	*le chef du gouvernement*	
der Bundeskanzler (-)	*le Chancelier fédéral*	
die Koalition (en)	*la coalition*	

☞ Les coalitions de gouvernement

■ On parle de *grande coalition* **(Große Koalition)** lorsque le **SPD** (parti socialiste) et la **CDU** (parti conservateur) sont contraints à faire alliance pour gouverner.
■ L'association des Verts et des socialistes donne *une coalition rouge-verte* **(rot-grüne Koalition)**.
■ L'association des socialistes, des Verts et du **FDP** est appelée **Ampelkoalition** (*coalition en feu tricolore*).

der Bundespräsident (en, en)	*le président de la RFA*	
das Ministerium (Ministerien)	*le ministère*	✐ **das Außenministerium/das Innenministerium/das Finanzministerium :** *le ministère des Affaires étrangères/de l'Intérieur/des Finances*
der Minister (-)	*le ministre*	✐ **der Ministerpräsident** (en, en) **:** *le ministre-président*

der Bürgermeister (-)	*le maire*	
zurück/treten (a, e, i/ist)	*démissionner*	✐ **der Rücktritt :** *la démission*

Die gesetzgebende Gewalt Le pouvoir judiciaire

die Justiz	*la justice [institution]*	≠ **die Gerechtigkeit :** *la justice [qualité de ce qui est juste]*
das Recht (e)	*le droit*	✐ **die Rechtsprechung :** *la jurisprudence*
das Gericht (e)	*le tribunal*	✐ **das Gerichtsverfahren :** *l'action en justice* ✐ **vor ~ gehen** (i, a/ist)**/ jdn vor ~ ziehen** (o, o) **:** *aller en justice/ traîner qqn en justice*
der Prozess (e)	*le procès*	
der Richter (-)	*le juge*	
der Rechtsanwalt (¨e)	*l'avocat*	
der Staatsanwalt (¨e)	*le procureur*	✐ **die Staatsanwaltschaft :** *le parquet*
jdn an/zeigen	*porter plainte contre qqn*	
jdn an/klagen	*accuser qqn*	✐ **die Anklage** (n) **:** *la plainte*
jdn einer Sache (G) **verdächtigen**	*soupçonner qqn de qqch*	✐ **der Verdacht** (e) **:** *le soupçon*
jdn verteidigen	*défendre qqn*	✐ **die Verteidigung :** *la défense*
der Eid (e)	*le serment*	✐ **einen ~ (auf die Verfassung) schwören** (o, o) **:** *prêter serment (sur la constitution)*
der Zeuge (n, n)	*le témoin*	✐ **die Zeugenaussage** (n) **:** *le témoignage*
gestehen (a, a)	*avouer*	
leugnen	*nier*	
der Haftbefehl (e)	*le mandat d'arrêt*	
in Untersuchungshaft	*en garde à vue*	
der mildernde Umstand (¨e)	*la circonstance atténuante*	
die Notwehr	*la légitime défense*	
das Urteil (e)	*le jugement, la sentence*	✐ **ein ~ fällen :** *prononcer une sentence*
schuldig	*coupable*	ANT. **unschuldig :** *innocent*
jdn zu (+ D) **verurteilen**	*condamner qqn à qqch*	✐ **die Verurteilung :** *la condamnation*

jdn frei/sprechen (a, o, i)	*acquitter*	✎ **der Freispruch :** *l'acquittement*
jdn bestrafen	*punir*	
die Strafe (n)	*la punition, la peine*	✎ **eine milde/schwere Strafe :** *une peine légère/lourde* ✎ **die Geldstrafe/die Todesstrafe :** *l'amende/la peine de mort*
lebenslänglich	*à perpétuité*	
mit Bewährung	*avec sursis*	
das Gefängnis (se)	*la prison*	SYN. **der Knast** *(fam.)* **:** *la taule* ✎ **im ~ sitzen** (a, e) **:** *être en prison*
der Gefangene	*le prisonnier*	REM. part. subst.
die Haftanstalt (en)	*le centre de détention*	
der Häftling (e)	*le détenu*	✎ **verhaften :** emprisonner
der Gefängniswärter (-)	*le surveillant*	
die Zelle (n)	*la cellule*	
aus dem Gefängnis aus/brechen (a, o, i/ist)	*s'évader de prison*	
jdn entlassen (ie, a, ä)	*libérer qqn*	SYN. **jdn frei/lassen** (ie, a, ä)

41 Die modernen Gesellschaften

Les sociétés modernes

Frauen begnügen sich nicht mehr mit der Hälfte des Himmels, sie wollen die Hälfte der Welt.

Alice Schwarzer (geb. 1942), deutsche Journalistin und Feministin

Les femmes ne se contentent plus de la moitié du ciel, elles veulent la moitié de la terre.

Alice Schwarzer (née en 1942), journaliste et féministe allemande

Die Menschenrechte *Les droits de l'homme*

das Recht (e) **auf** (+ A)	*le droit à*	**die Gleichberechtigung :** *l'égalité (en droit)*
die Menschenwürde	*la dignité humaine*	
die Freiheit	*la liberté*	**frei :** *libre*
die Gleichheit	*l'égalité*	**gleich :** *égal*

Soziale Ungleichheit und soziale Bewegungen *Inégalités sociales et mouvements sociaux*

der Unterschied (e)	*la différence*	
das Privileg (ien)	*le privilège*	
jdm vorbehalten sein	*être réservé à qqn*	
ungerecht	*injuste*	ANT. **gerecht :** *juste*
unterdrücken	*opprimer*	
erlangen	*acquérir, obtenir*	SYN. **erringen** (a, u)
ab/schaffen	*supprimer*	

Arme und Reiche *Riches et pauvres*

verteilen	*répartir*	
reich	*riche*	**der Reichtum :** *la richesse*
arm	*pauvre*	**die Armut :** *la pauvreté*
elend	*misérable*	**das Elend :** *la misère*

obdachlos	*sans-abri*	✐ **der Obdachlose** (adj. subst.) : *le SDF*
der Bettler (-)	*le mendiant*	✐ **betteln :** *mendier*
der Stadtstreicher (-)	*le clochard*	Syn. **der Penner** (-) *(fam.)*

Soziale Bewegungen *Mouvements sociaux*

die Arbeiterbewegung (en)	*le mouvement ouvrier*	→ p. 72 (La vie professionnelle)
die Studentenbewegung (en)	*le mouvement étudiant*	
die Umweltbewegung (en)	*le mouvement écologiste*	→ p. 97 (Pollution et défense de l'environnement)
die Frauenbewegung (en)	*le mouvement féministe*	
die Bürgerinitiative (n)	*l'initiative citoyenne*	
die Nichtregierungsorganisation (en)	*l'organisation non gouvernementale*	
gegen (+A) **protestieren**	*protester contre*	✐ **der Protestmarsch** (¨e) **:** *la marche de protestation*
die Unterschriftensammlung (en)	*la pétition*	
demonstrieren	*manifester*	✐ **die Demonstration** (en) **:** *la manifestation*
veranstalten	*organiser*	
die Parole (n)	*le slogan*	
das Flugblatt (¨er)	*le tract*	
der Krawall (e)	*la bagarre, l'émeute*	
die Ausschreitung (en)	*le débordement*	
randalieren	*tout casser*	✐ **der Randalierer** (-) **:** *le casseur*

Gewalt und Verbrechen
Violence et criminalité

das Verbrechen (-)	*le crime*	✐ **der Verbrecher** (-) **:** *le criminel*
die Kriminalität	*la délinquance*	✐ **kriminell :** *criminel*
das Opfer (-)	*la victime*	
der Täter (-)	*l'auteur*	✐ **der mutmaßliche** ~ **:** *le coupable présumé*
der Straftäter (-)	*le délinquant*	✐ **die Straftat** (en) **:** *le délit*
der Rowdy (s)	*le voyou*	Phon. prononciation anglaise
die Gewalt	*la violence, la force*	✐ ~ **an/wenden :** *user de la force*
rückfällig werden (u, o, i/ist)	*récidiver*	

Der Diebstahl *Le vol*

der Dieb (e)	*le voleur*	**der Taschendieb :** *le pick-pocket*
stehlen (a, o, ie)	*voler*	SYN. **klauen** *(fam.)* : voler, piquer
in ein(em) **Haus ein/brechen** (a, o, i/ist)	*cambrioler une maison*	**der Einbruch** (¨e)/**der Einbrecher** (-) **:** *le cambriolage/le cambrioleur*
eine Tür/ein Schloss auf/brechen (a, o, i)	*forcer une porte/ une serrure*	
der Bankraub (e)	*le hold-up*	
die Flucht ergreifen (i, i)	*prendre la fuite*	
plündern	*piller*	

& Notez bien

■ Attention à la traduction du verbe *cambrioler* en allemand : **einbrechen** est un verbe intransitif. On utilisera donc souvent un passif impersonnel.

La maison a été cambriolée. **Im Haus ist eingebrochen worden.**
Notre voisin a été cambriolé. **Beim Nachbarn ist eingebrochen worden.**

Der Drogenhandel *Le commerce de la drogue*

die Droge (n)	*la drogue*	SYN. **der Dealer** (-) (prononciation anglaise)
der Drogenhändler (-)	*le trafiquant*	
der Drogensüchtige	*le drogué*	REM. adj. subst.
das Kokain	*la cocaïne*	**der Kokainabhängige** (adj. subst.) **:** *le cocaïnomane*
das Heroin	*l'héroïne*	**der Heroinabhängige** (adj. subst.) **:** *l'héroïnomane*
das Haschisch	*le haschisch*	
die Mafia	*la mafia*	
der Schmuggel	*la contrebande*	
Geld waschen (u, a, ä)	*blanchir de l'argent*	**die Geldwäsche :** *le blanchiment*

Die Prostitution *La prostitution*

der, die Prostituierte	*le prostitué, la prostituée*	REM. part. subst.
die Hure (n) (péj.)	*la prostituée, la pute*	
der Zuhälter (-)	*le proxénète, le maquereau*	
das Bordell (e)	*le bordel*	SYN. **der Puff** (s)
jdn aus/beuten	*exploiter qqn*	

Die Gewalt *La violence*

der Mord (e)	*le meurtre*	✐ **der Mörder** (-) **:** *le meurtrier*
die Leiche (n)	*le cadavre*	
an/greifen (i, i)	*attaquer*	
töten	*tuer*	SYN. **jdn um/bringen** (a, a)
ermorden	*assassiner*	SYN. **beseitigen :** *éliminer*
erwürgen	*étrangler*	
erschlagen (u, a, ä)	*tuer en assommant*	
erstechen (a, o, i)	*poignarder*	
vergiften	*empoisonner*	✐ **das Gift** (e) **:** *le poison*
überfallen (ie, a, ä)	*agresser*	✐ **der Überfall** (¨e) **auf** (+ A) **:** *l'aggression contre*
jdm drohen	*menacer qqn*	✐ **die Drohung** (en) **:** *la menace*
vergewaltigen	*violer*	✐ **die Vergewaltigung** (en) **:** *le viol*

Der Terrorismus *Le terrorisme*

der Terrorist (en, en)	*le terroriste*	
der Terroranschlag (¨e)	*l'attentat*	SYN. **das Attentat** (e)
die Bombe (n)	*la bombe*	✐ **Bomben legen :** *poser des bombes*
explodieren (ist)	*exploser*	✐ **die Explosion** (en) **:** *l'explosion*
jdn entführen	*enlever qqn*	✐ **die Entführung :** *l'enlèvement*
die Geisel (n)	*l'otage*	✐ **der Geiselnehmer** (-) **:** *le preneur d'otages*
jdn erpressen	*faire du chantage à qqn*	✐ **die Erpressung** (en) **:** *le chantage*

Die Polizei *La police*

der Polizist (en, en)	*le policier*	
der Kriminalbeamte	*l'officier de police judiciaire*	REM. part. subst.
der Kommissar (e)	*le commissaire*	
die Bullen *(fam.)*	*les flics*	
die Polizei benachrichtigen	*avertir la police*	
die Anzeige (n)	*la plainte*	✐ **eine ~ erstatten :** *déposer une plainte*
jdn (bei der Polizei) an/zeigen	*dénoncer qqn (à la police)*	
der Fall (¨e)	*l'affaire*	

die Ermittlung (en)	*l'enquête*	**ermitteln :** *faire une enquête*
Spuren hinterlassen (ie, a, ä)	*laisser des traces*	
der Fingerabdruck (¨e)	*les empreintes digitales*	
nach jdm fahnden	*rechercher qqn*	**die Fahndung** (en) **:** *la recherche*
jdn überwachen	*surveiller*	
jdn einer Sache (G) **verdächtigen**	*soupçonner qqn de qqch*	**der Verdächtige** (adj. subst.) **:** *le suspect*
jdn aus/liefern	*livrer qqn*	
die Wohnung/ jdn durchsuchen	*fouiller l'appartement /qqn*	
jdn fest/nehmen (a, o, i)	*arrêter qqn, prendre qqn*	
jdn verhaften	*arrêter qqn, emprisonner qqn*	**die Verhaftung** (en) **:** *l'arrestation*
die Handschellen	*les menottes*	**jdm ~ an/legen :** *mettre les menottes à qqn*
jdn verhören	*interroger qqn*	**das Verhör** (e) **:** *l'interrogatoire*
den Mordfall auf/klären	*élucider le meurtre*	

➜ p. 177 (Le pouvoir judiciaire)

☞ Expressions

Hände hoch (oder ich schieße)! *Les mains en l'air (ou je tire) !* • **Haltet den Dieb!** *Au voleur !* • **auf frischer Tat ertappt werden** (u, o, i/ist) **:** *être pris sur le fait*

Die Solidarität *La solidarité*

solidarisch	*solidaire*	
der Sozialstaat	*l'État social*	**die Sozialhilfe :** *l'aide sociale*
der Wohlfahrtsstaat	*l'État providence*	
die Sozialversicherung	*la sécurité sociale*	**der Sozialhilfeempfänger** (-) **:** *le bénéficiaire de l'aide sociale*
teilen	*partager*	
jdm helfen (a, o, i)	*aider qqn*	**die Hilfe** (n) **:** *l'aide*
jdn vor (+ D) **schützen**	*protéger qqn de*	**der Schutz :** *la protection*
jdn verteidigen	*défendre qqn*	**die Verteidigung :** *la défense*
sich für (+ A) **ein/setzen**	*s'engager en faveur de, défendre*	SYN. **ein/treten** (a, e, i/ist) **für** (+ A)
spenden	*faire un don [d'argent, de sang]*	**die Spende** (n) **:** *le don*

LEXIQUE THÉMATIQUE

42 Die Weltbevölkerung

La population mondiale

Deutschland ist mit 82,5 Millionen Einwohnern (davon 42,2 Mio. Frauen) das bevölkerungsreichste Land der EU. Etwa 7,3 Millionen Ausländer leben in Deutschland (8,8 Prozent der Gesamtbevölkerung), darunter 1,8 Millionen Türken.

www.tatsachen-ueber-deutschland.de (Juni 2007)

Avec 82,5 millions d'habitants (dont 42,2 millions de femmes), l'Allemagne est le pays le plus peuplé de l'UE. Environ 7,3 millions d'étrangers vivent en Allemagne (8,8% de la population totale), parmi lesquels 1,8 million de Turcs.

Das Bevölkerungswachstum
La croissance démographique

die Bevölkerung (en)	*la population*	✐ **die Weltbevölkerung :** *la population mondiale*
die Überbevölkerung	*la surpopulation*	✐ **übervölkert :** *surpeuplé*
die Bevölkerungsdichte	*la densité de population*	
dünn besiedelt	*peu peuplé*	ANT. **stark besiedelt :** *fortement peuplé*
bewohnt	*habité*	ANT. **unbewohnt :** *inhabité*
der Einwohner (-)	*l'habitant*	✐ **die Einwohnerzahl :** *le nombre d'habitants*
wachsen (u, a, ä/ist)	*croître*	✐ **das Wachstum :** *la croissance*
steigen (ie, ie/ist)	*augmenter*	
zurück/gehen (i, a/ist)	*reculer*	✐ **der Rückgang :** *le recul*

& Notez bien

■ Les prépositions indiquant la variation sont : **von** qui marque le point de départ, **auf** le point d'arrivée et **um** l'intervalle.

von 5.000 auf 10.000 Einwohner steigen : *passer de 5 000 à 10 000 habitants*
um 3 Prozent steigen : *augmenter de 3 %*

die Geburtenrate (n)	*le taux de natalité*	**geboren werden** (u, o, i/ist) : naître
die Sterberate (n)	*le taux de mortalité*	**sterben** (a, o, i/ist) : mourir
die Lebenserwartung	*l'espérance de vie*	**leben** : vivre
altern	*vieillir*	**das Altern** : le vieillissement
das Durchschnittsalter	*l'âge moyen*	
betragen (u, a, ä)	*être de, se monter à*	

→ p. 306 (Comparer les surfaces et les populations)

Die Bevölkerungswanderung
La migration

Die Migrationsbewegungen *Les flux migratoires*

die Auswanderung	*l'émigration*	SYN. **die Emigration**
(aus einem Land) aus/wandern (ist)	*émigrer (d'un pays)*	**der Auswanderer** (-) : l'émigrant
die Einwanderung	*l'immigration*	SYN. **die Immigration, die Zuwanderung**
(in ein Land (A)**) ein/wandern** (ist)	*immigrer (dans un pays)*	**der Einwanderer** (-) : l'immigré
der Gastarbeiter (-)	*le travailleur immigré*	
der Aussiedler (-)	*l'immigré de souche allemande*	
die Einbürgerung (en)	*la naturalisation*	
die doppelte Staatsbürgerschaft	*la double nationalité*	

Les immigrés de souche allemande

■ **Aussiedler** ou (depuis 1993) **Spätaussiedler** sont les immigrés de souche allemande **(Deutschstämmige)** venus d'Europe de l'Est.

■ Beaucoup viennent de pays de l'ex-URSS (on les appelle familièrement **Russlanddeutsche** ; ce sont les descendants des colons allemands venus peupler la région de la Volga au XVIIe siècle). Considérés comme ressortissants allemands, ils peuvent obtenir la nationalité allemande sous certaines conditions.

zurück/kehren (ist)	*rentrer*	**die Rückkehr** : le retour
heim/kehren (ist)	*rentrer chez soi*	**das Heimweh** : le mal du pays
jdn herein/lassen (ie, a, ä)	*laisser entrer qqn*	ANT. **jdn zurück/weisen** (ie, ie) : refouler qqn
das Asyl	*l'asile*	**das Asylrecht** : le droit d'asile

der Asylbewerber (-)	le demandeur d'asile	SYN. **der Asylant** (en, en)
der Asylantrag (¨e)	la demande d'asile	
Asyl beantragen	demander l'asile	
einen Antrag ab/weisen (ie, ie)	refuser une demande	
Zuflucht finden (a, u)	trouver refuge	
flüchten	fuir	
jdn ab/schieben (o, o)	refouler qqn	✐ **die Abschiebung** (en) **:** le refoulement
jdn aus/liefern	extrader qqn	
jdn aus/weisen (ie, ie)	expulser qqn	✐ **die Ausweisung** (en) **:** l'expulsion
der Illegale	le clandestin	REM. adj. subst.
unter/tauchen (ist)	entrer dans la clandestinité, disparaître	
schwarz arbeiten	travailler au noir	

→ p. 168 (Territoire et nationalité)

Die Integration L'intégration

die Aufenthalts-erlaubnis (se)	le permis de séjour	
die Arbeitserlaubnis (se)	le permis de travail	
die soziale Integration	l'intégration sociale	
das Integrationsmodell (e)	le modèle d'intégration	
die Integrationshilfe (n)	l'aide à l'intégration	
die Toleranz	la tolérance	
multikulturell	multiculturel	SYN. **multikulti** *(fam.)*
die Minderheit (en)	la minorité	
das Vorurteil (e)	le préjugé	
diskriminiert werden (u, o, i/ist)	être discriminé	✐ **die Diskriminierung** (en) **:** la discrimination
jdn aus/schließen (o, o)	exclure qqn	✐ **der Ausschluss aus** (+ D) **:** l'exclusion
ausgeschlossen sein	être exclu	
der Rassismus	le racisme	✐ **rassistisch :** raciste
die Rasse (n)	la race	✐ **die Rassentrennung/die Rassenmischung :** la ségrégation/le métissage
fremdenfeindlich	xénophobe	SYN. **ausländerfeindlich**
der Antisemitismus	l'antisémitisme	
das Opfer (-)	la victime	

43 Die Weltwirtschaft
L'économie mondiale

Was die Weltwirtschaft angeht, so ist sie verflochten.

Kurt Tucholsky (1890-1935)

Quant à l'économie mondiale, elle est interdépendante.

der Welthandel	*le commerce mondial*	
der Weltmarkt	*le marché mondial*	ANT. **der heimische Markt :** *le marché national*
die Ausfuhr (en)	*l'exportation*	SYN. **der Export** (e)
Waren aus/führen	*exporter des marchandises*	SYN. **Waren exportieren**
die Einfuhr (en)	*l'importation*	SYN. **der Import** (e)
Waren ein/führen	*importer*	SYN. **Waren importieren**
der multinationale Konzern (e)	*la multinationale*	

→ p. 151 (Économie et finance)

Unterschiedliche Lebensstandards
Inégalités de développement

die Entwicklung (en)	*le développement*	✎ **unterentwickelt :** *sous-développé*
das Entwicklungsland (¨er)	*le pays en voie de développement*	✎ **die Entwicklungshilfe :** *l'aide au développement*
das Industrieland (¨er)	*le pays industrialisé*	
das Pro-Kopf-Einkommen	*le revenu par habitant*	
ungleich verteilt sein	*être réparti de manière inégale*	
die Dritte Welt	*le tiers monde*	
verhungern	*mourir de faim*	✎ **die Hungersnot** (¨e) **:** *la famine*
unterernährt sein	*être sous-alimenté*	

rückständig	*en retard, arriéré*	
die Rückständigkeit	*le retard [de développement]*	ANT. **der Vorsprung :** *l'avance*
die Staatsverschuldung der Entwicklungsländer	*la dette des pays en développement*	
die Schulden erlassen (ie, a, ä)	*annuler la dette*	
die Korruption	*la corruption*	✐ **korrupt :** corrompu
der faire Handel	*le commerce équitable*	
die Zusammenarbeit	*la coopération*	
die Nichtregierungs-organisation (en)	*l'organisation non gouvernementale*	
die Armut bekämpfen	*lutter contre la pauvreté*	

Die Globalisierung La mondialisation

global	*mondialisé*	
weltweit	*à l'échelle mondiale*	
die Freihandelszone (n)	*la zone de libre-échange*	
die Grenze (n)	*la frontière*	
der Zoll	*la douane*	**2.** le droit de douane
die Zölle ab/schaffen	*supprimer les droits de douane*	ANT. **Zoll erheben** (o, o) **:** *prélever un droit de douane*
der Weltmarktpreis (e)	*le prix du marché mondial*	
der Rohstoff (e)	*la matière première*	➜ **p. 206** (Les richesses du sous-sol)
schwanken	*fluctuer*	✐ **die Schwankung** (en) **:** *la fluctuation*
der Wettbewerb	*la concurrence*	✐ **wettbewerbsfähig :** *compétitif*
die Wettbewerbsfähigkeit	*la compétitivité*	
rangieren	*se placer*	✐ **an letzter Stelle ~ :** *arriver à la dernière place*
die Produktion ins Ausland verlegen	*délocaliser la production à l'étranger*	
die Billiglohnländer	*les pays à faible salaire*	

☞ Der Standort Deutschland

■ Cette expression désigne l'ensemble des conditions qui jouent un rôle dans la vie économique et la compétitivité de l'Allemagne. On parle ainsi de **Standort-vorteile** (*les atouts*), **Standortnachteile** (*les faiblesses*) et de **Standortverlagerung** (*la délocalisation*).

44 Die internationalen Beziehungen
Les relations internationales

Der Krieg ist nur die Fortsetzung der Politik mit anderen Mitteln.
Carl von Clausewitz (1780-1831)

La guerre n'est que la poursuite de la politique par d'autres moyens.

Die Organisation der internationalen Beziehungen
L'organisation des relations internationales

Die Diplomatie *La diplomatie*

diplomatisch	*diplomatique*	
die Beziehung (en)	*la relation*	**Beziehungen zu einem Land unterhalten** (ie, a, ä) **:** *entretenir des relations avec un pays*
neutral	*neutre*	**die Neutralität :** *la neutralité*
die Botschaft (en)	*l'ambassade*	**der Botschafter** (-) **:** *l'ambassadeur*
das Konsulat (e)	*le consulat*	**der Konsul** (e) **:** *le consul*
die Verhandlung (en)	*la négociation*	**verhandeln :** *négocier*
der Vertrag (¨e)	*le traité, le contrat*	**einen ~ ab/schließen** (o, o)/ **unterzeichnen :** *conclure/signer un traité*
das Abkommen (-)	*le traité, l'accord*	
der Gipfel (-)	*le sommet*	**auf dem G8-~ :** *au sommet du G8*
der Pakt (e)	*le pacte*	
das Bündnis (se)	*l'alliance*	**ein ~ ein/gehen** (i, a/ist) **:** *conclure une alliance*
sich verbünden	*s'allier*	**der Verbündete :** *l'allié* (part. subst.)
die Großmacht (¨e)	*la grande puissance*	

einen Staat an/ erkennen (a, a)	reconnaître un État	
der Geheimdienst (e)	les services secrets	
der Spion (e)	l'espion	**die Spionage :** l'espionnage **spionieren :** espionner
das Ultimatum (Ultimaten)	l'ultimatum	**jdm ein ~ stellen :** poser un ultimatum à qqn
ein Embargo gegen ein Land verhängen	prononcer un embargo contre un pays	

Die internationalen Organisationen

Les organisations internationales

die UNO	l'ONU	
die Vereinten Nationen	les Nations unies	
der UN-Sicherheitsrat	le Conseil de sécurité des Nations unies	
die NATO	l'OTAN	
die Weltgesundheits-organisation	l'Organisation mondiale de la santé	REM. abréviation WGO
die Welthandels-organisation	l'Organisation mondiale du commerce	REM. abréviation WHO
der internationale Währungsfonds	le Fonds monétaire international	REM. abréviation IWF
die Weltbank	la Banque mondiale	

Der Krieg La guerre

der Bürgerkrieg/ der Weltkrieg (e)	la guerre civile la guerre mondiale	**einen Krieg führen :** mener une guerre
der Konflikt (e)	le conflit	
der Feind (e)	l'ennemi	**feindlich :** ennemi
die Spannung (en)	la tension	
jdm den Krieg erklären	déclarer la guerre à qqn	
aus/brechen (a, o, i/ist)	éclater [guerre]	
der Einmarsch (¨e) **in** (+A)	l'invasion de	**in ein Land** (A) **ein/ marschieren** (ist) **:** envahir un pays
überfallen (ie, a, ä)	attaquer par surprise	**der Überfall auf** (+A) **:** l'attaque, l'invasion de
die Eroberung (en)	la conquête	**erobern :** conquérir
die Schlacht (en)	la bataille	

kämpfen	*combattre*	✎ **der Kampf** (¨e) **:** *le combat*
an/greifen (i, i)	*attaquer*	✎ **der Angriff** (e) **:** *l'attaque*
belagern	*assiéger*	✎ **die Belagerung** (en) **:** *le siège*
besetzen	*occuper*	✎ **die Besatzung :** *l'occupation*
zerstören	*détruire*	✎ **die Zerstörung** (en) **:** *la destruction*
vernichten	*anéantir*	✎ **die Vernichtung** (en) **:** *l'anéantissement*
vertreiben (ie, ie)	*chasser*	
der Völkermord	*le génocide*	
der Sieg (e)	*la victoire*	Ant. **die Niederlage** (n) **:** *la défaite*
sich zurück/ziehen (o, o)	*se retirer*	✎ **der Rückzug** (¨e) **:** *le retrait*
sich ergeben (a, e, i)	*se rendre*	
befreien	*libérer*	✎ **die Befreiung** (en) **:** *la libération*
der Fahnenflüchtige	*le déserteur*	Rem. adj. subst.

& Notez bien

- La préposition **um** permet d'indiquer l'enjeu d'une guerre ou d'une bataille.
  der Krieg um die Vorherrschaft : *la guerre pour l'hégémonie*
  ein Kampf um die Freiheit : *un combat pour la liberté*

Die Waffen *Les armes*

die Waffe (n)	*l'arme*	
die Aufrüstung	*l'armement [processus]*	
das Gewehr (e)	*le fusil*	✎ **das Maschinengewehr :** *la mitrailleuse*
die Pistole (n)	*le pistolet*	
die Kugel (n)	*la balle*	
der Panzer (-)	*le char*	
die Kanone (n)	*le canon*	
die Rakete (n)	*le missile*	**2.** *la fusée*
auf (+ A) **schießen** (o, o)	*tirer sur*	✎ **erschießen :** *abattre, fusiller*
die Mine (n)	*la mine*	✎ **Minen legen :** *poser des mines*
die Bombe (n)	*la bombe*	✎ **Bomben ab/werfen** (a, o, i) **:** *larguer des bombes*
sprengen	*faire sauter*	✎ **der Sprengstoff** (e) **:** *l'explosif*

Das Militär *L'armée*

die Armee (n)	*l'armée*	
die Luftwaffe	*l'armée de l'air*	
die Marine	*la marine*	
zum Militär müssen	*devoir faire l'armée*	
der Soldat (en, en)	*le soldat*	
der Offizier (e)	*l'officier*	
der Wehrdienst	*le service militaire*	**den ~ ab/leisten :** *faire son service militaire*
der Befehl (e)	*l'ordre*	**befehlen** (a, o, ie) **:** ordonner
der Zivilist (en, en)	*le civil*	**der Zivildienst :** *le service civil*
der Wehrdienst-verweigerer (-)	*l'objecteur de conscience*	

L'armée en Allemagne

■ Au fil du temps et des régimes politiques, l'armée allemande a porté différents noms.
– **das Deutsche Heer :** nom de l'armée de terre allemande en temps de guerre avant 1921
– **die Reichswehr :** nom officiel de l'armée allemande de 1921 à 1935
– **die Wehrmacht :** la Wehrmacht (nom officiel de l'armée allemande de 1935 à 1945)
– **die Nationale Volksarmee (NVA) :** l'armée de l'ex-RDA
– **die Bundeswehr :** *l'armée fédérale* (de la République fédérale d'Allemagne depuis 1945)

Der Frieden *La paix*

der Frieden	*la paix*	**~ schließen** (o, o) **:** *faire la paix* **friedlich :** paisible
der Pazifist (en, en)	*le pacifiste*	**pazifistisch :** pacifiste
der Friedensvertrag (¨e)	*le traité de paix*	
der Waffenstillstand	*l'armistice*	
die Kapitulation	*la capitulation*	**die bedingungslose ~ :** *la capitulation sans conditions*
die Reparationen	*les réparations*	
die Friedenstruppe (n)	*la force de maintien de la paix*	
sich versöhnen	*se réconcilier*	Syn. **sich aus/söhnen**
die Entspannung	*la détente*	

45 Die Zeit, die Zeitmessung
Le temps, la mesure du temps

Die Zeit heilt alle Wunden.
Sprichwort
Le temps guérit toutes les blessures.
Dicton

Tag und Nacht *Le jour et la nuit*

der Tag (e)	*le jour*	✐ **der Alltag :** *le quotidien, la vie quotidienne*
täglich	*quotidien*	
tagsüber	*pendant la journée*	
den ganzen Tag	*toute la journée*	
der Morgen (-)	*le matin*	✐ **morgens/am ~ :** *le matin (adv.)* ✐ **heute ~/heute früh :** *ce matin*
das Morgengrauen	*l'aube*	
der Tagesanbruch	*l'aurore*	
der Vormittag (e)	*la matinée*	
der Mittag (e)	*le midi*	✐ **heute ~ :** *ce midi*
der Nachmittag (e)	*l'après-midi*	✐ **nachmittags/am ~ :** *l'après-midi (adv.)*
der Abend (e)	*le soir*	✐ **abends/am ~ :** *le soir (adv.)* ✐ **die Abenddämmerung :** *le crépuscule*
die Nacht (¨e)	*la nuit*	✐ **nächtlich :** *nocturne*

Die Zeitmessung *La mesure du temps*

die Uhr (en)	*l'heure [qu'il est]*	**2.** *la montre, l'horloge*
die Uhr auf/ziehen (o, o)	*remonter la montre*	
die Uhrzeit	*l'heure [indiquée par l'horloge]*	

LEXIQUE THÉMATIQUE

die Glocke (n)	*la cloche*	
der Zeiger (-)	*l'aiguille*	
der Wecker (-)	*le réveil*	✐ **wecken :** *réveiller*
klingeln	*sonner [réveil]*	
nach/gehen (i, a/ist)	*retarder [montre]*	ANT. **vor/gehen** (i, a/ist) **:** *avancer*
die Zeitumstellung	*le changement d'heure*	
die Uhr um eine Stunde zurück/stellen	*retarder la montre d'une heure*	ANT. **vor/stellen :** *avancer*
früh	*tôt*	ANT. **spät :** *tard*
die Sekunde (n)	*la seconde*	
die Minute (n)	*la minute*	
die Stunde (n)	*l'heure [unité de durée]*	✐ **(eine) halbe ~/Viertelstunde/ Dreiviertelstunde :** une demi-heure/un quart d'heure/trois quarts d'heure

& Notez bien

■ Ne pas confondre **Uhr** et **Stunde**. **Uhr** désigne *l'heure qu'il est*, **Stunde** *la durée*.

Es ist fünf Uhr. *Il est cinq heures.*

mais

Er hat fünf Stunden gewartet. *Il a attendu cinq heures.*

■ On demande l'heure avec la question **Wie spät ist es?** ou **Wie viel Uhr ist es?** (*Quelle heure est-il ?*) ou encore **Haben Sie die Uhrzeit?** (Avez-vous *l'heure ?*).

■ Quelques exemples de réponses possibles :

Es ist acht (Uhr). *Il est huit heures.*

Es ist Viertel nach zwölf. *Il est midi un quart.*

Es ist Viertel vor zwölf. *Il est midi moins le quart.*

Es ist gegen zwölf (Uhr). *Il est à peu près midi.*

■ Attention à la traduction de *et demi(e)*.

Es ist halb fünf. *Il est quatre heures et demie.*

■ On utilise la préposition **um** pour indiquer une heure exacte, **gegen** pour une heure imprécise (vers) : **um/gegen fünf :** *à/vers cinq heures.*

der Wochentag (e)	*le jour de la semaine*	
die Woche (n)	*la semaine*	✐ **nächste/letzte ~ :** *la semaine prochaine/dernière*
wöchentlich	*hebdomadaire*	
das Wochenende	*le week-end*	✐ **am ~ :** *le/ce week-end (adv.)*

& Notez bien

■ Les jours de la semaine sont : **der Montag** (*lundi*), **der Dienstag** (*mardi*), **der Mittwoch** (*mercredi*), **der Donnerstag** (*jeudi*), **der Freitag** (*vendredi*), **der Samstag** (*samedi*), **der Sonntag** (*dimanche*).
■ Pour traduire l'expression adverbiale *le lundi, le mardi*, etc., on peut utiliser soit la préposition **an** (et l'article contracté) : **am Montag**, **am Dienstag**, etc. (s'utilise aussi pour indiquer un jour précis : *lundi, mardi*), soit un adverbe terminé par **s** : **montags**, **dienstags**, **mittwochs**, etc. (fréquentatif uniquement).

der Monat (e)	*le mois*
monatlich	*mensuel*
die Jahreszeit (en)	*la saison*

& Notez bien

■ Les noms de mois sont masculins en allemand : **der Januar** (*janvier*), **der Februar** (*février*), **der März** (*mars*), **der April** (*avril*), **der Mai** (*mai*), **der Juni** (*juin*), **der Juli** (*juillet*), **der August** (*août*), **der September** (*septembre*), **der Oktober** (*octobre*), **der November** (*novembre*), **der Dezember** (*décembre*).
■ Ils s'emploient avec la préposition **in** (et l'article contracté) : **im Januar** (*en janvier*), **im Februar** (*en février*), etc., **im letzten Monat** (*le mois dernier*), **im nächsten Monat** (*le mois prochain*)
■ Pour parler du début, du milieu ou de la fin du mois, on utilise **Anfang**, **Mitte**, **Ende** sans article : **Anfang Mai** (*début mai*), **Mitte Februar** (*à la mi-février*), **Ende November** (*fin novembre*).
■ Comme en français, les saisons sont de genre masculin en allemand : **der Frühling** (*le printemps*), **der Sommer** (*l'été*), **der Herbst** (*l'automne*), **der Winter** (*l'hiver*).
■ On utilise la préposition **in** (et l'article contracté) : **im Winter** (*en hiver*).

das Vierteljahr (e)	*le trimestre*	SYN. **das Quartal** (e)
ein halbes Jahr	*six mois*	
das Jahr (e)	*l'année, l'an*	✎ **jährlich :** *annuel* ✎ **jahrelang :** *pendant des années*
das Jahrhundert (e)	*le siècle*	
das Jahrtausend (e)	*le millénaire*	
die Jahrhundertwende (n)	*le tournant du siècle*	

& Notez bien

■ On utilise aussi la préposition **in** pour les années et les siècles : **im Jahre 2000** ou simplement **2000** sans préposition (en 2000), **in den sechziger Jahren** (dans les années 1960), **im neunzehnten (19.) Jahrhundert** (au XIXe siècle).

der Kalender (-)	le calendrier	**2.** l'agenda
das Datum (Daten)	la date	
der Termin (e)	le rendez-vous	**2.** la date limite
eines Tages	un jour (adv.)	
der Vortag (e)	la veille	✐ **am Tag zuvor :** la veille (adv.)
der nächste Tag	le lendemain	✐ **am nächsten Tag :** le lendemain (adv.)

& Notez bien

■ Pour indiquer une date, on utilise un nombre ordinal suivi du nom du mois : **der dritte Oktober** (le 3 octobre), **am dritten Oktober,** (le 3 octobre) **Freitag, den dritten Oktober** (vendredi 3 octobre).

■ Lorsqu'il n'est pas écrit en toutes lettres, ce nombre ordinal est noté à l'aide d'un point.

am 3. Oktober (le 3 octobre)

Heute haben wir den 1. Juni. (Aujourd'hui nous sommes le 1er juin).

Vergangenheit, Gegenwart und Zukunft

Passé, présent et avenir

die Zeit (en)	le temps qui passe	✐ ~ **verbringen** (a, a) **:** passer du temps
die Vergangenheit	le passé	
vorhin, vorher	tout à l'heure [dans le passé]	
gerade	à peine, à l'instant	SYN. **eben**
vor kurzem	il y a peu	SYN. **kürzlich**
gestern	hier	✐ **vorgestern :** avant-hier
der, die, das letzte	le dernier, la dernière	
damals	à l'époque	
zu dieser Zeit	à cette époque	
früher	autrefois	
ehemalig	ancien	
überholt	dépassé	SYN. **veraltet**
seit drei Jahren (D)	depuis trois ans	
vor drei Jahren (D)	il y a trois ans	

& Notez bien

- Attention à la traduction de l'expression française *cela fait*.
  Es ist drei Jahre her.
  Cela fait trois ans.
  Es ist drei Jahre her, dass ich ihn nicht gesehen habe. ou **Ich habe ihn seit drei Jahren nicht gesehen.**
  Cela fait trois ans que je ne l'ai pas vu.

vergehen (i, a/ist)	*passer, s'écouler*	SYN. **vorbei/gehen** (i, a/ist)
vorbei sein	*être passé*	
verlaufen (ie, au, äu/ist)	*se dérouler*	
ab/laufen (ie, au, äu/ist)	*expirer, s'achever*	**2.** *se dérouler*
zurück/liegen (a, e)	*remonter à*	
die Gegenwart	*le présent*	✐ **sich vergegenwärtigen :** *se remémorer*
zur Zeit	*en ce moment*	SYN. **im Moment**
jetzt	*maintenant*	
heute	*aujourd'hui*	✐ **heutzutage :** *de nos jours*
zeitgenössisch	*contemporain*	
der Augenblick (e)	*l'instant*	✐ **im ~ :** *en ce moment, présentement*
der Moment (e)	*le moment*	
nun	*à présent*	✐ **von nun an :** *désormais*
schon	*déjà*	
noch	*encore*	
während	*pendant que* (conj.)	REM. **während** (+ G) **:** *pendant* (prép.)
an/dauern	*durer, se prolonger*	
in Eile sein	*être pressé*	✐ **sich beeilen :** *se dépêcher*
die Zeit auf/holen	*rattraper le temps perdu*	
die Zukunft	*le futur*	✐ **künftig :** *futur* (adj.) ✐ **in ~ :** *à l'avenir*
nachher	*tout à l'heure [futur]*	
sofort	*tout de suite*	SYN. **gleich**
bevorstehend	*imminent*	
bald	*bientôt*	
demnächst	*prochainement*	
morgen	*demain*	✐ **übermorgen :** *après-demain*
morgen früh	*demain matin*	

& Notez bien

■ L'adverbe **morgen** s'écrit avec une minuscule, le substantif **der Morgen** avec une majuscule : **heute Morgen** (*ce matin*), **morgen früh** (*demain matin*).

in vierzehn Tagen	*dans quinze jours*	
später	*plus tard*	✐ **spätestens :** *au plus tard*
der, die, das nächste	*le prochain, la prochaine*	
verzögern	*retarder*	
etwas auf (+ A) **verschieben** (o, o)	*repousser qqch à*	
im Voraus	*à l'avance*	
etwas voraus/sehen (a, e, ie)	*prévoir qqch*	✐ **voraussichtlich :** *prévu, de manière prévue*
etwas ab/sehen (a, e, ie)	*prévoir qqch*	✐ **absehbar :** *prévisible*
unberechenbar	*imprévisible*	
auf (+ A) **hoffen**	*espérer en*	✐ **hoffentlich :** *espérons que*
auf (+ A) **warten**	*attendre qqch*	✐ **ab/warten :** *attendre [que qqch se produise]*
etwas erwarten	*s'attendre à qqch*	

→ p. 287 (Dire que l'on a oublié, que l'on se souvient), p. 308 (Faire des projets), p. 329 (Exprimer son espoir, sa confiance en l'avenir)

Dauer und Häufigkeit
Durée et fréquence

dauern	*durer*	✐ **dauerhaft :** *durable*
die Dauer	*la durée*	✐ **auf die ~ :** *sur la durée*
lang	*long*	Ant. **kurz :** *court*
endlos	*sans fin*	
ewig	*éternel*	✐ **die Ewigkeit :** *l'éternité*
ständig	*constant*	Ant. **dauernd**
andauernd	*continuel*	≠ **ausdauernd :** *endurant*
auf unbestimmte Zeit	*pour une durée indéterminée*	
rund um die Uhr	*24 h sur 24*	
vorläufig	*provisoire*	Syn. **provisorisch**
vorübergehend	*temporaire, provisoire*	
zuerst	*d'abord*	
dann	*ensuite, puis*	

schließlich	*à la fin, enfin*	
endlich	*enfin*	**das Ende** (n) **:** *la fin*
enden	*se terminer*	**beenden :** *terminer, achever*
auf/hören	*(s')arrêter*	
unterbrechen (a, o, i)	*interrompre*	
fort/setzen	*poursuivre*	
die Zeitspanne (n)	*l'intervalle de temps*	
der Zeitraum (¨e)	*la période*	
gleichzeitig	*en même temps*	
inzwischen	*entre-temps*	Syn. **mittlerweile**
immer	*toujours*	
die ganze Zeit	*tout le temps*	
meistens	*la plupart du temps*	
häufig	*fréquent, fréquemment*	**die Häufigkeit :** *la fréquence*
oft	*souvent*	Ant. **selten**
das Mal (e)	*la fois*	**dreimal :** *trois fois*
mehrmals	*plusieurs fois*	Syn. **wiederholt**
manchmal	*parfois*	Syn. **ab und zu :** *de temps en temps*
gelegentlich	*occasionnel(lement)*	
nie	*jamais*	Syn. **niemals**
wieder	*de nouveau*	Syn. **erneut**
wiederholen	*répéter*	**die Wiederholung** (en) **:** *la répétition*
regelmäßig	*régulier*	
gewöhnlich	*habituel*	Syn. **üblich**
sich an (+ A) **gewöhnen**	*s'habituer à*	**die Gewohnheit** (en) **:** *l'habitude*

46 Die Perioden der Geschichte

Les périodes de l'histoire

– Chasseur !
– Cueilleur !

die Geschichte	l'histoire	**geschichtlich :** historique
das Ereignis (se)	l'événement	**sich ereignen :** se produire
geschehen (a, e, ie/ist)	se produire, arriver	
entstehen (a, a/ist)	naître, émerger	**die Entstehung :** la naissance
auf (+ A) **folgen** (ist)	suivre qqch	
nach/folgen (+ D) (ist)	succéder à	
überliefern	transmettre	
über (+ A) **herrschen**	régner sur	**die Herrschaft/die Vorherrschaft :** la domination/ l'hégémonie
von (+ D) **zeugen**	témoigner de	
das Zeitalter (-)	l'ère	
die Blütezeit	l'apogée	
das Jahrhundert (e)	le siècle	
datieren	dater	**das Datum** (Daten) **:** la date

& Notez bien

■ Le verbe **datieren**, comme dater en français, admet une construction transitive et une construction intransitive.

aus dem 3. Jht (dritten Jahrhundert) datieren : *dater du* IIIe *siècle* [pour un objet]
etwas auf 250 nach Christus/in das 3. Jht (dritte Jahrhundert) datieren : *dater qqch de 250 apr. J.-C./du* IIIe *siècle*

Die Vorgeschichte *La Préhistoire*

die Steinzeit	*l'âge de la pierre*	
die Bronzezeit	*l'âge du bronze*	
die Eisenzeit	*l'âge du fer*	
die Höhle (n)	*la grotte*	⚲ **der Höhlenmalerei** (en) **:** *la peinture rupestre*
das Feuer	*le feu*	⚲ **der Feuerstein** (e) **:** *le silex*
der Jäger (-)	*le chasseur*	
der Sammler (-)	*le cueilleur*	
nomadisch	*nomade*	ANT. **sesshaft :** *sédentaire*

Das Altertum *L'Antiquité*

die Pyramide (n)	*la pyramide*	
die Antike	*l'Antiquité gréco-romaine*	
der griechische Tempel	*le temple grec*	
das römische Reich	*l'empire romain*	⚲ **der Römer** (-) **:** *le Romain*
der Sklave (n, n)	*l'esclave*	⚲ **die Sklaverei :** *l'esclavage*
der Untergang	*le déclin*	

Das Mittelalter *Le Moyen Âge*

mittelalterlich	*médiéval*	
der Barbar (en, en)	*le barbare*	
die Völkerwanderung	*les grandes invasions*	
die feudale Gesellschaft	*la société féodale*	
die Burg (en)	*le château-fort*	
der Ritter (-)	*le chevalier*	⚲ **der Kreuzritter :** *le croisé*
der Kreuzzug (¨e)	*la croisade*	
der Adel	*la noblesse*	⚲ **adeln :** *anoblir*

adelig	*noble*	≠ **edel :** *noble [sens moral]*
der Kaiser (-)	*l'empereur*	**kaiserlich :** *impérial*
der König (e)	*le roi*	**königlich :** *royal*
die Krone (n)	*la couronne*	**krönen :** *couronner*
der Thron (e)	*le trône*	**der Thronerbe** (n, n) **:** *l'héritier du trône*
der Untertan (en)	*le sujet*	

Die Neuzeit *Les Temps modernes*

der Erbfolgekrieg (e)	*la guerre de succession*	
der Hof (¨e)	*la cour*	**der Höfling** (e) **:** *le courtisan*
der Fürst (en, en)	*le prince*	**der Kurfürst :** *le prince électeur*
der Herzog (¨e)	*le duc*	
der Freiherr (n, en)	*le baron*	
der Graf (en, en)	*le comte*	
die Renaissance	*la Renaissance*	
die Entdeckung Amerikas	*la découverte de l'Amérique*	**entdecken :** *découvrir*
der Humanismus	*l'humanisme*	**der Humanist** (en, en) **:** *l'humaniste*
das Bürgertum	*la bourgeoisie*	
die Reformation	*la Réforme (protestante)*	

& Notez bien

■ Attention à ne pas confondre le concept historique **die Reformation** (*la Réforme*), mouvement de renouveau religieux au XVIe siècle, qui a conduit à la naissance des églises protestantes, et le mot **die Reform** (*la réforme, la modification*).

der Glaubenskrieg (e)	*la guerre de religion*	
der Dreißigjährige Krieg	*la guerre de Trente ans [1618-1648]*	
die Aufklärung	*les Lumières*	**der aufgeklärte Despot** (en, en) **:** *le despote éclairé*
Preußen	*la Prusse*	**preußisch :** *prussien*
die Befreiungskriege	*la guerre des nations [1813]*	
der Wiener Kongress	*le congrès de Vienne [1815]*	
das Industriezeitalter	*l'ère industrielle*	

die Märzrevolution	*la révolution de 1848*	
das zweite Kaiserreich	*le second Empire*	

Die neueste Zeit *L'époque contemporaine*

der erste Weltkrieg	*la Première Guerre mondiale*	
der Versailler Vertrag	*le traité de Versailles*	
der Faschismus	*le fascisme*	**faschistisch :** *fasciste*
der Nationalsozialismus	*le national-socialisme*	**nationalsozialistisch :** *national-socialiste*
das Dritte Reich	*le IIIe Reich*	
der Führer	*le führer*	
die Rassenlehre	*la doctrine raciale*	
die Judenverfolgung	*la persécution des juifs*	
das Konzentrationslager (-)	*le camp de concentration*	REM. abréviation **KZ**
die Widerstands-bewegung	*la Résistance*	**der Widerstandskämpfer** (-) **:** *le résistant*
die Nachkriegszeit	*l'après-guerre*	
die Alliierten	*les alliés*	REM. part. subst.
die Siegermacht (¨e)	*le vainqueur*	
besetzen	*occuper*	**die Besetzung :** *l'occupation*
teilen	*diviser*	**die Teilung Deutschlands :** *la division de l'Allemagne*
der kalte Krieg	*la guerre froide*	
der eiserne Vorhang	*le rideau de fer*	
die DDR	*la RDA*	
die BRD	*la RFA*	
der Mauerfall	*la chute du mur*	
die Wiedervereinigung	*la réunification*	**die Einheit :** *l'unité*

→ p. 117 (L'histoire)

☞ Le nom des grandes périodes de l'histoire

■ Les grandes périodes de l'histoire ne sont pas découpées de la même manière en allemand et en français.

– **Die Neuzeit** désigne en allemand la période s'étendant de la fin du Moyen Âge à aujourd'hui.

– On désigne par **frühe Neuzeit** la période allant de la Renaissance à la Révolution française.

– Les termes **Neuere** et **Neueste Zeit** désignent la période allant de la Révolution française à aujourd'hui.

47 Geologische Merkmale der Erde

Caractéristiques géologiques de notre planète

Der Wasserkreislauf

In höheren Luftschichten kondensiert es durch die kältere Temperatur zu Wolken
Über Land bildet sich Niederschlag in Form von Regen oder Schnee
Wasser verdunstet durch Sonneneinstrahlung
Über Bäche und Flüsse gelangt das Wasser wieder ins Meer

Le cycle de l'eau
– Chauffée par le soleil, l'eau s'évapore.
– Dans les couches supérieures de l'atmosphère, plus froides, l'eau se condense pour former des nuages.
– Sur la terre, il y a des précipitations sous forme de pluie ou de neige.
– Par les rivières et les fleuves, l'eau retourne à la mer.

Das Wasser auf der Erde *L'eau sur la planète*

das Wasser	*l'eau*	**das Grundwasser :** *les nappes phréatiques*
das Meer (e)	*la mer*	Syn. **die See** (seulement sg.) **:** *la mer*
der Meeresspiegel	*le niveau de la mer*	
der Meeresgrund	*le fond marin*	
der Ozean (e)	*l'océan*	
die Welle (n)	*la vague*	**2.** *l'onde*

die Strömung (en)	*le courant*	
die Brandung	*le déferlement des vagues, le ressac*	
die Gezeiten	*les marées*	
die Ebbe (n)	*la marée basse*	
die Flut (en)	*la marée haute*	
die Insel (n)	*l'île*	✐ **die Halbinsel :** *la péninsule la presqu'île*
der See (n)	*le lac*	

➜ p. 87 (À la mer)

& Notez bien

■ Attention à ne pas confondre **der See** (n) (*le lac*) et **die See** (seulement sg.) (*la mer*).

der Teich (e)	*l'étang*	
der Sumpf (¨e)	*le marais*	
der Fluss (¨e)	*le fleuve*	✐ **das Flussbett :** *le lit du fleuve*
der Bach (¨e)	*la rivière, le ruisseau*	✐ **der Sturzbach :** *le torrent*
das Hochwasser (-)	*la crue*	
die Überschwemmung (en)	*l'inondation*	✐ **überschwemmen :** *inonder*
über die Ufer treten (a, e, i/ist)	*déborder*	
die Quelle (n)	*la source*	
entspringen (a, u/ist)	*prendre sa source*	
die Mündung (en)	*l'estuaire*	✐ **in** (+ A) **münden :** *se jeter dans*
der Wasserfall (¨e)	*la cascade, la chute d'eau*	
das Ufer (-)	*le rivage*	
die Brücke (n)	*le pont*	
die Schleuse (n)	*l'écluse*	
die Wüste (n)	*le désert*	
die Oase (n)	*l'oasis*	

☞ Quelques cours d'eau, lacs et mers

Quelques noms

- de cours d'eau : **der Rhein** (*le Rhin*), **die Elbe** (*l'Elbe*), **die Donau** (*le Danube*).
- de lacs : **der Bodensee** (*le lac de Constance*), **der Genfer See** (*le lac Léman*).
- de mers : **die Ostsee** (*la mer Baltique*), **die Nordsee** (*la mer du Nord*).

Die Geländeformen Le relief

das Gebirge (-)	*la montagne [région]*	
der Berg (e)	*le mont*	**2.** *la montagne [isolée]* ✐ **die Bergkette :** *la chaîne de montagnes*
die Höhe (n)	*la hauteur*	✐ **hoch :** *élevé*
der Gipfel (-)	*le sommet*	
der Kamm (¨e)	*la crête*	
der Grat (e)	*l'arête*	
der Kessel (-)	*le cirque*	
die Schlucht (en)	*la gorge*	
die Kluft (¨e)	*le gouffre*	
die Felswand (¨e)	*la falaise, la paroi rocheuse*	
der Gletscher (-)	*le glacier*	
der Hügel (-)	*la colline*	
das Tal (¨er)	*la vallée*	
die Ebene (n)	*la plaine*	
flach	*plat*	ANT. **bergig :** *montagneux*
steil	*escarpé, raide*	
schroff	*abrupt, à pic*	
sanft ansteigend	*en pente (montante) douce*	
ab/fallen (ie, a, ä/ist)	*descendre [pour un terrain]*	

→ p. 87 (À la montagne)

Quelques montagnes

■ Quelques noms de massifs ou chaînes montagneuses : **die Alpen** (les Alpes), **die Pyrenäen** (les Pyrénées), **die Vogesen** (les Vosges), **der Schwarzwald** (la Forêt Noire).
■ Le sommet le plus élevé d'Allemagne, le **Zugspitze** (2 962 m), se trouve dans les Alpes bavaroises.

Die Bodenschätze Les richesses du sous-sol

das Erz (e)	*le minerai*	✐ ~ **ab/bauen :** *exploiter du minerai*
das Metall (e)	*le métal*	✐ **metallen :** *en métal*
das Mineral (ien)	*le minéral*	
das Gold	*l'or*	✐ **golden :** *doré, en or*
das Silber	*l'argent*	✐ **das Quecksilber :** *le mercure*
das Eisen	*le fer*	

das Blei	le plomb	**bleiern :** en plomb
das Kupfer	le cuivre	**kupfern :** en cuivre
das Zink	le zinc	**zinken :** en zinc
das Uran	l'uranium	
das Gestein	la pierre	
der Marmor	le marbre	**marmorn :** en marbre
die Kreide	la craie	
der Schiefer	l'ardoise, le schiste	
der Diamant (en, en)	le diamant	
das Salz	le sel	
die Kohle	le charbon	**die Steinkohle/die Braunkohle :** la houille/la lignite
das Erdöl	le pétrole	
das Erdgas	le gaz naturel	

→ p. 163 (Les énergies fossiles)

Vulkanische und seismische Phänomene
Les phénomènes volcaniques et sismiques

der Vulkan (e)	le volcan	**ein noch tätiger ~ :** un volcan en activité
aus/brechen (a, o, i/ist)	entrer en éruption	**der Vulkanausbruch** (¨e) **:** l'éruption volcanique
erlöschen (o, o, i/ist)	s'éteindre	
die Lava	la lave	
die Asche (n)	la cendre	
der Rauch	la fumée	
der Krater (-)	le cratère	
der Bimsstein (e)	la pierre ponce	
das Erdbeben (-)	le tremblement de terre	**das Seebeben :** le séisme sous-marin
die Flutwelle (n)	le raz-de-marée	
der Tsunami (s)	le tsunami	
das Epizentrum (Epizentren)	l'épicentre	
das Nachbeben (-)	la réplique	
die Erdkruste	la croûte terrestre	
der Erdmantel	le manteau terrestre	
die Erdplatte (n)	la plaque terrestre	
die Richterskala	l'échelle de Richter	**auf der ~ :** sur l'échelle de Richter

48 Klima und Wetter

Le climat et le temps qu'il fait

Vivement la fin de la canicule !

Das Klima, die Klimazonen

Le climat, les zones climatiques

das Klima (ta)	le climat	**das Kontinentalklima/das tropische ~/das gemäßigte ~ :** le climat continental/tropical/tempéré
die Breite (n)	la latitude	**in diesen Breiten :** sous ces latitudes
die Vegetation	la végétation	
der Äquator	l'Équateur	
die Tropen	les Tropiques	
der Regenwald	la forêt tropicale	
der Urwald	la forêt vierge	
der Dschungel	la jungle	

die Regenzeit	*la saison des pluies*	ANT. **die Trockenzeit :** *la saison sèche*
die Nadelwälder	*les forêts de conifères*	✐ **die Laubwälder :** *les forêts de feuillus*
die Savanne (n)	*la savane*	
die Steppe (n)	*la steppe*	
die Wüste (n)	*le désert*	
der Pol (e)	*le pôle*	✐ **der Polarkreis** (e) **:** *le cercle polaire*
die Arktis	*l'Arctique*	✐ **die Antarktis :** *l'Antarctique*

Die Wetterkunde *La météorologie*

das Wetter	*le temps [qu'il fait]*	✐ **bei dem ~ :** *par ce temps*
der Wetterbericht (e)	*le bulletin météorologique*	
die Wettervorhersage (n)	*la prévision météorologique*	
der Himmel	*le ciel*	
das Hoch (s)	*l'anticyclone*	ANT. **das Tief** (s) **:** *la dépression*
das Barometer (-)	*le baromètre*	

Das schöne Wetter *Le beau temps*

schön	*beau*	SYN. **heiter** *[beau temps ensoleillé]*
klar	*clair*	✐ **sich auf/klären :** *s'éclaircir*
die Sonne	*le soleil*	✐ **in der ~ :** *au soleil*
sonnig	*ensoleillé*	✐ **der Sonnenstrahl** (en) **:** *le rayon de soleil*
scheinen (ie, ie)	*briller [soleil]*	
trocken	*sec*	✐ **die Trockenheit :** *la sécheresse*
der Schatten (-)	*l'ombre*	✐ **im ~ :** *à l'ombre*

Das schlechte Wetter *Le mauvais temps*

schlecht	*mauvais*	SYN. **scheußlich**
wechselhaft	*variable*	
durchwachsen	*changeant*	
bedeckt	*couvert*	
feucht	*humide*	✐ **die Feuchtigkeit :** *l'humidité*
nass	*mouillé*	✐ **nasskalt :** *froid et humide*
die Wolke (n)	*le nuage*	✐ **wolkig, bewölkt :** *nuageux*

der Nebel (-)	le brouillard	**Es ist neblig.** Il y a du brouillard.
der Wind (e)	le vent	**Es ist windig.** Il y a du vent. **Der Wind frischt auf.** Le vent se lève.
die Bö (en)	la rafale	
wehen	souffler [vent]	**blasen** (ie, a, ä) **:** souffler fort [pour le vent]
sich legen	tomber [vent]	
die Niederschläge	les précipitations	
der Regen (-)	la pluie	**der Regenbogen :** l'arc-en-ciel
der Regenschauer (-)	l'averse	
der Sturm (¨e)	la tempête	
das Gewitter (-)	l'orage	
der Blitz (e)	l'éclair, la foudre	
der Donner	le tonnerre	**donnern :** tonner
die Sintflut (en)	le déluge	
regnen	pleuvoir	**regnerisch :** pluvieux
nieseln	bruiner	
tröpfeln	tomber quelques gouttes	**der Tropfen** (-) **:** la goutte
nach/lassen (ie, a, ä)	retomber, diminuer d'intensité	
auf/hören	s'arrêter	
der Hagel	la grêle	**hageln :** grêler
der Hagelschauer, der Graupelschauer (-)	la giboulée	
der Schnee	la neige	**der Schneesturm** (¨e) **:** la tempête de neige
schneien	neiger	

Expressions

in Strömen regnen/gießen (o, o) **:** pleuvoir/tomber des cordes • **kübeln** *(fam.)* **:** tomber des seaux • **die Waschküche** *(fam.)* **:** la purée de pois [brouillard épais] • **ein Sauwetter** *(fam.)* **:** un temps de chien • **das Eis brechen** (a, o, i) **:** briser la glace • **etwas auf Eis legen :** geler qqch • **hundekalt sein** *(fam.)* **:** faire un froid de canard • **Stein und Bein frieren** (o, o) *(fam.)* **:** geler à pierre fendre • **Donnerwetter!** *(fam.)* Bigre !

Die Temperaturen Les températures

die Temperatur (en)	la température	**Tiefsttemperaturen/ Höchsttemperaturen (bei) :** températures minimales/maximales (de)
das Thermometer (-)	le thermomètre	

sinken (a, u/ist)	*chuter*	Ant. **steigen** (ie, ie/ist) : *augmenter*
der Grad	*le degré*	
die Luft	*l'air*	
mild	*doux*	
warm	*chaud*	⇨ **die Wärme :** *la chaleur*
heiß	*très chaud*	⇨ **die Hitze :** *la grosse chaleur*
schwül	*lourd*	⇨ **die Schwüle :** *le temps lourd*
frisch	*frais*	Syn. **kühl** : *frais, froid*
kalt	*froid*	⇨ **die Kälte :** *le froid*
das Eis	*la glace*	⇨ **das Glatteis :** *le verglas*
schmelzen (o, o, i/ist)	*fondre*	
frieren (o, o/ist, hat)	*geler*	⇨ **der Frost :** *le gel*
der Reif	*le givre*	
der Tau	*la rosée*	⇨ **tauen :** *fondre [neige]*
das Tauwetter	*le dégel*	

& Notez bien

Le verbe **frieren** peut s'employer avec l'auxiliaire **sein** ou avec l'auxiliaire **haben** suivant son sens.

- Si **frieren** exprime une température, il est construit avec **haben**.
  Heute Nacht hat es gefroren. *Cette nuit, il a gelé.*
- On emploie aussi l'auxiliaire **haben** lorsque **frieren** signifie *avoir froid*.
  Ich habe gefroren. *J'ai eu froid.*
  Ich habe an den Füßen gefroren. *J'ai eu froid aux pieds.*
- Si **frieren** exprime un processus de transformation (passage de l'état liquide à l'état solide), il est construit avec **sein**.
  Das Wasser ist gefroren. *L'eau a gelé.*

49 Kontinente und Länder

Continents et pays

der Erdteil (e)	le continent	SYN. **der Kontinent** (e)
die Halbkugel (n)	l'hémisphère	✐ **die nördliche/südliche ~ der Erde :** l'hémisphère Nord/Sud de la Terre
der Norden	le Nord	✐ **nördlich :** nord, au nord
der Süden	le Sud	✐ **südlich :** sud, au sud
der Osten	l'Est	✐ **östlich :** est, à l'est
der Westen	l'Ouest	✐ **westlich :** ouest, à l'ouest
das Festland	la terre ferme	
Übersee	outre-mer	REM. loc. prép. **in Übersee, nach Übersee**
heimisch	local, du pays	✐ **der Einheimische** (adj. subst.) **:** l'autochtone
der Eingeborene	l'indigène	REM. adj. subst.
die Kolonie (n)	la colonie	✐ **die Kolonisation :** la colonisation

Länder und Einwohner *Pays et habitants*

Afrika *L'Afrique*

afrikanisch	*africain*	**der Afrikaner** (-) **:** *l'Africain*
Ägypten	*l'Égypte*	**der Ägypter** (-) **:** *l'Égyptien*
Algerien	*l'Algérie*	**der Algerier** (-) **:** *l'Algérien*
Äthiopien	*l'Éthiopie*	**der Äthiopier** (-) **:** *l'Éthiopien*
die Elfenbeinküste	*la Côte d'Ivoire*	
(der) Kongo	*le Congo*	**der Kongolese** (n, n) **:** *le Congolais*
Marokko	*le Maroc*	**der Marokkaner** (-) **:** *le Marocain*
Ruanda	*le Ruanda*	**der Ruandaner** (-) **:** *le Ruandais*
(der) Senegal	*le Sénégal*	**der Senegalese** (n, n) **:** *le Sénégalais*
Südafrika	*l'Afrique du Sud*	**der Südafrikaner** (-) **:** *le Sud-Africain*
(der) Sudan	*le Soudan*	**der Sudanese** (n, n) **:** *le Soudanais*
Tunesien	*la Tunisie*	**der Tunesier** (-) **:** *le Tunisien*
Nordafrika	*l'Afrique du Nord*	**der Nordafrikaner** (-) **:** *l'Africain du Nord*
Schwarzafrika	*l'Afrique noire*	
der Maghreb	*le Maghreb*	**der Maghrebiner** (-) **:** *le maghrébin*
die Straße von Gibraltar	*le détroit de Gibraltar*	
der Nil	*le Nil*	
der Viktoriasee	*le Lac Victoria*	
die Sahara	*le Sahara*	

Amerika *L'Amérique*

amerikanisch	*américain*	**der Amerikaner** (-) **:** *l'Américain*
Argentinien	*l'Argentine*	**der Argentinier** (-) **:** *l'Argentin*
Brasilien	*le Brésil*	**der Brasilianer** (-) **:** *le Brésilien*
Chile	*le Chili*	**der Chilene** (n, n) **:** *le Chilien*
Kanada	*le Canada*	**der Kanadier** (-) **:** *le Canadien*
Mexiko	*le Mexique*	**der Mexikaner** (-) **:** *le Mexicain*
Peru	*le Pérou*	**der Peruaner** (-) **:** *le Péruvien*
die Vereinigten Staaten	*les États-Unis*	SYN. **die USA :** *les USA*
Nordamerika	*l'Amérique du Nord*	

LEXIQUE THÉMATIQUE

die Landenge von Panama	le détroit de Panama	
die Karibik	les Caraïbes	
Lateinamerika	l'Amérique latine	
Amazonien	l'Amazonie	
die Anden	les Andes	
das Inka-Reich	l'Empire inca	
der Indianer (-)	l'Indien d'Amérique	

Asien L'Asie

asiatisch	asiatique	**der Asiate** (n, n) **:** l'Asiatique
China	la Chine	**die Volksrepublik** ~ **:** la République populaire de Chine **der Chinese** (n, n) **:** le Chinois
Indien	l'Inde	**der Inder** (-) **:** l'Indien
Irak	l'Irak	**der Iraker** (-) **:** l'Irakien
Iran	l'Iran	**der Iraner** (-) **:** l'Iranien
Israel	Israël	**der Israeli** (-/s) **:** l'Israélien
Japan	le Japon	**der Japaner** (-) **:** le Japonais
Pakistan	le Pakistan	**der Pakistaner** (-) **:** le Pakistanais
Saudi-Arabien	l'Arabie saoudite	
Sibirien	la Sibérie	
Vietnam	le Vietnam	**der Vietnamese** (n, n) **:** le Vietnamien
der Himalaya	l'Himalaya	
der Mount-Everest	le mont Everest	

Europa L'Europe

europäisch	européen	**der Europäer** (-) **:** l'Européen
Belgien	la Belgique	**der Belgier** (-) **:** le Belge
Dänemark	le Danemark	**der Däne** (n, n) **:** le Danois
Deutschland	l'Allemagne	**der Deutsche** (adj. subst.) **:** l'Allemand
Finnland	la Finlande	**der Finne** (n, n) **:** le Finlandais
Frankreich	la France	**der Franzose** (n, n) **:** le Français
Griechenland	la Grèce	**der Grieche** (n, n) **:** le Grec
Großbritannien	la Grande-Bretagne	**der Brite** (n, n) **:** le Britannique
Irland	l'Irlande	**der Ire** (n, n) **:** l'Irlandais
Italien	l'Italie	**der Italiener** (-) **:** l'Italien

Luxemburg	le Luxembourg	**der Luxemburger** (-) **:** le Luxembourgois
die Niederlande	les Pays-Bas	**der Niederländer** (-) **:** le Néerlandais
Norwegen	la Norvège	**der Norweger** (-) **:** le Norvégien
Österreich	l'Autriche	**der Österreicher** (-) **:** l'Autrichien
Polen	la Pologne	**der Pole** (n, n) **:** le Polonais
Portugal	le Portugal	**der Portugiese** (n, n) **:** le Portugais
Rumänien	la Roumanie	**der Rumäne** (n, n) **:** le Roumain
Russland	la Russie	**der Russe** (n, n) **:** le Russe
Schweden	la Suède	**der Schwede** (n, n) **:** le Suédois
die Schweiz	la Suisse	**der Schweizer** (-) **:** le Suisse
Spanien	l'Espagne	**der Spanier** (-) **:** l'Espagnol
Tschechien	la Tchéquie	**der Tscheche** (n, n) **:** le Tchèque
die Türkei	la Turquie	**der Türke** (n, n) **:** le Turc
Osteuropa	l'Europe de l'Est	
Westeuropa	l'Europe de l'Ouest	

Australasien *L'Australasie*

Australien	l'Australie	
australisch	australien	**der Australier** (-) **:** l'Australien
Neuseeland	la Nouvelle-Zélande	**der Neuseeländer** (-) **:** le Néo-zélandais
Indonesien	l'Indonésie	
Polynesien	la Polynésie	
Tasmanien	la Tasmanie	
die Aborigines	les Aborigènes	

& Notez bien

■ Comme les noms de continents, les noms de pays sont généralement neutres. Ils sont employés sans article, sauf si on les caractérise à l'aide d'un adjectif ou d'un complément **(das alte Europa, das Deutschland der Zukunft)**.
La relation directive s'exprime avec la préposition **nach (nach Deutschland fahren)**, la relation locative avec la préposition **in (in Europa wohnen)**.
Les noms de pays féminins et masculins (plus rares) s'emploient avec l'article défini. La relation directive s'exprime avec la préposition **in** suivie de l'accusatif **(in die Türkei fliegen)**, la relation locative avec la même préposition suivie du datif **(in der Schweiz wohnen)**.

50 Die Erde im Weltall

La Terre dans l'Univers

Il y a quelqu'un?

Das Weltall L'Univers

der Weltraum	*l'espace*	
der Himmel	*le ciel*	
der Stern (e)	*l'étoile*	**die Sternschnuppe** (n) **:** *l'étoile filante*
der Komet (en, en)	*la comète*	
der Planet (en, en)	*la planète*	**der blaue ~ :** *la planète bleue*
der Ring (e)	*l'anneau*	
die Milchstraße	*la Voie lactée*	
das Lichtjahr (e)	*l'année-lumière*	**viele Lichtjahre entfernt sein :** *être à des années-lumière*
das schwarze Loch	*le trou noir*	
der Urknall	*le big bang*	**der Knall :** *la détonation*
unendlich	*infini*	

die Sternwarte (n)	*l'observatoire*	
der Astronom (en, en)	*l'astronome*	
das Fernrohr (e)	*la lunette*	SYN. **das Teleskop** (e) **:** *le télescope*
beobachten	*observer*	
mit bloßem Auge sehen (a, e, ie)	*voir à l'œil nu*	
sichtbar	*visible*	ANT. **unsichtbar :** *invisible*

Expressions

Sterne sehen (a, e, ie) **:** voir *trente-six chandelles* (après avoir pris un coup) • **in den Sternen stehen** (a, a) **:** *être très incertain* • **für jdn die Sterne vom Himmel holen wollen :** *vouloir décrocher la lune pour qqn* • **Du lieber Himmel!** Bon sang!/Mon Dieu ! (expression d'étonnement, de consternation) • **Himmel, Sack Zement!** : *Saperlipopette !* • **Es ist noch kein Meister vom Himmel gefallen.** *Paris ne s'est pas fait en un jour.* • **Himmel und Erde in Bewegung setzen :** *remuer ciel et terre*

der Satellit (en, en)	*le satellite*	
die Rakete (n)	*la fusée*	**2.** *le missile*
das Raumschiff (e)	*le vaisseau spatial*	
die Raumfähre (n)	*la navette spatiale*	
der Astronaut (en, en)	*l'astronaute*	SYN. **der Raumfahrer** (-)
die Schwerkraft	*la pesanteur*	
schwerelos	*en apesanteur*	✐ ~ **schweben :** *flotter, planer en apesanteur*
auf dem Mond landen (ist)	*atterrir sur la Lune*	✐ **die Mondlandung** (en) **:** *l'atterrissage sur la Lune*
den Fuß auf den Mond setzen	*poser le pied sur la Lune*	
die Eroberung des Weltraums	*la conquête spatiale*	
erforschen	*explorer*	
das UFO (s)	*l'OVNI*	
der Außerirdische	*l'extra-terrestre*	REM. adj. subst.

& Notez bien

■ Attention à la déclinaison des noms masculins faibles. Ils portent la marque **-en** à tous les cas sauf au nominatif singulier.

■ Généralement les masculins faibles désignent des êtres humains (**die Astronauten, die Astronomen**) mais ils peuvent aussi désigner des objets (**die Planeten, die Satelliten**) ou des animaux (**die Bären, die Affen**).

Das Sonnensystem *Le système solaire*

die Sonne (n)	*le Soleil*	**die Sonnenfinsternis** (se) **:** *l'éclipse de soleil*
auf/gehen (i, a/ist)	*se lever [Soleil]*	**der Sonnenaufgang** (¨e) **:** *le lever du soleil*
unter/gehen (i, a/ist)	*se coucher [Soleil]*	**der Sonnenuntergang** (¨e) **:** *le coucher du soleil*
der Mond (e)	*la Lune*	**der Vollmond/der Neumond :** *la pleine lune/la nouvelle lune*
leuchten	*luire*	**etwas beleuchten :** *éclairer qqch*
scheinen (ie, ie)	*briller*	**der Mondschein :** *le clair de lune*
um die Sonne kreisen	*graviter autour du Soleil*	
die Erde	*la Terre*	
(der) Mars	*Mars*	**der Marsmensch** (en, en) **:** *le Martien*
die Astrologie	*l'astrologie*	
der Astrologe (n, n)	*l'astrologue*	SYN. **der Sterndeuter** (-)
das Sternzeichen (-)	*le signe astrologique*	SYN. **das Tierkreiszeichen** (-) **:** *le signe du zodiaque*
das Horoskop (e)	*l'horoscope*	

& Notez bien

- Voici les noms des signes astrologiques en allemand : **der Widder** (*Bélier*), **der Stier** (*Taureau*), **die Zwillinge** (*Gémeaux*), **der Krebs** (*Cancer*), **der Löwe** (*Lion*), **die Jungfrau** (*Vierge*), **die Waage** (*Balance*), **der Skorpion** (*Scorpion*), **der Schütze** (*Sagittaire*), **der Steinbock** (*Capricorne*), **der Wassermann** (*Verseau*), **die Fische** (*Poissons*).
- Pour indiquer le signe astrologique de quelqu'un :
  Sie ist (ein) Widder. *Elle est Bélier.*

GUIDE DE COMMUNICATION

1 Saluer, prendre congé

Vor der Prüfung
Martin 'Morgen, Mutti!
Mutter 'Morgen, Martin! Gut geschlafen?
Martin Nein... du weißt doch, dass ich heute eine Matheprüfung habe.
Mutter Du Ärmster! Da solltest du aber gut frühstücken!
Martin Nee, dazu bin ich zu nervös. Ich muss auch gleich los!
Mutter Na gut, wenn du meinst. Rufst du mich nach der Prüfung im Büro an?
Martin OK, ich melde mich. Bis dann!
Mutter Tschüs, mein Junge, mach's gut!

@ www.bescherelle.com

Modèle général

Guten Morgen!/Guten Tag!/Guten Abend!
Bonjour ! [seulement le matin] Bonjour ! [toute la journée] Bonsoir !

Hallo!/Tschüs!
Salut ! [pour saluer] *Salut !* [pour prendre congé]

Auf Wiedersehen! *ou* **Auf Wiederschauen!** (All. du Sud et Autr.)
Au revoir !

Dans la rue, à la maison, dans un lieu public, au bureau

S'adresser à quelqu'un de connu

Tag, Michael! *ou* **Hallo, Michael!**
Grüß dich, Michael! *ou* **Grüß Gott, Michael!** (All. du Sud)
Salut, Michael !

'n Abend, Vati! [uniquement le soir]
Salut, papa !

Prendre congé de quelqu'un de connu

Tschüs, Mutti, bis morgen/bis später/bis Montag/bis bald!
Salut, maman, à demain/à tout à l'heure/à lundi/à bientôt !

Servus, Christine! (All. du Sud et Autr.) *Salut, Christine !*

Auf Wiedersehen, Herr Neumer. *Au revoir, Monsieur Neumer.*

Einen schönen Gruß an Ihre Frau.
Transmettez mon bonjour à votre femme.

S'adresser à, prendre congé de quelqu'un d'inconnu

Entschuldigen Sie bitte, könnten Sie mir sagen...
Verzeihung bitte, könnten Sie mir sagen...
Bonjour, excusez-moi, pourriez-vous me dire...

Danke sehr. Auf Wiedersehen! *ou*
Danke schön. Auf Wiederschauen! (All. du Sud et Autr.)
Je vous remercie beaucoup. Au revoir !

Dans un discours

S'adresser au public

Liebe Freunde! *Chers amis,*

Liebes Publikum! *Cher public,*

Meine Damen und Herren!
Mesdames et Messieurs,

Prendre congé du public

Ich danke Ihnen für Ihre Aufmerksamkeit.
Je vous remercie de votre attention.

Au téléphone

S'adresser à son interlocuteur

Helmut Werner am Apparat! *ou* **Werner!** *ou* **Hier ist Helmut Werner!**
Helmut Werner à l'appareil !

Demander à parler à quelqu'un

Guten Tag, hier spricht Susanne Meier, könnte ich bitte (mit) Anna sprechen?
Bonjour, Suzanne Meier à l'appareil, pourrais-je parler à Anna ?

Könnten Sie mich mit Herrn Werner verbinden?
Pourriez-vous me passer M. Werner?

Prendre congé de son interlocuteur

Auf Wiederhören! *Au revoir!*

→ p. 147 (Le téléphone)
→ p. 254 (S'informer, informer au téléphone)

☞ Au téléphone

■ Contrairement aux Français, qui décrochent en se contentant d'un *allô* impersonnel, les Allemands, Autrichiens et Suisses se présentent lorsqu'ils décrochent le téléphone.
La personne qui téléphone se présente également à son interlocuteur.
Au téléphone, on n'utilise **Hallo!** qu'en cas de parasites sur la ligne (difficultés de compréhension).

■ On épelle généralement les numéros de téléphone unité après unité : 334751 = **drei-drei-vier-sieben-fünf-eins.** Pour éviter de confondre **zwei** et **drei**, on prononce souvent **zwo** pour **zwei**.
Pour éviter de confondre **Juni** (juin) et **Juli** (juillet), on prononce ***Juno*** (pour **Juni**) et ***Julei*** (pour **Juli**).

Dans une lettre

S'adresser à son correspondant

Lieber Vati *Cher papa*

Hallo Karin *Salut Karin*

Liebe Frau Sommer *Chère Madame Sommer*

Sehr geehrter Herr Schmidt *(sout.)* *Monsieur*

Sehr geehrte Frau Müller *(sout.)* *Madame*

Sehr geehrte Damen und Herren *(sout.)* *Madame, Monsieur*

Hallo, ihr Lieben *Chers vous tous*

☞ Écrire une lettre ou un courriel

■ Il existe deux modalités dans le début de lettre :

– point d'exclamation après la formule et majuscule au premier mot de la première phrase :

Liebe Mutti!
Ich...

– virgule après la formule et minuscule au premier mot de la première phrase :

Liebe Mutti,
ich...

■ L'adresse sur l'enveloppe se dispose généralement de la manière suivante :

Herrn Jürgen Schneider
Schillerstraße 5
04347 Leipzig

Notez la forme **Herrn** à l'accusatif (on s'adresse à quelqu'un).
Notez la place du numéro de la rue.

■ La date sur la lettre s'exprime de la manière suivante :

Köln, den 12. April 2008

Notez l'accusatif **den** et le point après le chiffre du jour **(den zwölften...)**

■ Dans les courriels et les SMS, les formulations sont souvent plus familières (**Hallo**, **Hi** pour *saluer*, **Tschüs** pour *terminer*), et on peut rencontrer des abréviations pour des expressions allemandes ou anglaises, par exemple : **MFG** pour **Mit freundlichen Grüßen**, **LG** pour **Liebe Grüße**, **CU** pour **See you** (À *bientôt* en anglais). Mais ce sont évidemment des pratiques à éviter pour les courriels officiels !

Prendre congé de son correspondant

Les formules suivantes représentent les formules finales les plus courantes. Elles ne peuvent être traduites mot à mot en français.

Viele liebe Grüße und Küsse
dein/deine
(*signature*)

Mit herzlichen Grüßen *ou* **Mit herzlichem Gruß**
dein/deine
(*signature*)

Mit ganz herzlichen Grüßen an die ganze Familie
dein/deine
(*signature*)

Alles Liebe und Gute *(affectueux)*
(*signature*)

Tschüs *(fam.)*
(signature)

Mit freundlichen Grüßen *(sout.) (comm.)*
(signature)

Hochachtungsvoll *(sout.) (comm.)*
(signature)

Mit freundlicher Empfehlung *(comm.)*
(signature)

L'abréviation *i. A.*

■ La signature précédée de l'abréviation **i. A. (im Auftrag)** signifie que le signataire signe la lettre *par ordre* (p. o.).

Lexique

Verbes et expressions

jdn grüßen
donner le bonjour à qqn

jdn begrüßen
saluer qqn

sich (A) **von jdm verabschieden**
prendre congé de qqn

jdm zu/winken
saluer qqn d'un geste de la main

Noms

der Gruß (¨e)
le salut

die Grußformel (n)
la formule de salutation

Traduction du texte p. 220
Avant l'examen / **Martin** Bonjour, Maman ! / **Mère** Bonjour, Martin ! Bien dormi ? / **Martin** Non... tu sais bien que j'ai un examen de math aujourd'hui. / **Mère** Mon pauvre ! / Tu ferais bien de prendre un bon petit déjeuner alors ! **Martin** Non, je suis trop nerveux. De toute façon, faut que j'y aille ! **Mère** Bon, si tu veux. Tu m'appelleras au bureau après ton examen ? / **Martin** OK, je te ferai signe. À plus tard ! / **Mère** Salut, mon garçon, bonne chance !

2 Présenter, se présenter

Der neue Kollege
– Darf ich Ihnen unseren neuen Mitarbeiter vorstellen? Herr Walter wird sich von nun an um die Buchhaltung unserer Filiale kümmern.
– Und dies, Herr Walter, sind Ihre Kollegen: Frau König und Herr Schalk. Frau Miehlke kennen Sie bereits, nicht wahr?

@ www.bescherelle.com

Modèle général

Ich möchte dir/euch/Ihnen Herrn Weber vorstellen.
Je voudrais te/vous présenter Monsieur Weber.

Darf ich mich vorstellen:
Ich bin Herr Winter, der Stellvertreter von Frau Meyer.
Permettez-moi de me présenter :
je suis Monsieur Winter. Je remplace Madame Meyer.

Ich heiße... *Je m'appelle...*

Mein Name ist... *Mon nom est...*

Darf ich vorstellen: Herr Albers. *ou*
Darf ich bekanntmachen: Herr Albers.
Est-ce que je peux faire les présentations : Monsieur Albers.

Das ist Herr Schmidt! *Voici Monsieur Schmidt !*

Kennen Sie Frau Schmidt? *Vous connaissez Madame Schmidt ?*

Darf ich dir/euch/Ihnen Michael/Herrn/Frau... vorstellen?
Est-ce que je peux te/vous présenter Michael/Monsieur/Madame... ?

➔ p. 13 (L'identité) ➔ p. 279 (Dire qu'on connaît une personne)

☞ ***Frau* versus *Fräulein***

■ L'appellation **Frau** à tendance à se généraliser au détriment de **Fräulein**.

Se présenter dans son curriculum vitæ

Lebenslauf

Michael Schmidt
Schillerstr. 35
6000 Frankfurt/Main 1
Tel. 0 69/18 19 20 (privat)
E-mail : michaelschmidt@t-online.de

Persönliche Daten

geboren am	10. 5. 1965
in	Frankfurt/Main
Familienstand	ledig
Staatsangehörigkeit	deutsch

Ausbildungsdaten

Schulausbildung	1972-1975 Grundschule in München 1975-1984 Pestalozzi-Gymnasium in Augsburg Abschluss: Abitur
Berufsausbildung	1985-1987 Lehre als Industriekaufmann, Firma Möller, Ingolstadt, Textilunternehmen (ca. 250 Mitarbeiter)
Hochschulstudium	1987-1991 Betriebswirtschaft, Universität Frankfurt/Main Abschluss: Diplom-Kaufmann
Wehrdienst	1991-1992

Weitere Qualifikationen

Sprachen	Französisch und Englisch sehr gut in Wort und Schrift
Hobbys	Schach, Jazz

Berufspraxis

1992-1996	Leiter des Finanz- und Rechnungswesens, Firma Hartig, Bielefeld, ca. 300 Mitarbeiter.
seit 1996	Leiter der kaufmännischen Verwaltung des Handelsunternehmens Bergmann in Hamburg.
Einkommen zur Zeit	45.000 Euro, Firmenwagen zur privaten Nutzung, plus erfolgsabhängige Prämie
Frühester Eintrittstermin	1.7.2008
(Datum)	(Unterschrift)

➜ p. 13 (L'identité)

Lexique

Verbes et expressions
jdn vor/stellen
présenter qqn
jdn mit jdm bekannt machen
présenter qqn à qqn

jdn kennen lernen
faire la connaissance de qqn

Noms
der Freund (e), **die Freundin** (nen)
l'ami, l'amie

der, die Bekannte *(part. subst.)*
la personne qu'on connaît, la connaissance

Traduction du texte p. 225
Le nouveau collègue / – Je me permets de vous présenter notre nouveau collaborateur. M. Walter va dorénavant prendre en charge la comptabilité de notre succursale. / – Et voici vos collègues, M. Walter : Mme König et M. Schalk. Quant à Mme Miehlke, je crois que vous la connaissez déjà, n'est-ce pas ?

3 Remercier

Das Portemonnaie
– Hallo, warten Sie, Sie haben ihr Portemonnaie vergessen! Hier, bitte sehr!
– Oh, vielen Dank! Da habe ich aber Glück gehabt! Das ist wirklich sehr nett von Ihnen!
– Nichts zu danken, gern geschehen!

@ www.bescherelle.com

Modèle général

Danke! *Merci !*

Vielen Dank! *ou* **Danke schön!** *ou* **Danke sehr!**
Besten Dank! *ou* **Schönen Dank!**
Herzlichen Dank!
Merci beaucoup !

Das ist aber nett von dir/Ihnen. Ich danke dir/Ihnen.
C'est vraiment gentil de ta/votre part. Je te/vous remercie.

(Wie geht's?) Danke gut. (Comment ça va ?) Bien merci.

Bitte schön! *ou* **Bitte sehr!** *Je vous en prie!*

Nichts zu danken! *ou* **Keine Ursache!** *Il n'y a pas de quoi !*

Gern geschehen! *Tout le plaisir était pour moi !*
➔ p. 325 (Exprimer sa gratitude)

Au téléphone, dans une lettre

Ich danke dir/euch/Ihnen sehr herzlich.
Ich möchte mich bei dir/euch/Ihnen sehr herzlich bedanken.
Ich habe mich sehr gefreut.
Je te/vous remercie beaucoup. Cela m'a fait très plaisir.

Pour un cadeau

Mensch, das ist ja toll! Wo hast du denn das entdeckt? Tausend Dank!
Waouuuh, c'est génial ! Où est-ce que tu as trouvé ça ? Mille mercis !

Ach ist die Kette schön! Da hast du genau meinen Geschmack getroffen. Hab' vielen Dank!
Qu'il est beau ce collier ! C'est exactement ce que j'aime. Je te remercie beaucoup.

Lexique

Verbes et expressions
jdm danken
remercier qqn
jdm für etwas (A) **danken, sich** (A) **bei jdm für etwas** (A) **bedanken**
remercier qqn de qqch

Noms
der Dank
les remerciements
die Dankbarkeit
la reconnaissance

Traduction du texte p. 227
Le porte-monnaie / – Hé, attendez, vous avez oublié votre porte-monnaie! / – Oh, merci beaucoup! Quel coup de chance! C'est vraiment gentil de votre part! / – Je vous en prie, il n'y a pas de quoi!

4 Féliciter, formuler des vœux

Die Belohnung
Vater Liebe Maria! Herzlichen Glückwunsch zu deinem Examen! Die ganze Familie wünscht dir viel Glück bei der Stellungssuche... und viel Spaß in Paris!
Tochter Mensch Papa, das ist ja toll! Eine Parisreise!
@ www.bescherelle.com

Modèle général

Gratuliere! *ou* **Gratulation!** *Je te félicite! ou* Félicitations !

Herzlichen Glückwunsch! *Toutes mes félicitations!*

Ich wünsche dir/euch/Ihnen alles Gute! *Tous mes vœux!*

Pour les fêtes

Frohe Weihnachten!/Frohe Ostern! *Joyeux Noël!/Joyeuses Pâques!*

Ich wünsche dir ein gutes neues Jahr!
Je te souhaite une bonne année!

Einen guten Rutsch ins Neue Jahr! *Bonnes fêtes de fin d'année !*

Ich wünsche Ihnen alles Gute zum Neuen Jahr!
Je vous souhaite une bonne et heureuse année!

Schöne Feiertage! *Bonnes Fêtes!*
→ p. 109 (Fêtes et traditions)

& Notez bien

■ À l'origine, **Ostern** et **Weihnachten** étaient des pluriels. On dit donc encore **frohe Ostern** (*joyeuses Pâques*) et **frohe Weihnachten** (*joyeux Noël*), au pluriel.

Pour un anniversaire ou une fête

Alles Gute zum Geburtstag! Joyeux anniversaire !

Ich wünsche dir/Ihnen einen schönen Geburtstag!
Je te/vous souhaite un joyeux anniversaire !

Ich gratuliere dir/Ihnen ganz herzlich zum Geburtstag!
Je te/vous présente mes vœux les plus chers pour votre anniversaire !

& Notez bien

- Pour les fêtes, on utilise la préposition **zu : zum Geburtstag, zu Weihnachten, zu Ostern.**

Dans la vie quotidienne

Schönen Tag noch!/Schöne Ferien!
Bonne journée !/Bonnes vacances !

Guten Appetit! *ou* **Mahlzeit!** Bon appétit !

Zum Wohl! *ou* **Prost!** *ou* **Prosit!** À la tienne ! *ou* À la vôtre !

Gute Reise! *ou* **Gute Fahrt!/Gute Besserung!**
Bon voyage !/Bon rétablissement !

Viel Spaß! *ou* **Viel Vergnügen!** Amusez-vous bien !

Viel Erfolg! *ou* **Viel Glück!** Bonne chance !

Lexique

Verbes et expressions
jdm etwas wünschen
souhaiter qqch à qqn

jdm zu etwas (D) **gratulieren**
féliciter qqn à propos de qqch

Noms
die Glückwünsche
les félicitations
die Glückwunschkarte (n)
la carte de vœux

Traduction du texte p. 229
La récompense / **Père** Chère Marie ! Félicitations pour ton examen ! Toute la famille te souhaite bonne chance pour la recherche d'emploi... et amuse-toi bien à Paris ! / **Fille** Ouah, Papa, c'est génial ! Un voyage à Paris !

5 S'excuser, présenter ses condoléances

Schon wieder zu spät!
Herr Frank Entschuldigen Sie bitte die Verspätung, Frau Clemens!
Frau Clemens Das ist jetzt schon das zweite Mal diese Woche, Herr Frank!
Herr Frank Ja, ich weiß... Es tut mir wirklich wahnsinnig leid. Mein Wagen ist liegen geblieben.
Frau Clemens Hier haben Sie die Adresse meiner Reparaturwerkstatt. Dass mir das nicht mehr vorkommt!
Herr Frank Hm, danke, ich werde mein Bestes tun, das verspreche ich Ihnen!

@ www.bescherelle.com

Modèle général

Entschuldigung! *ou* **Entschuldigen Sie bitte!** *ou* **Ich bitte um Entschuldigung!** *ou* **Pardon!**
Pardon !

Ich bitte um Verzeihung! *ou* **Ich bitte Sie um Verzeihung!** *ou* **Verzeihung!**
Excusez-moi !

Verzeihung, dass ich so spät komme!
Je vous prie d'excuser mon retard !

Es tut mir leid.
Je suis désolé(e).

Ich möchte mich bei Ihnen entschuldigen!
Je voudrais vous présenter mes excuses.

Entschuldigen Sie bitte, daß ich Sie gestört habe!
Excusez-moi de vous avoir dérangé !

Entschuldigen Sie bitte meine Verspätung!
Excusez, s'il vous plaît, mon retard !

Bitte entschuldige mein gestriges Benehmen.
Das war wirklich nicht nett von mir.
Je te demande de bien vouloir excuser mon comportement d'hier.
Ce n'était vraiment pas gentil de ma part.

Mein herzliches Beileid! *ou* **Herzliches Beileid!**
Mes condoléances !

Ich habe vom Tod deines Vaters erfahren und wollte dir sagen, dass ich von ganzem Herzen an dich denke.
J'ai appris la mort de ton père et voulais te dire que je pensais très fort à toi.

➜ p. 11 (La naissance et la mort)

Lexique

Verbes et expressions
sich (A) **bei jdm für etwas** (A) **entschuldigen**
s'excuser de qqch auprès de qqn
jdn um Verzeihung bitten (a, e)
demander pardon à qqn

jdm kondolieren *ou* **jdm sein Beileid aus/sprechen** (a, o, i)
présenter ses condoléances à qqn

Noms
die Entschuldigung ou **die Verzeihung**
les excuses
der Entschuldigungsbrief (e)
la lettre d'excuse

Traduction du texte p. 231
Encore en retard ! / **M. Frank** Veuillez excuser mon retard, Mme Clemens ! / **Mme Clemens** C'est *déjà la deuxième fois cette semaine*, M. Frank ! / **M. Frank** Oui, *je sais... Je suis vraiment désolé.* Ma voiture est tombée en panne. / **Mme Clemens** Voici l'adresse de mon garage. Et que cela ne se reproduise plus ! / **M. Frank** Euh, merci, *je ferai de mon mieux, je vous le promets !*

6 S'informer, informer

Im Verkehrsbüro
Tourist Guten Tag!
Angestellter Guten Tag! Was kann ich für Sie tun?
Tourist Ich suche eine Übernachtungsmöglichkeit für drei Tage hier in Köln. Können Sie mir ein Hotel empfehlen? Am besten in der Innenstadt. Und allzu teuer sollte es nicht sein.
Angestellter Da wäre vielleicht das Hotel Adlon das Richtige für Sie, ein kleines Hotel mitten in der Altstadt. Dort gibt es Zimmer ab siebzig Euro pro Nacht.
Tourist Ja, das hört sich gut an.
Angestellter Wenn Sie möchten, kann ich dort anrufen und für Sie reservieren.
Tourist Ja, da wäre ich Ihnen sehr dankbar.

@ www.bescherelle.com

Modèle général

Wo ist...? – Dort.../In (+ D)**... /Auf** (+ D)**...**
Où est... ? – Là-bas.../Dans.../Sur...

Wo befindet sich...? – Neben (+ D)**.../Unter** (+ D)**...**
Où se trouve... ? – À côté de.../Sous le...

Wo finde ich bitte...? – Hinter (+ D)**... /Über** (+ D)**.../Rechts von** (+ D)**...**
Où est-ce que je peux trouver... s'il te plaît ou *s'il vous plaît ?*
– Derrière.../Au-dessus.../À droite de...

Wann kommt...? – Morgen/Um drei Uhr.
Quand vient... ? – Demain/À trois heures.

Wann findet... statt? – Nächsten Dienstag/Im Sommer.
Quand a lieu... ? – Mardi prochain/Cet été.

Ab wann geht er...? – Ab morgen.
À partir de quand va-t-il... ? – À partir de demain.

Seit wann wohnt er...? – Seit zwei Jahren.
Depuis quand habite-t-il... ? – Depuis deux ans.

Bis wann arbeitet er...? – Bis Freitag.
Jusqu'à quand travaille-t-il... ? – Jusqu'à vendredi.

Um wie viel Uhr kommt...? – Um sechs.
À quelle heure vient... ? – À six heures.

Was bedeutet...? *Que signifie... ?*

Wie heißt...? *Comment s'appelle... ?*

Wie spät ist es? *Quelle heure est-il ?*

Wie alt...? *Quel âge... ?*

Wie hoch...?/Wie groß...?
Quelle est la hauteur de... ?/Quelle est la taille de... ?

Wie lange...?/Wie oft...? *Combien de temps... ?/Combien de fois... ?*

Wie viel kostet...? *Combien coûte... ?*

Wer kümmert sich um...?/Wem gehört...?
Qui s'occupe de... ?/À qui appartient... ?

Wen hast du getroffen?/Mit wem spricht...?
Qui as-tu rencontré ?/Avec qui parle... ?

Warum lachst du?
Pourquoi ris-tu ?

Warum denn nicht?
Pourquoi pas ?

Welches Buch gefällt dir am besten? – Das von Walser.
Quel livre préfères-tu ? – Celui de Walser.

Mit welchem Reiseveranstalter machst du die Pauschalreise?
Avec quel tour-operator tu fais ton voyage organisé ?

Dans un grand magasin

S'informer, informer sur les heures d'ouverture

Von wann bis wann sind Sie bitte geöffnet? *ou*
Welches sind Ihre Öffnungszeiten?
Quelles sont vos heures d'ouverture, s'il vous plaît ?

Wir sind von neun bis neunzehn Uhr durchgehend geöffnet.
Nous sommes ouverts de neuf heures à dix-neuf heures sans interruption.

→ **p. 167** (Les services)

☞ Les horaires d'ouverture des magasins

■ *Les horaires d'ouverture des magasins* **(Ladenöffnungszeiten)** sont fixés par la loi **(Ladenöffnungsgesetz)**. Ils ont été assouplis (*assouplir* : **ausweiten**, **lockern**) ces dernières années et, dans les grandes villes, les magasins restent ouverts jusqu'à vingt heures, voire vingt-deux heures. Mais cette question est toujours un sujet de débat **(Ladenschlussdebatte)**. Lorsque le magasin ferme, les employés annoncent souvent **Feierabend!** (= *On ferme !*).

S'informer sur l'emplacement des rayons, de la caisse

Können Sie mir bitte sagen, wo die Kosmetikabteilung ist?
Pouvez-vous me dire où se trouve le rayon parfumerie, s'il vous plaît ?

Wo ist bitte die Kasse?
Où est la caisse, s'il vous plaît ?

Wo kann ich bitte bezahlen?
Où est-ce que je peux payer, s'il vous plaît ?

S'informer sur la qualité et le prix d'un produit

Entschuldigen Sie bitte, was *ou* **wie viel kostet das?**
Excusez-moi, s'il vous plaît, cela coûte combien ?

Ist das echtes Leder?
C'est du vrai cuir ?

Ist das Silber?
C'est de l'argent ?

Wo wird das denn hergestellt?
Où est-ce fabriqué ?

Haben Sie noch etwas anderes in dieser Art?
Avez-vous quelque chose d'autre dans ce genre ?

S'informer au rayon vêtements

Welche Größe haben Sie? *ou* **Welches ist Ihre Größe?**
Quelle est votre taille ?

Welche Schuhgröße haben Sie? *ou* **Welches ist Ihre Schuhgröße?**
Quelle est votre pointure ?

Aus welchem Material ist diese Jacke?
En quelle matière est cette veste ?

Kann man das Hemd in der Maschine waschen?
Peut-on laver cette chemise à la machine ?

Kann ich diese Hose eventuell umtauschen?
Pourrais-je éventuellement échanger ce pantalon ?

Wo befinden sich bitte die Ankleidekabinen?
Où se trouvent les cabines d'essayage s'il vous plaît ?

Hätten Sie diese Hose auch in Größe 38?
Auriez-vous ce pantalon en taille 40 [= 38 allemand] *?*

→ **p. 45** (Les vêtements), **p. 165** (Faire des achats)
→ **p. 270** (Donner des conseils dans un magasin)

S'informer sur les modalités de paiement

Kann ich per Scheck/in Euro zahlen?
Puis-je payer par chèque/en euro ?

Nehmen Sie auch Kreditkarten?
Acceptez-vous aussi les cartes de crédit ?

Hätten Sie vielleicht Kleingeld? *ou* **Hätten Sie's vielleicht klein?**
Auriez-vous de la monnaie ?

Können Sie hundert Euro wechseln?
Pouvez-vous me rendre la monnaie sur 100 euros ?

Ist es möglich, dieses Bett auf Kredit zu kaufen?
Est-il possible d'acheter ce lit à crédit ?

→ p. 153 (Les moyens de paiement)

☞ Modes de paiement

■ En Allemagne, le paiement par cartes de crédit n'est pas aussi répandu qu'en France. Il n'existe plus de chèques et on paye essentiellement en liquide ou par carte EC (débit immédiat).

Au supermarché

Entschuldigen Sie bitte, wo finde ich denn Mineralwasser?
Excusez-moi, où se trouve l'eau minérale ?

Können Sie mir Kleingeld für den Einkaufswagen geben?
Pouvez-vous me donner de la monnaie pour le caddy ?

Welcher Schinken ist heute im Angebot?
Quel jambon est en promotion aujourd'hui ?

Liefern Sie auch? *Vous faites aussi les livraisons ?*

→ p. 164 (Les services)

☞ Faire les courses

■ Pensez à apporter votre panier **(der Einkaufskorb)** ou votre sac **(die Einkaufstasche)** lorsque vous faites vos courses au supermarché. Les Allemands ont un grand respect pour l'environnement et dans les supermarchés on évite de donner des sachets à la caisse pour emballer les achats.

Au restaurant, au café

Demander des renseignements au garçon, à la serveuse

Haben Sie ein Tagesgericht?
Avez-vous un plat du jour ?

Welchen Wein würden Sie mir dazu empfehlen?
Quel vin me recommandez-vous avec ça ?

Wann ist denn Ihr Ruhetag?
Quel est votre jour de fermeture ?

Wo ist die Toilette, bitte? *ou* **Wo finde ich die Toilette, bitte?**
Où sont les toilettes, s'il vous plaît ?

Comprendre le garçon, la serveuse

Darf ich Ihnen schon etwas zu trinken bringen?
Puis-je déjà vous apporter quelque chose à boire ?

Hier ist die Weinkarte. Voici la carte des vins.

Möchten Sie einen Aperitif? *ou* **Wünschen Sie einen Aperitif?**
Souhaitez-vous un apéritif ?

Haben Sie schon gewählt? *ou* **Sind Sie so weit?**
Avez-vous déjà choisi ?

Sind Ihnen grüne Bohnen als Beilage recht?
Est-ce que des haricots verts en accompagnement vous iraient ?

Und was darf's zum Nachtisch sein?
Et que souhaitez-vous comme dessert ?

Wünschen Sie noch etwas?
Souhaitez-vous autre chose ?

War alles in Ordnung? *ou* **Hat's Ihnen geschmeckt?**
Tout s'est bien passé ? *ou* Ça a été ?

→ **p. 42** (Les repas), **p. 44** (Au restaurant)
→ p. 258 (Formuler des demandes au café, au restaurant)

À l'hôtel

Haben Sie noch ein Zimmer frei?
Avez-vous encore une chambre libre ?

Wie viel kostet ein Doppelzimmer?
Quel est le prix d'une chambre double ?

Was kostet die Übernachtung?
Combien coûte une nuit ?

Ist das Frühstück inbegriffen?
Le petit déjeuner est-il compris ?

Kann ich meinen Wagen *ou* **mein Auto unterstellen?**
Est-ce que je peux garer ma voiture ?

Haben Sie eine Parkmöglichkeit?
Y a-t-il possibilité de garer sa voiture ?

Ist es möglich mit Kreditkarte zu bezahlen?
Est-ce qu'on peut régler par carte bancaire ?

→ p. 105 (L'hébergement)
→ p. 259 (Formuler des demandes à l'hôtel)

À la gare

Au guichet : s'informer

Um wie viel Uhr kommt der Zug aus Berlin an? *ou*
Wann kommt der Zug aus Berlin an?
À quelle heure arrive le train de Berlin ?

Um wie viel Uhr fährt der Zug nach Paris (ab)? *ou*
Wann fährt der Zug nach Paris (ab)?
À quelle heure part le train pour Paris ?

Wie viel Verspätung hat der Zug aus Hamburg?
Combien de retard a le train de Hambourg ?

Auf welchem Bahnsteig kommt der Zug aus München an?
Sur quel quai arrive le train de Munich ?

Wie viel kostet eine Fahrkarte nach Düsseldorf hin und zurück erster Klasse?
Quel est le prix d'un billet aller et retour pour Düsseldorf en 1re classe ?

Gibt es eine Ermäßigung für Schüler/Studenten/Rentner/Familien...?
Y a-t-il une réduction pour les écoliers/étudiants/retraités/familles... ?

Wo ist die Gepäckaufbewahrung bitte?
Où est la consigne, s'il vous plaît ?

Muss ich umsteigen?
Y a-t-il un changement ?

Gibt es denn keine bessere Verbindung?
N'y a-t-il pas de meilleure liaison ?

Au guichet : comprendre les questions et y répondre

Um welche Zeit möchten Sie ankommen?
Vers quelle heure voulez-vous arriver ?

Wollen Sie über Köln oder über Brüssel fahren?
Vous voulez passer par Cologne ou par Bruxelles ?

Möchten Sie erster Klasse oder zweiter Klasse reisen?
Désirez-vous voyager en première ou en seconde ?

Les annonces en gare et dans le train

Vorsicht, der Zug fährt ein! Zurücktreten, bitte!
Attention ! Le train entre en gare ! Éloignez-vous de la bordure du quai s'il vous plaît !

Einsteigen bitte! Achtung! Türen schließen selbsttätig!
En voiture, s'il vous plaît ! Attention à la fermeture automatique des portières !

Der Zug hat voraussichtlich zehn Minuten Verspätung.
Le train est annoncé avec un retard de 10 minutes.

In wenigen Minuten erreichen wir Heidelberg.
Dans quelques minutes, nous arriverons à Heidelberg.

Dort haben Sie Anschluss an den Regionalexpress 4850 (viertausendachthundertfünfzig) nach Heilbronn über Heidelberg und Bad Wimpfen.
Correspondance pour le train express régional n° 4850 en direction de Heilbronn via Heidelberg et Bad Wimpfen.

Die Anschlusszüge werden noch erreicht.
Les correspondances seront assurées.

Achten Sie bitte auf die Lautsprecheransage am Bahnsteig.
Veuillez prêter attention aux informations données sur le quai.

Nächster Halt: Heidelberg *Prochain arrêt : Heidelberg*

Achtung bitte: Der Zug nach München fährt heute ausnahmsweise von Gleis 2 ab.
Votre attention s'il vous plaît. Le train pour Munich partira aujourd'hui exceptionnellement de la voie numéro 2.

➜ p. 104 (À la gare)
➜ p. 259 (Formuler des demandes à la gare), p. 271 (Donner des conseils à la gare)

Dans une agence de voyages

Können Sie mir eine Reise nach Bayern anbieten?
– Ja, eine Rundfahrt mit einem 2-Tagesaufenthalt in München.
Avez-vous un voyage en Bavière à me proposer ?
– Oui, un circuit avec un séjour de deux jours à Munich.

Was kostet so eine Pauschalreise?
Quel est le prix de ce genre de voyage organisé ?

Sind noch Plätze frei? *Y a-t-il encore des places ?*

Gäbe es da eine günstigere Möglichkeit?
Auriez-vous quelque chose de moins cher ?

➜ p. 104 (Le tourisme)
➜ p. 309 (Faire des projets de vacances)

Au musée

Wie viel kostet der Eintritt bitte? *Combien coûte l'entrée ?*

Wo sind die Gemälde von Macke?
Où se trouvent les tableaux de Macke ?

Wann ist die nächste Führung?
À quelle heure est la prochaine visite guidée ?

Gibt es eine Führung auf Französisch?
Y a-t-il une visite guidée en français ?

Haben Sie den Katalog auch in anderen Sprachen?
Avez-vous le catalogue aussi en d'autres langues ?

➜ p. 132 (Au musée)

Au théâtre, au cinéma

Was gibt's heute im Kino am Park?
Qu'est-ce qu'on joue aujourd'hui au cinéma du parc ?

Haben Sie noch Plätze für *Faust*? – Nein, alles ausverkauft.
Avez-vous encore des places pour *Faust* ? – Non, c'est complet.

Um wie viel Uhr beginnt/endet die Vorstellung?
À quelle heure commence/se termine la représentation ?

Könnte ich ein Exemplar des Spielplans haben?
Serait-il possible d'avoir un exemplaire du programme de la saison ?

➔ p. 136 (Le théâtre), p. 138 (Aller au spectacle), p. 140 (Le cinéma)
➔ p. 261 (Formuler des demandes au cinéma, au théâtre)

À la poste

Poser des questions au guichet

Wie viel muss auf einen Brief nach Frankreich? *ou* **Wie muss ich einen Brief nach Frankreich frankieren? – Fünfundfünfzig Cent.**
À combien *faut-il affranchir* une lettre pour la France ? – 55 centimes.

An welchem Schalter gibt es Briefmarken?
À quel guichet peut-on acheter des timbres ?

Wie muss ich das Päckchen frankieren, damit es morgen ankommt?
À combien dois-je *affranchir* le paquet pour qu'il arrive demain ?

Wo finde ich bitte die Formulare für die Einschreibe-Pakete?
Où sont les *formulaires* pour les paquets en recommandé, s'il vous plaît ?

Comprendre des questions

Wollen Sie den Brief per Luftpost/als Eilbrief schicken?
Voulez-vous envoyer la lettre par avion/en express ?

Ist das eilig? Est-ce urgent ?

Möchten Sie Sondermarken?
Voulez-vous des timbres de collection ?

➔ p. 146 (Le courrier) ➔ p. 260 (Formuler des demandes et comprendre des consignes à la poste)

À la banque

Demander des renseignements

Was muss ich tun, um ein Konto zu eröffnen?
– Sie müssen nur dieses Formular ausfüllen. *ou* **Es reicht, wenn Sie dieses Formular ausfüllen.**
Que dois-je faire pour ouvrir un compte ?
– Remplissez ce formulaire, s'il vous plaît. *ou* Il vous suffit de remplir ce formulaire.

Was muss ich tun, um ein Konto zu schließen?
– Füllen Sie bitte diesen Fragebogen aus.
Comment fait-on pour fermer un compte ?
– Remplissez ce questionnaire, s'il vous plaît.

Ich möchte gerne wissen, unter welchen Bedingungen ich ein Darlehen bekommen kann.
Je voudrais savoir sous quelles conditions je pourrais obtenir un crédit.

An welchem Schalter kann man Geld wechseln?
Où est le guichet du change ?

Welches ist der Wechselkurs des Dollars? *ou* **Wie steht bitte der Dollar?**
Quel est le cours du dollar ?

Ist mein Konto über Internet zugänglich?
Est-ce que je peux consulter mon compte par Internet ?

Comprendre des questions et y répondre

Wie wollen Sie das Geld? *ou* **Wie hätten Sie's gern?**
– In Hunderteuroscheinen.
Quelles coupures voulez-vous ?
– Des billets de 100 euros.

Welches ist Ihre Kontonummer? *ou*
Sagen Sie mir bitte Ihre Kontonummer.
Quel est votre numéro de compte ?

➜ **p. 152** (La monnaie)
p. 153 (À la banque)
➜ **p. 260** (Formuler des demandes et comprendre des consignes à la banque)

Lors d'un entretien d'embauche

Questions d'un employeur

Warum möchten Sie denn bei uns arbeiten?
Pourquoi voulez-vous travailler chez nous ?

Haben Sie sich schon für andere Stellen beworben?
Avez-vous été candidat à d'autres emplois ?

Können Sie mir ein bisschen über sich/Ihren Werdegang berichten?
Pouvez-vous me donner quelques informations sur vous-même/sur votre parcours ?

Welche Gehaltsvorstellungen haben Sie?
Quelles sont vos prétentions financières ?

Wann können Sie bei uns anfangen?
Quand pouvez-vous commencer ?

S'informer auprès de l'employeur

Welches wären denn genau meine Aufgaben?
En quoi consisterait exactement mon travail ?

Wie wären meine Arbeitszeiten?
Quelles seraient mes horaires de travail ?

Wann möchten Sie, dass ich anfange? *ou* **Wann soll ich anfangen?**
Quand voudriez-vous que je commence ?

Welches Gehalt zahlen Sie für diesen Posten?
Quel salaire offrez-vous pour ce poste ?

➜ p. 72 (La vie professionnelle)

À l'école

Poser des questions à l'enseignant

Wann schreiben wir die nächste Klassenarbeit *ou* **Klausur?**
Quand aurons-nous le prochain devoir sur table ?

Welche Note habe ich bekommen?
Quelle est ma note ?

Wann haben wir Englisch?
Quand a lieu le cours d'anglais ?

Was haben wir für morgen auf?
Quels sont nos devoirs pour demain ?

Comprendre les questions du professeur

Wo waren wir stehen geblieben?
Où en étions-nous ?

Wer kennt *ou* **weiß die Antwort?**
Qui connaît la réponse ?

Wer kann zusammenfassen, was wir in der letzten Stunde besprochen haben?
Qui peut résumer notre dernier cours ?

Wer kann sich erinnern, was wir das letzte Mal gesagt haben?
Qui se souvient de ce que nous avons dit la dernière fois ?

Wer möchte antworten?
Qui veut répondre ?

Wann habt ihr aus?
À quelle heure terminez-vous ?
→ p. 67 (L'école)

À l'université

Ist es möglich, dass Sie mir die Bewerbungsunterlagen zuschicken?
Est-il possible de m'envoyer le dossier d'inscription ?

Welches ist der letzte Abgabetermin der Bewerbungsunterlagen?
Quelle est la date limite des inscriptions ?

Welche Möglichkeiten gibt es, ein Stipendium zu bekommen?
Quelles sont les conditions à remplir pour obtenir une bourse ?

Wo werden die Ergebnisse angeschlagen?
Où sont affichés les résultats ?

Wo befindet sich die Mensa? Où se trouve le restaurant universitaire ?

Wo hängen die Öffnungszeiten der Bibliothek aus?
Où sont affichés les horaires d'ouverture de la bibliothèque ?

Wo wird die Vorlesung über Schiller gegeben?
Où a lieu le cours sur Schiller ?

Wann beginnt das Semester? Quand commence le semestre ?

Wann finden die Prüfungen statt? Quand ont lieu les examens ?

Wann werden die Ergebnisse bekannt gegeben?
Quand est-ce qu'on annonce les résultats ?
→ p. 68 (L'université)

En société

Exprimer des difficultés de compréhension / demander un complément d'information

Verstehen Sie Deutsch? *ou* **Sprechen Sie Deutsch?**
Vous comprenez l'allemand ?

Was haben Sie gesagt? Qu'est-ce que vous avez dit ?

Wie bitte? Comment ?

Soll ich wiederholen? Dois-je répéter ?

Können Sie das nochmal wiederholen? Ich habe nicht verstanden.
Pouvez-vous répéter ? Je n'ai pas compris.

Was meinen Sie damit? Qu'entendez-vous par là ?

Was bedeutet dieses Wort? Que signifie ce mot ?

Verstehen Sie mich? Vous me comprenez ?

Verstehen Sie, was ich meine? Comprenez-vous ce que je veux dire ?

Wie kann man das auf Deutsch sagen?
Comment peut-on dire cela en allemand ?

Wie kann man diesen Ausdruck ins Deutsche übersetzen?
Comment peut-on traduire cette expression en allemand ?

Wie spricht man dieses Wort aus?
Comment prononce-t-on ce mot ?

→ p. 29 (Parler) → p. 254 (Formuler des demandes lorsque l'on ne comprend pas)

S'informer sur quelqu'un

Woher kommen *ou* stammen Sie?
D'où venez-vous ou êtes-vous ?

& Notez bien

■ Attention à la traduction de *Je suis français. Il est allemand.* On utilise un substantif en allemand.

Ich bin Franzose. Er ist Deutscher.

■ Les noms d'habitants de pays sont :

– soit adjectif substantivé : **der Deutsche/die Deutsche** : *l'Allemand/l'Allemande* (seul exemple) ;

– soit masculins faibles : ils portent la marque **-en** à tous les cas sauf au nominatif singulier.

der Franzose, der Chinese, der Pole, der Russe

Au féminin, ce sont des noms terminés par **-in** : **die Chinesin, die Polin, die Russin.** Attention au féminin de **Franzose** : **die Französin**.

– soit masculins forts terminés par **-er**.

der Italiener, der Engländer, der Österreicher

Le nom féminin s'obtient en ajoutant le suffixe **-in** : **die Italienerin, die Engländerin, die Österreicherin**.

Leben Sie schon lange hier?
Vivez-vous ici depuis longtemps ?

Gefällt Ihnen das Leben in dieser Stadt?
La vie dans cette ville vous plaît-elle ?

Sind Sie verheiratet?
Êtes-vous marié ?

Haben Sie Kinder? Wie alt sind sie denn?
Avez-vous des enfants ? Quel âge ont-ils ?

Studieren Sie? Was sind Sie von Beruf?
Vous êtes étudiant ? Que faites-vous dans la vie ?

S'informer sur les activités et les loisirs

Was machen Sie in Ihrer Freizeit?
Que faites-vous pendant votre temps libre ?

Treiben Sie Sport?/Laufen Sie Ski?/Spielen Sie Fußball?
Vous pratiquez un sport ?/Vous faites du ski ?/Vous jouez au football ?

Interessieren Sie sich für Musik? Spielen Sie ein Instrument?
Vous vous intéressez à la musique ? Vous jouez d'un instrument ?

Was haben Sie gestern Abend gemacht?
Qu'est-ce que vous avez fait hier soir ?
➔ **p. 102** (Le monde du sport)

S'informer à propos d'un logement

Befindet sich die Wohnung im Zentrum?
Est-ce que l'appartement se trouve au centre-ville ?

In welchem Stock liegt die Zweizimmerwohnung?
À quel étage se trouve le deux-pièces ?

Welches Zimmer ist denn frei? *Quelle chambre est libre ?*

Wie hoch ist denn die Miete?
Quel est le montant du loyer ?
➔ **p. 50** (La maison), **p. 82** (L'environnement urbain)

Dans la rue

S'informer sur les lieux, demander son chemin

Wo geht's denn bitte zum Rathaus?
Comment va-t-on à la mairie, s'il vous plaît ?

Können Sie mir sagen, wie ich zum Bahnhof komme?
Pouvez-vous me dire comment on va à la gare ?

Ist es weit bis zur Post? *La poste est loin ?*

Wo ist denn bitte die nächste U-Bahn-Station?
Où est la station de métro la plus proche s'il vous paît ?

Ich suche den Bus zum Botanischen Garten.
Je cherche le bus qui va au jardin botanique.

Entschuldigen Sie bitte, wo ist denn hier ein Taxistand?
Excusez-moi, où puis-je trouver une station de taxis ?

Ich suche eine Apotheke, bitte.
Je cherche une pharmacie, s'il vous plaît.

Kennen Sie ein gutes Restaurant hier in der Nähe?
Connaissez-vous un bon restaurant pas très loin d'ici ?

→ p. 80 (S'orienter dans l'espace)
p. 82 (L'environnement urbain)

☞ Les plaques d'immatriculation

■ L'origine des voitures est indiquée sur les plaques d'immatriculation **(das Autokennzeichen)** par des lettres qui symbolisent les abréviations de villes ou de chefs-lieux de canton.
Par exemple :

B = Berlin
H = Hannover
HH = Hansestadt Hamburg
WÜ = Würzburg
BN = Bonn

S'informer sur ce qui est autorisé, interdit

Ist hier (das) Parken gestattet *ou* **erlaubt?**
Le stationnement est-il autorisé ici ?

Kann ich hier parken?
– Ja, aber nur mit einer Parkscheibe.
Le stationnement est-il autorisé ici ?
– Oui, à condition d'avoir un disque de stationnement.

Darf man mit dem Fahrrad in die Fußgängerzone?
A-t-on le droit d'aller à vélo dans la zone piétonne ?

→ p. 82 (L'environnement urbain)
→ p. 257 (Comprendre des consignes dans la rue)

Chez le garagiste

Was war denn nicht in Ordnung? *Qu'est-ce qui n'allait pas ?*

Haben Sie die Ursache der Panne gefunden?
Avez-vous trouvé l'origine de la panne ?

Haben Sie auch die Reifen gewechselt?
Avez-vous aussi changé les pneus ?

Wie viel wird die Reparatur kosten?
Combien la réparation va-t-elle coûter ?

Lohnt sich die Reparatur?
Est-ce que ça vaut la peine de faire la réparation ?

Wie lange wird das dauern?
Ich brauche mein Auto unbedingt am Donnerstag.
Combien de temps cela va durer ?
J'ai absolument besoin de ma voiture jeudi.

Ist mein Auto fertig? *Ma voiture est-elle prête ?*

→ p. 261 (Formuler des demandes chez le garagiste)

Chez le médecin

Comprendre les questions de l'assistante

Möchten Sie in die Sprechstunde von Frau Doktor Bayer?
Voulez-vous consulter le docteur Bayer ?

Sind Sie angemeldet? *Avez-vous pris rendez-vous ?*

Wie heißen Sie bitte? *Quel est votre nom, s'il vous plaît ?*

Ihre Adresse bitte? *Votre adresse, s'il vous plaît ?*

Kommen Sie das erste Mal? *Vous venez pour la première fois ?*

Donner des informations au médecin

Ich fühle mich nicht wohl.
Je ne me sens pas bien.

Mir ist oft schwindlig. *J'ai souvent des vertiges.*

Ich habe Kopfweh. *ou* **Ich habe Kopfschmerzen.** *ou* **Mir tut der Kopf weh.**
J'ai mal à la tête.

Ich habe Bauchschmerzen. *ou* **Mir tut der Bauch weh.**
J'ai mal au ventre.

Ich habe Schmerzen in der Brust. *J'ai des douleurs dans la poitrine.*

Mein rechter/linker Fuß tut mir weh *ou* **Mir tut der rechte/linke Fuß weh.**
J'ai mal au pied droit/gauche.

& Notez bien

- Pour parler des parties du corps, on construit la phrase différemment en allemand et en français.

Meine Füße tun (mir) weh. *ou* **Mir tun die Füße weh.** *J'ai mal aux pieds.*
Meine Nase ist verstopft. *J'ai le nez bouché.*
Meine Nase läuft. *J'ai le nez qui coule.*

Ich habe mir die Hand verletzt. *Je me suis blessé à la main.*

Ich habe neununddreißig Grad Fieber. *J'ai 39 de fièvre.*

Ich glaube, ich habe eine Bronchitis/eine Grippe.
Je crois que j'ai une bronchite/une grippe.

Ich habe mich erkältet. *J'ai pris froid.*

→ **p. 32** (Les maladies), **p. 33** (Les symptômes), **p. 34** (Chez le médecin)

Lexique

Verbes et expressions

jdn um eine Auskunft bitten (a, e)
demander un renseignement à qqn
jdm eine Auskunft geben (a, e, i)
donner un renseignement à qqn
jdn nach etwas (D) **fragen**
poser une question à qqn au sujet de qqch
jdm eine Frage stellen
poser une question à qqn
sich (A) **über etwas** (A) **informieren**
s'informer de qqch
sich (A) **nach etwas** (D) **erkundigen**
se renseigner sur qqch
jdm Bescheid sagen
tenir qqn au courant
etwas bestätigen
confirmer qqch

Traduction du texte p. 233
À l'office de tourisme / **Touriste** Bonjour ! / **Employé** Bonjour ! Que puis-je faire pour vous ? **Touriste** Je cherche une chambre pour trois nuits, ici à Cologne. Pouvez-vous me recommander un hôtel ? De préférence dans le centre-ville. Et pas trop cher non plus. / **Employé** L'hôtel Adlon pourrait peut-être faire l'affaire. C'est un petit hôtel au centre de la vieille ville. La chambre y coûte à partir de 70 euros la nuit. / **Touriste** Oui, ça a l'air bien. / **Employé** Si vous le souhaitez, je peux téléphoner et réserver pour vous. / **Touriste** Oui, je vous en serais très reconnaissant.

7 Formuler, comprendre des ordres, des demandes

Morgenstund hat Gold im Mund
Mutter Verena, steh auf, es ist schon sieben!
Tochter Ach Mutti, lass mich doch noch fünf Minuten schlafen!
Mutter Nichts da, raus aus den Federn, sonst kommst du noch zu spät zur Schule!
Tochter OK... Kannst du bitte die Vorhänge aufmachen?
Mutter Na gut... Meine Güte, wie sieht es denn in deinem Zimmer aus? Du sollst doch abends aufräumen, bevor du ins Bett gehst!
Tochter Ach Mutti, ich war einfach zu müde gestern... Kannst du mir das gelbe T-Shirt und die neue Jeans aus dem Schrank geben?
Mutter Hier. Jetzt beeilst du dich aber! In einer Viertelstunde musst du los.
Tochter Mutti???
Mutter Was denn noch?
Tochter Sei doch so lieb und mach mir einen Kakao und ein Brötchen mit Marmelade, ja?
Mutter Darf es sonst noch etwas sein, gnädiges Fräulein?
Tochter Au ja, ein Glas Orangensaft wäre prima!

@ www.bescherelle.com

Modèle général

Donner des ordres

Mach/Machen Sie die Tür zu! Ferme/Fermez la porte!

Die Tür zumachen! Fermer la porte!

Tür zu! La porte!

Vorwärts! *ou* **Los jetzt!** En avant!

Jetzt wird geschlafen! Tu dors/Vous dormez maintenant !

Formuler des demandes polies

Darf ich Sie bitten, das Fenster zuzumachen?
Auriez-vous la gentillesse de fermer la fenêtre ?

Mach/Machen Sie bitte das Fenster zu! (mode impératif + **bitte**)
Ferme/Fermez la fenêtre, s'il vous plaît!

Sei so lieb und mach das Fenster zu.
Sois gentil, ferme la fenêtre.

Kannst du/Können Sie bitte das Fenster zumachen?
(**können** à l'indicatif + **bitte**)
Peux-tu, s'il te plaît/Pouvez-vous, s'il vous plaît, fermer la fenêtre ?

Könntest du/Könnten Sie bitte das Fenster zumachen?
(**können** au subjonctif II + **bitte**)
Pourrais-tu, s'il te plaît/Pourriez-vous, s'il vous plaît, fermer la fenêtre ?

Würdest du/Würden Sie bitte das Fenster zumachen?
(**werden** au subjonctif II + **bitte**)
Pourrais-tu, s'il te plaît/Pourriez-vous, s'il vous plaît, fermer la fenêtre ?

Würden Sie so nett *ou* **so freundlich sein, das Fenster zuzumachen?**
Auriez-vous l'amabilité de fermer la fenêtre ?

Ich möchte bitte...! Je voudrais..., s'il vous plaît!

Ich hätte gern, dass... J'aimerais bien que...

Hätten Sie bitte...? Auriez-vous..., s'il vous plaît ?

& Notez bien

■ Attention à ne pas confondre **fragen** et **bitten**, qui peuvent tous deux se traduire par *demander* en français :

Er hat mich gebeten, zu kommen : *Il m'a demandé de venir.*
(**bitten** = *prier de faire qqch*)
Er hat mich gefragt, ob ich komme : *Il m'a demandé si je venais.*
(**fragen** = *poser une question*)

Lorsque l'on ne comprend pas, n'est pas écouté...

Sprechen Sie bitte lauter! *Parlez plus fort, s'il vous plaît !*

Nicht so schnell, bitte! *Parlez moins vite, s'il vous plaît !*

Könnten Sie bitte etwas langsamer sprechen?
Pourriez-vous parler plus lentement ?

Sprechen Sie bitte deutlicher! *Parlez plus distinctement, s'il vous plaît !*

Würden Sie das bitte wiederholen? *Pourriez-vous répéter, s'il vous plaît ?*

Können Sie das Wort buchstabieren? *Pouvez-vous épeler le mot ?*

Ich verstehe Sie nicht gut. *ou* **Ich verstehe Sie schlecht.**
Je ne vous comprends pas bien.

Lass mich doch ausreden, unterbrich mich nicht immer!
Laisse-moi parler, ne m'interromps pas tout le temps !

Jetzt hör mir doch endlich einmal zu!
Écoute-moi enfin, pour une fois !

→ p. 29 (Parler)
→ p. 246 (Exprimer des difficultés de compréhension)

Au téléphone

Wie ist Ihr Name, bitte?
Pouvez-vous me donner votre nom, s'il vous plaît ?

Könnten Sie bitte Ihren Namen buchstabieren?
Pourriez-vous épeler votre nom, s'il vous plaît ?

Bleiben Sie am Apparat, ich verbinde Sie mit...
Ne coupez pas ! Je vous passe...

Könnten Sie mir bitte sagen, wann ... zu erreichen ist?
Pourriez-vous me dire quand ... est joignable ?

Ich möchte bitte Herrn Schmidt sprechen!
Je voudrais parler à M. Schmidt, s'il vous plaît !

Könnten Sie ihn bitten, mich zurückzurufen?
Pourriez-vous lui demander de me rappeler ?

Ich wüsste gerne... *Je voudrais savoir...*

Könnten Sie etwas ausrichten? *Pourriez-vous transmettre un message ?*

Kennen Sie die Durchwahlnummer?
Connaissez-vous le numéro de poste ?

→ p. 147 (Le téléphone)
→ p. 221 (Saluer, prendre congé au téléphone)

À la maison, en famille

Donner des ordres

Geh in dein Zimmer! *Va dans ta chambre !*

Mach bitte den Fernseher aus! *Éteins la télévision, s'il te plaît !*

Iss bitte nicht so schnell! *Ne mange pas si vite, s'il te plaît !*

Sprich nicht so laut! *Parle moins fort !*

Sei bitte leise! *Ne fais pas de bruit, s'il te plaît !*

Zieh einen Mantel an! *Mets un manteau !*

Bring mir bitte die Zeitung mit! *Rapporte-moi le journal, s'il te plaît !*

Es ist neun Uhr: Du musst jetzt aufstehen!
Il est 9 heures. Il faut que tu te lèves !

Räumt bitte noch das Geschirr in die Spülmaschine.
N'oubliez pas de remplir le lave-vaisselle.

Formuler des demandes polies

Kann ich bitte etwas Milch haben?
Est-ce que je pourrais avoir du lait s'il te plaît ?

Kannst/Könntest du mir bitte mal das Wasser reichen?
Pourrais-tu me passer l'eau, s'il te plaît ?

Ich möchte dich etwas fragen: Kannst du mir fünfzig Euro leihen?
Je voudrais te demander : est-ce que tu peux me prêter 50 euros ?

Exprimer des souhaits

Es würde mich freuen, wenn ihr bald zu uns kommen würdet.
Je serais ravi si vous veniez chez nous bientôt.

Ich wäre froh, wenn du mir etwas helfen könntest.
Je serais ravi si tu pouvais m'aider un peu.

Ich möchte gern ein neues Kochrezept ausprobieren.
J'aimerais bien essayer une nouvelle recette de cuisine.

Zu meinem Geburtstag würde ich gerne eine Reise machen.
Pour mon anniversaire, j'aimerais faire un voyage.

Zu Weihnachten hätte ich gern einen Computer.
Pour Noël, j'aimerais avoir un ordinateur.

Dans la rue

Donner des indications

Nehmen Sie die erste Straße rechts!
Prenez la première à droite !

An der Ampel müssen Sie rechts einbiegen.
Au feu il faut tourner à droite.

Geradeaus bis zur Ampel, dann biegen Sie rechts ab!
Tout droit jusqu'au feu, puis à droite !

An der nächsten Kreuzung müssen wir dann links abbiegen.
Au prochain carrefour nous devons prendre à gauche.

Demander son chemin

Entschuldigen Sie bitte, ich möchte zum Bahnhof.
Excusez-moi, s'il vous plaît, je voudrais aller à la gare.

Könnten Sie mir bitte den Weg zum Stadttheater erklären?
S'il vous plaît, pourriez-vous m'expliquer comment on va au théâtre municipal ?

→ p. 80 (S'orienter dans l'espace), p. 82 (L'environnement urbain)
→ p. 248 (S'informer sur les lieux, demander son chemin)

Comprendre des consignes

Gehen! Warten! Drücken! Ziehen!
Traverser ! [aux feux] Attendre ! Pousser ! [la porte] Tirer !

Fußgänger bitte andere Straßenseite benutzen.
Piétons, passez de l'autre côté.

Hunde an der Leine führen!
Tenir les chiens en laisse !

Hier kein Übergang. Bitte Unterführung benutzen.
Passage interdit, utilisez le souterrain.

En voiture

Donner des ordres et formuler des demandes

Leg' den dritten Gang ein! *Passe la troisième !*

Gib Gas! *Accélère !*

Überhol ihn doch! *Mais enfin, double-le !*

Fahr bitte langsamer! *Ralentis !*

Jetzt brems doch nicht so heftig!
Enfin, ne freine pas si fort !

Comprendre des consignes

Einfahrt freihalten.
Ne pas stationner. Entrée de voitures.

Ausfahrt freihalten. *Ne pas stationner. Sortie de voitures.*

Zufahrt Löwengrube vierzehn benutzen. *Entrée par le 14 Löwengrube.*

Schritt fahren. Bei Stau Motor abstellen.
Roulez au pas. En cas d'embouteillage, coupez le moteur.
➜ **p.106** (Voyager en voiture) ➜ **p. 265** (Comprendre des interdictions)

En taxi

Donner des ordres, formuler des demandes

Zum Bahnhof, bitte!/Brandenburgerstraße drei, bitte!
À la gare, s'il vous plaît!/3 rue de Brandebourg, s'il vous plaît!

Könnten Sie bitte ein bisschen schneller fahren?
Pourriez-vous rouler un peu plus vite, s'il vous plaît ?

Bitte fahren Sie über den Stadtring!
S'il vous plaît, passez par le périphérique!

Au café, au restaurant

Ich möchte die Speisekarte, bitte! *Je voudrais le menu, s'il vous plaît!*

Bringen Sie uns drei Bier, bitte! *Apportez-nous trois bières, s'il vous plaît!*

Einen Apfelsaft, bitte! *Un jus de pomme, s'il vous plaît!*

Könnten Sie uns/Würden Sie uns noch eine Flasche Wein bringen?
Pourriez-vous nous apporter une autre bouteille de vin ?

Zahlen, bitte! *ou* **Können wir bitte zahlen?**
L'addition s'il vous plaît !
➜ **p. 44** (Au restaurant) ➜ **p. 237** (Demander des renseignements au garçon, à la serveuse)

☞ Le pourboire

■ En Allemagne, on ne laisse pas son pourboire **(das Trinkgeld)** sur la table en partant comme en France, mais souvent on arrondit directement la note devant le serveur. Si le serveur annonce par exemple **37 Euro**, on pourra répondre **40** en tendant un billet de 50 euros, ou **Stimmt so** (C'est bon) en tendant deux billets de 20.

À l'hôtel

Ich möchte ein Doppelzimmer mit Bad.
Je voudrais une chambre double avec salle de bains.

Hätten Sie noch ein Einzelzimmer mit Dusche?
Vous resterait-il une chambre simple avec douche ?

Ich möchte um sieben geweckt werden! *ou*
Wecken Sie mich bitte um sieben!
Je voudrais être réveillé à 7 heures !

Bringen Sie mir bitte das Frühstück aufs Zimmer!
Apportez-moi le petit déjeuner dans la chambre, s'il vous plaît !

Könnten Sie diesen Brief für mich einwerfen?
Pourriez-vous poster cette lettre pour moi ?

→ p. 105 (L'hébergement) → p. 238 (S'informer à l'hôtel)

À la gare

Formuler des demandes

Einmal Berlin einfach bitte! *Un aller simple pour Berlin, s'il vous plaît !*

Einmal Köln hin und zurück! *Un aller et retour pour Cologne !*

Ich möchte gern eine Fahrkarte nach Bonn hin und zurück!
Je voudrais un billet aller et retour pour Bonn !

Comprendre des consignes

Wählen Sie Ihre Fahrkarte. *Choisissez votre billet. (distributeur)*

Vor Fahrtantritt entwerten.
Compostez votre billet avant de monter dans le train.

Fahrkarten selbst entwerten. *Compostez votre billet.*

Einsteigen bitte! *En voiture, s'il vous plaît !*

Endstation! Alles aussteigen! *Terminus ! Tout le monde descend !*

→ p.107 (À la gare) → p. 239 (S'informer à la gare)

À la poste

Formuler des demandes

Zehn Briefmarken zu fünfundfünfzig Cent, bitte!
Dix timbres à 55 centimes, s'il vous plaît!

Ich möchte dieses Paket nach Österreich schicken.
Je voudrais envoyer ce paquet en Autriche.

Comprendre des consignes

Bitte hier warten. *Attendre ici.*

Bitte Rückgeld sofort nachzählen.
On est prié de vérifier sa monnaie tout de suite.

Dieses Telefon kann Leben retten. Zerstört es nicht!
Ce téléphone peut sauver une vie. Ne le détruisez pas!

→ p. 146 (Le courrier) → p. 242 (S'informer à la poste)

À la banque

Formuler des demandes

Ich möchte ein Konto eröffnen/schließen.
Je voudrais ouvrir/fermer un compte.

Ich möchte diesen Scheck auf mein Konto einzahlen.
Je voudrais déposer ce chèque sur mon compte.

Ich möchte Geld wechseln.
Je voudrais changer de l'argent.

Comprendre des consignes

Füllen Sie bitte dieses Formular aus.
Remplissez ce formulaire, s'il vous plaît.

Das Geld bekommen Sie an der Kasse.
L'argent vous sera donné à la caisse.

→ 153 (À la banque) → p. 243 (S'informer à la banque)

Chez le garagiste

Tanken Sie bitte voll! *ou* **Volltanken, bitte!**
Faites le plein, s'il vous plaît !

Könnten Sie bitte den Reifendruck kontrollieren?
Pourriez-vous vérifier la pression des pneus, s'il vous plaît !

Wechseln Sie bitte die Vorderreifen!
Changez les pneus avant, s'il vous plaît !

Können Sie auch den Luftdruck in den Hinterreifen überprüfen?
Pourriez-vous aussi contrôler la pression des pneus arrière ?

Ich möchte das Ersatzrad kontrollieren lassen.
Je voudrais qu'on contrôle la roue de secours.

Wechseln Sie bitte die Zündkerzen aus!
Changez les bougies, s'il vous plaît !

Kontrollieren Sie auch den Ölstand!
Vérifiez aussi le niveau d'huile !

→ **p.106** (Voyager en voiture) → **p. 250** (S'informer chez le garagiste)

☞ Le contrôle technique

■ TÜV® est une abréviation pour **Technischer Überwachungs-Verein**. De manière familière, le terme désigne l'institution qui assure le contrôle technique des véhicules automobiles, contrôle obligatoire tous les deux ans pour les véhicules de plus de trois ans.

Au cinéma, au théâtre

Zwei Karten für morgen Abend, bitte!
Deux places pour demain soir, s'il vous plaît !

Ich möchte drei Karten, bitte.
Je voudrais trois places, s'il vous plaît.

Ich möchte drei Plätze für Samstag Abend vorbestellen.
Je voudrais réserver trois places pour samedi soir.

→ **p.138** (Aller au spectacle), **p.141** (Aller au cinéma)

Face à un automate

1. Münzen einwerfen, bis gewünschte Parkzeit erreicht ist.
Introduire les pièces jusqu'au temps de stationnement souhaité.

2. Parkschein anfordern.
Demander le ticket de stationnement.

3. Parkschein entnehmen und im Fahrzeug – von außen gut lesbar – deponieren.
Prendre le ticket et le placer dans la voiture de façon visible.

Dans une recette de cuisine

Sachertorte *La Sachertorte de Vienne*

Zutaten *Ingrédients*

Teig: 125 g Butter, 125 g Zucker, 1 Päckchen Vanillezucker, 4 Eier, 125 g bittere Schokolade
Pâte : 125 g de beurre, 125 g de sucre, 1 sachet de sucre vanillé, 4 œufs, 125 g de chocolat amer

60 g Mondamin, 60 g Mehl, 1 gestrichener Kaffeelöffel Backpulver, Aprikosenmarmelade
60 g de maïzena, 60 g de farine, 1 cuillerée à café de levure chimique, confiture d'abricots

Guss: 125 g Schokoladenglasur *Glaçage : 125 g de glaçage au chocolat*

Zubereitung *Préparation*
Die weiche Butter, Zucker, Vanillezucker, Eier, die geschmolzene und abgekühlte Schokolade, Mondamin, Mehl und Backpulver mit einem Rührgerät 2 Minuten verrühren.
Mélangez le beurre fondu, le sucre, le sucre vanillé, les œufs, le chocolat fondu et refroidi, la maïzena, la farine et la levure chimique au batteur électrique pendant 2 minutes.

Den Teig in eine gefettete Springform (24 cm Durchmesser) füllen und im vorgeheizten Backofen 30-40 Minuten backen (175-200 °C).
Mettez la pâte dans un moule beurré à fond amovible (24 cm de diamètre) et faites-la cuire au four préchauffé pendant 30-40 minutes (175-200 °C).

Nach dem Backen die Torte erkalten lassen, dann in zwei Platten teilen, diese mit Aprikosenmarmelade bestreichen und zusammensetzen, die ganze Torte mit Schokoladenglasur überziehen.
Après la cuisson, laissez refroidir le gâteau, coupez-le en deux disques, étalez la confiture d'abricots, rassemblez les deux parties, nappez le tout de glaçage au chocolat.

➜ p. 40 (Préparer les aliments)

Lexique

Verbes et expressions

etwas befehlen (a, o, ie)
ordonner qqch
einen Befehl geben (a, e, i), **einen Befehl erteilen**
donner un ordre
etwas verlangen, etwas fordern
demander, exiger qqch
jdn auf/fordern etwas zu tun
enjoindre qqn de faire qqch
um etwas (A) **bitten** (a, e)
demander (poliment) qqch
jdn bitten (a, e) **etwas zu tun**
prier qqn de faire qqch, demander à qqn de faire qqch

Noms

der Befehl (e), **die Aufforderung** (en)
l'ordre
die Bitte (n)
la demande
die Anweisung (en)
la consigne

Traduction du texte p. 252
Le monde appartient à ceux qui se lèvent tôt / **Mère** Verena, lève-toi, il est déjà 7 heures! **Fille** Oh Maman, laisse moi dormir encore cinq minutes! / **Mère** Pas question, sors du lit tout de suite, tu vas être en retard à l'école! / **Fille** OK... Tu veux bien ouvrir les rideaux, s'il te plaît ? **Mère** Bon d'accord... Mon Dieu, quel désordre dans ta chambre! Tu es censée ranger avant de te coucher le soir! / **Fille** Oh Maman, j'étais trop fatiguée hier soir. / Peux-tu prendre mon T-Shirt jaune et le nouveau jean dans l'armoire, s'il te plaît ? / **Mère** Voilà. Mais maintenant, tu te dépêches! Tu dois partir dans un quart d'heure. / **Fille** Maman ???? / **Mère** Qu'est-ce qu'il y a encore ? / **Fille** Tu veux bien être gentille et me préparer un chocolat et un petit pain à la confiture ? / **Mère** Mademoiselle désire-t-elle autre chose ? / **Fille** Oh oui, un verre de jus d'orange, ça serait super!

8 Formuler, comprendre des interdictions

Hundeleben
Kunde Guten Morgen!
Metzger Guten Morgen! Sagen Sie mal, ist das Ihr Hund?
Kunde Ja, warum?
Metzger Den dürfen Sie aber nicht mit ins Geschäft bringen.
Kunde Wie bitte?
Metzger Haben Sie denn das Schild an der Tür nicht gesehen?
Kunde Was für ein Schild?
Metzger Hier, schauen Sie doch: „Hunde müssen draußen bleiben."
Kunde Oh, das tut mir leid. Ich bringe ihn gleich raus und binde ihn an.
Metzger Gut. Mit Hygiene ist in einer Metzgerei nicht zu scherzen.

@ www.bescherelle.com

Modèle général

Das darf man nicht. *Ce n'est pas autorisé.*

Du darfst das nicht tun. *Tu n'as pas le droit de faire cela.*

Du sollst das nicht tun. *Tu ne dois pas faire cela. (Je ne le veux pas.)*

Es ist verboten *ou* **Es ist nicht gestattet** *ou*
Es ist untersagt, hier zu rauchen.
Il est interdit de fumer ici.

Das ist streng verboten. *C'est formellement interdit.*

À la maison, en famille

Du sollst nach zehn Uhr abends nicht Klavier spielen.
Tu ne dois pas jouer du piano après 10 heures du soir.

Ich möchte nicht *ou* **Ich will nicht, dass du heute Abend ausgehst!**
Je ne voudrais pas que tu sortes ce soir!

Ich verbiete dir, mit meinem Auto zu fahren.
Je t'interdis de prendre ma voiture.

→ p. 255 (Donner des ordres à la maison, en famille)
p. 267 (Formuler des autorisations à la maison, en famille)

& Notez bien

■ Attention à l'emploi des verbes de modalité : pour traduire *Tu ne dois pas...*, on utilise **Du darfst nicht** (interdiction provenant d'une autorité) *ou* **Du sollst nicht** (interdiction d'ordre moral ou due à un tiers). **Du musst nicht** signifie *Tu n'es pas obligé de...*

Dans la rue

Formuler des interdictions

Da hinten ist es verboten, links einzubiegen.
Là-bas, il est interdit de tourner à gauche.

Hast du das Schild nicht gesehen? Hier ist Parken nicht gestattet.
Tu n'as pas vu le panneau ? Il est interdit de stationner ici.

Schon wieder eine Einbahnstraße! Da darfst du nicht einbiegen.
Encore un sens interdit! Tu n'as pas le droit de l'emprunter.

Comprendre des interdictions

Rauchen verboten! *Interdiction de fumer!*

Hunde müssen draußen bleiben! *Les chiens ne sont pas admis!*

Betreten der Baustelle verboten! *Chantier interdit!*

Anlehnen von Fahrrädern nicht gestattet!
Interdiction de déposer les bicyclettes!

Eintritt verboten! *ou* **Zutritt untersagt!** *Entrée interdite!*

Hier kein Fußgängerübergang! *Traversée interdite aux piétons!*

Durchfahrt verboten! *Passage interdit !*

Gas weg! Schule! *Levez le pied ! École !*

→ p. 248 (S'informer sur ce qui est interdit, autorisé dans la rue)
p. 257 (Comprendre des consignes en voiture)

Lexique

Verbes et expressions

verbieten (a, o)
interdire

untersagen
interdire

nicht gestatten, nicht erlauben
ne pas permettre, interdire

verboten sein
être interdit

Noms

das Verbot (e)
l'interdiction

Traduction du texte p. 264

Vie de chien / **Client** *Bonjour !* / **Boucher** *Bonjour ! Dites, il est à vous, ce chien ?* / **Client** *Oui, pourquoi ?* / **Boucher** *Vous n'avez pas le droit de le faire entrer dans le magasin.* / **Client** *Comment ça ?* / **Boucher** *Vous n'avez pas vu le panneau à la porte ?* / **Client** *Quel panneau ?* / **Boucher** *Ici, regardez : « Les chiens doivent rester à l'extérieur. »* / **Client** *Oh, je suis désolé. Je le sors tout de suite pour l'attacher dehors.* / **Boucher** *Bien. Dans une boucherie, on ne rigole pas avec l'hygiène.*

9 Formuler, comprendre des autorisations

Im Café

Er Entschuldigen Sie bitte, darf ich mich zu Ihnen setzen? Es ist leider kein Tisch mehr frei.

Sie Aber bitte, setzen Sie sich.

Er Haben Sie etwas dagegen, wenn ich telefoniere?

Sie Das stört mich nicht.

Er Das ist nett. Darf ich Sie zu einem Kaffee einladen?

Sie Auch das dürfen Sie gern. Und Sie gestatten mir dann sicher, in Ruhe meine Zeitung zu lesen, ja?!

@ www.bescherelle.com

Modèle général

Du kannst..., Du darfst... *Tu peux..., Je te permets de...,*

Wenn du möchtest, kannst du... *Si tu veux, tu peux...*

Es stört mich nicht, wenn... *Cela ne me gêne pas si...*

Ich habe nichts dagegen. *Je n'ai rien contre.*

Es ist erlaubt, *ou* **Es ist gestattet,...** (+ inf. avec **zu**)
Il est autorisé de... ou Il est permis de...

À la maison, en famille

Es stört uns nicht, wenn du deine Freunde mitbringst.
Cela ne nous dérange pas si tu amènes tes amis.

Dann nimm doch heute ausnahmsweise mal mein Auto.
Tu n'as qu'à prendre exceptionnellement ma voiture aujourd'hui.

Wenn dir das lieber ist, kannst du auch zu Hause bleiben.
Tu peux rester à la maison si tu préfères.

Du kannst selbstverständlich bei uns übernachten.
Tu peux, bien sûr, passer la nuit chez nous.

Wenn du möchtest, kannst du auch gerne unseren Wagen benutzen.
Si tu veux, tu peux sans problème utiliser notre voiture.

Fühl dich ganz wie zu Hause! *Fais comme chez toi!*

Ich habe nichts dagegen, dass du heute mal später ins Bett gehst.
Je n'ai rien contre le fait que tu te couches plus tard aujourd'hui.

→ p. 255 (Donner des ordres à la maison, en famille)
p. 264 (Formuler des interdictions à la maison, en famille)

Dans la rue

Demander une autorisation

Ist das Parken hier gestattet?
Est-ce que le stationnement est autorisé ici ?

Darf man hier parken?
Est-ce qu'on peut stationner ici ?

Comprendre une autorisation

P nur für Besucher.
Stationnement réservé aux visiteurs.

P nur für Gäste.
Stationnement réservé aux clients.

Anlieger frei.
Autorisé aux riverains.

Baustellenfahrzeuge frei.
Autorisé aux véhicules du chantier.

Lieferverkehr für Kfz bis 7,5t (sieben Komma fünf Tonnen) zulässiges Gesamtgewicht frei.
Livraisons autorisées aux véhicules jusqu'à 7,5 t de poids total.

→ p. 265 (Comprendre des interdictions dans la rue)
p. 267 (Comprendre des consignes dans la rue)

Lexique

Verbes et expressions

jdm etwas erlauben
autoriser qqn à faire qqch

etwas genehmigen, gestatten, zu/lassen
(ie, a, ä) autoriser qqch [administration]

jdn um Erlaubnis bitten
(a, e)
demander l'autorisation à qqn

dürfen (u, u, a)
avoir le droit

Noms

die Erlaubnis (se)
l'autorisation

die Genehmigung (en)
l'autorisation [administration]

Traduction du texte p. 266
Au salon de thé / **Lui** Excusez-moi, puis-je m'asseoir près de vous ? Malheureusement, toutes les tables sont occupées. / **Elle** Mais bien sûr, asseyez-vous. / **Lui** Cela ne vous dérange pas si je passe un coup de fil ? / **Elle** Non, cela ne me gêne pas. / **Lui** Super. Puis-je vous offrir un café ? / **Elle** Là non plus, je n'ai rien contre. Mais après, vous me laisserez lire tranquillement mon journal, d'accord ?

10 Donner des conseils

Gesundheitsprobleme

Patient Doktor Schulz, ist es wirklich so schlimm?

Ärztin Herr Mertens, Sie sollten wirklich einiges in Ihrem Leben ändern.

Patient Wozu raten Sie mir denn?

Ärztin Sie würden gut daran tun, sich gesünder zu ernähren: fettarm, viel Gemüse, kein Alkohol. Und ich empfehle Ihnen dringend, Sport zu treiben.

Patient Dazu habe ich keine Zeit.

Ärztin Sie können zum Beispiel problemlos mit dem Fahrrad zur Arbeit fahren, anstatt das Auto zu nehmen. Das würde Ihnen sehr gut tun!

Patient Wenn Sie meinen...

Ärztin Und an Ihrer Stelle würde ich auch schnellstens mit dem Rauchen aufhören.

Patient Das sagen Sie so einfach!

Ärztin Und nicht zuletzt: Sie haben zu viel Stress in Ihrem Leben! Sie sollten kürzer treten.

Patient Na, Sie haben gut reden.

Ärztin Befolgen Sie meine Ratschläge! Das sind Sie Ihrer Gesundheit schuldig.

Patient Ich werden mein Bestes tun. Auf Wiedersehen, Doktor Schulz!

Ärztin Wiedersehen, Herr Mertens.

@ www.bescherelle.com

Modèle général

Ich empfehle Ihnen,... (+ inf. avec **zu**) *Je vous recommande de...*

Ich rate dir,... (+ inf. avec **zu**) *Je te conseille de...*

Ich rate dir ab,... (+ inf. avec **zu**) *Je te déconseille de...*

An deiner/Ihrer/seiner Stelle würde ich... (+ inf.)
À ta/votre/sa place je ferais...

Sie würden gut daran tun,... (+ inf. avec **zu**) *Vous feriez bien de...*

Es wäre besser, wenn... (+ subj. II)
Il vaudrait mieux que...

Du solltest lieber... (+ inf.) *Tu devrais plutôt...*

Statt...(+ inf. avec **zu**), **solltest du lieber/sollten Sie lieber...**(+ inf. avec **zu**)
Au lieu de... tu ferais/vous feriez mieux de...

Darf ich Ihnen einen Rat geben?...
Puis-je vous donner un conseil ?

Am besten...
Le mieux (c'est...)

Dans un magasin

Dieses Buch ist wirklich empfehlenswert *ou* **zu empfehlen.**
Ce livre est vraiment à conseiller.

An deiner Stelle würde ich diese CD kaufen.
À ta place, j'achèterais ce CD.

Wenn ich raten darf, kaufen Sie doch lieber dieses italienische Olivenöl.
Si je peux me permettre un conseil : achetez plutôt cette huile d'olive italienne.

Du solltest lieber dieses Kleid kaufen.
Tu devrais plutôt acheter cette robe.

Es wäre schade, wenn Sie eine solche Gelegenheit verpassen würden.
Ce serait dommage si vous manquiez une telle occasion.
→ p. 165 (Faire des achats)

Dans la rue, sur la route

An Ihrer Stelle würde ich heute mit dem Bus fahren.
À votre place, je prendrais le bus aujourd'hui.

Ich würde Ihnen nicht raten, über die Autobahn zu fahren.
Je vous déconseille de prendre l'autoroute.

Fahren Sie nur nicht über die Stadtautobahn!
Ne prenez surtout pas le périphérique!

Empfohlene Umleitung über Siegen.
Déviation conseillée par Siegen. (panneau)

Richtgeschwindigkeit hundertzwanzig Stundenkilometer.
Vitesse conseillée 120 km/h.

→ p. 248 (S'informer sur les lieux)

À la gare

Ich rate Ihnen, die Bahncard zu kaufen.
Je vous conseille d'acheter la Bahncard.

Ich empfehle Ihnen, mit dem Nachtzug zu fahren.
Je vous recommande de prendre le train de nuit.

Wenn ich Ihnen einen Rat geben darf: Geben Sie Ihr Gepäck auf.
Si je peux vous donner un conseil, faites enregistrer vos bagages.

Es wäre besser, wenn Sie über Mainz fahren würden *ou* **führen.**
Il vaudrait mieux passer par Mayence.

Fahren Sie doch besser über Straßburg. *Passez plutôt par Strasbourg.*

Sie sollten lieber den Nachtzug mit Schlafwagen nehmen, das ist doch weniger anstrengend.
Vous devriez prendre le train de nuit avec couchette, c'est bien moins fatiguant.

→ p. 107 (À la gare)
→ p. 239 (S'informer, informer la gare)
p. 259 (Formuler des demandes à la gare)

☞ Voyager en train

■ En Allemagne il y a plusieurs possibilités de réduction lorsqu'on voyage en train. Les plus courantes sont les suivantes.
– **die Bahncard :** carte annuelle qui donne droit à 25 % **(Bahncard 25)** ou 50 % **(Bahncard 50)** de remise sur tous les billets de train.
– **Das Schönes-Wochenende-Ticket :** propose un prix forfaitaire très bas pour tout voyage en train régional **(Regionalbahn)** le samedi ou le dimanche.
– **Die Sparpreise :** billets à tarif réduit pour une réservation à l'avance.

Lexique

Verbes et expressions

jdm etwas raten (ie, a, ä)
conseiller qqch à qqn

jdn beraten (ie, a, ä)
conseiller qqn

jdm etwas empfehlen (a, o, ie)
recommander qqch à qqn

jdn um Rat fragen
demander conseil à qqn

jdm einen Rat *ou* **einen Tipp geben** (a, e, i)
donner un conseil *ou* un tuyau à qqn

einen Rat befolgen
suivre un conseil

jdm von etwas (D) **ab/raten** (ie, a, ä)
déconseiller qqch à qqn

Noms et adjectifs

der Rat, der Ratschlag (die Ratschläge)
le conseil

der Tipp (s)
le conseil, le tuyau

die Empfehlung (en)
la recommandation

empfohlen
recommandé [restaurant...]

empfehlenswert
à recommander

Traduction du texte p. 269

Problèmes de santé / **Patient** Docteur, c'est vraiment si grave que ça ? / **Médecin** Monsieur Mertens, vous devriez vraiment changer certaines choses dans votre vie. / **Patient** Qu'est-ce que vous me conseillez ? / **Médecin** Vous feriez bien de vous nourrir mieux : peu de graisses, beaucoup de légumes, pas d'alcool. Et je vous conseille vivement de faire du sport. / **Patient** Je n'ai pas le temps.

Médecin Vous pouvez par exemple sans problème prendre le vélo pour aller au travail plutôt que la voiture. Cela vous ferait le plus grand bien. / **Patient** Si vous le dites... / **Médecin** Et à votre place, j'arrêterais immédiatement de fumer.

Patient Facile à dire ! / **Médecin** Et pour finir : il y a trop de stress dans votre vie ! Ralentissez un peu le rythme. / **Patient** Comme si c'était si facile ! / **Médecin** Suivez mes conseils ! Votre santé vaut bien quelques efforts ! / **Patient** Je ferai de mon mieux. Au revoir, docteur ! / **Médecin** Au revoir, Monsieur Mertens.

11 Formuler, comprendre des propositions

Pläne für Sonntag
Vater Ich schlage vor, wir gehen nächsten Sonntag in die Kokoschka-Ausstellung.
Sohn Mensch Papa, du weißt doch, dass ich Ausstellungen nicht mag! Lass uns lieber ein Fußballspiel ansehen.
Vater Dazu ist es mir im Winter zu kalt. Was hältst du von Kino? Der neue James-Bond-Film soll sehr gut sein.
Sohn Das ist eine gute Idee. Und wenn du Lust hast, darfst du mich danach zu einem Eis einladen!

@ www.bescherelle.com

Modèle général

Ich mache *ou* **Ich habe einen Vorschlag.**
J'ai quelque chose à proposer.

Ich schlage vor, wir gehen heute Abend... *ou*
Ich schlage vor, dass wir heute Abend... gehen.
Je propose que ce soir nous allions...

Wie wär's, wenn...? *Que diriez-vous de... ?*

Was halten Sie von...(+ D)**/davon?** *Que pensez-vous de... /de cela ?*

Lass uns doch gehen! [lorsqu'on s'adresse à une seule personne]
Lasst uns doch gehen! [lorsqu'on s'adresse à plusieurs personnes]
Allons-y !

Darf ich Ihnen ein Glas Wein anbieten?
Puis-je vous proposer un verre de vin ?

Wir könnten... (+ inf.)
Nous pourrions...

& Notez bien

■ Attention à ne pas confondre **vorschlagen** et **anbieten**, qui peuvent tous deux se traduire par proposer en français :

Er hat mir die Stelle angeboten.
Il m'a proposé le poste (**anbieten** = *offrir* qqch)

Er hat mir verschiedene Termine vorgeschlagen.
Il m'a proposé différentes dates (**vorschlagen** = proposer verbalement)

Pour visiter une ville

Ich schlage vor, wir machen zuerst eine Stadtrundfahrt durch Berlin.
Je propose de faire d'abord un tour de Berlin.

Ich habe einen Vorschlag: Besichtigen wir doch den Reichstag.
J'ai une proposition à faire : allons visiter le Reichstag.

Wie wär's, wenn wir mal zum Brandenburger Tor gingen?
Que diriez-vous si nous allions voir la porte de Brandebourg ?

Was halten Sie von einem Glas Wein in einer Weinstube?
Que pensez-vous d'aller boire un verre de vin dans une Weinstube ?

Wenn Sie Lust haben, könnten wir nach Potsdam fahren und das Schloss Sans-Souci besichtigen.
Si vous en avez envie, nous pourrions aller à Potsdam et visiter le château de Sans-Souci.

Lexique

Verbes et expressions

jdm etwas vor/schlagen (u, a, ä)
proposer qqch à qqn (verbalement)

jdm etwas an/bieten (o, o)
proposer (offrir) qqch à qqn

Noms

der Vorschlag (¨e)
la proposition

Traduction du texte p. 272

*Des projets pour dimanche / **Père** Je propose qu'on aille voir l'expo Kokoschka, dimanche prochain. **Fils** Mais Papa, tu sais bien que je n'aime pas les expos ! Allons plutôt regarder un match de foot. **Père** Il fait trop froid pour moi, en hiver. Que dirais-tu d'un ciné ? Le nouveau James Bond a l'air très bien. / **Fils** Bonne idée. Et si le cœur t'en dit, tu m'inviteras à manger une glace, après !*

12 Faire des promesses

Am Bahnhof
Er Und du schreibst mir auch wirklich?
Sie Aber ja, mein Schatz, das verspreche ich dir.
Er Vier Wochen ohne dich, das ist lang!
Sie Ich schicke dir auch jeden Morgen eine SMS, darauf kannst du dich verlassen.
Er Und abends telefonieren wir miteinander?
Sie Klar, das haben wir doch so abgemacht. Keine Sorge!
Er Versprich mir, dass du mich gleich nach deiner Ankunft anrufst!
Sie Aber ja, du hast mein Wort! Bis heute Abend!
Er Bis heute Abend...

@ www.bescherelle.com

Modèle général

Ich verspreche dir, dass... *ou* **Ich verspreche dir,...** (+ inf. avec **zu**)
Je te promets que... ou de...

Ich komme auf jeden Fall. *ou* **Ich komme ganz bestimmt.**
Je viendrai dans tous les cas.

Du kannst dich darauf *ou* **drauf verlassen.**
Tu peux compter là-dessus.

Ich garantiere Ihnen, dass...
Je vous garantis que...

Sie können sicher sein, dass...
Vous pouvez être certain que...

Ich schwöre es dir. *Je te le jure.*

Du hast mein Wort. *Tu as ma parole.*

Ich gebe dir mein Ehrenwort. *Je te donne ma parole d'honneur.*

En societé

Versprich mir, dass du vorsichtig fährst.
Promets-moi d'être prudent au volant.

Ich verspreche dir, pünktlich zu sein.
Je te promets d'être à l'heure.

Ich schreibe dir auf jeden Fall.
Je t'écrirai de toute façon.

Ich gebe Ihnen mein Wort, dass ich mich um Ihre Mutter kümmern werde.
Je vous donne ma parole que je m'occuperai de votre mère.

Wir werden unser Bestes tun, um Ihnen den Aufenthalt so angenehm wie möglich zu machen.
Nous ferons de notre mieux pour rendre votre séjour aussi agréable que possible.

Machen Sie sich keine Sorgen, wir werden unser Versprechen halten.
Ne vous faites aucun souci. Nous allons honorer notre promesse.

Ich garantiere Ihnen, dass alles zu Ihrer Zufriedenheit verlaufen wird.
Je vous garantis que tout se passera à votre entière satisfaction.

→ p. **60** (La confiance)

Lexique

Verbes et expressions

jdm etwas versprechen (a, o, i)
promettre qqch à qqn

sein Versprechen halten (ie, a, ä)**/brechen** (a, o, i)
tenir/faillir sa promesse

sich auf jdn/etwas verlassen (ie, a, ä)
compter sur qqn/qqch

zuverlässig sein
être fiable

garantieren
garantir

schwören (o, o)
jurer

sein Wort halten (ie, a, ä)
tenir sa parole

Traduction du texte p. 275

À la gare / **Lui** *Et tu vas vraiment m'écrire ? /* **Elle** *Mais oui, chéri, je te le promets. /* **Lui** *Quatre semaines sans toi, c'est long!*
Elle *Et je t'enverrai tous les matins un SMS, tu peux compter là-dessus! /* **Lui** *Et le soir, on se téléphone ? /* **Elle** *Bien sûr, c'est ce qu'on s'était dit. Pas de souci! /* **Lui** *Promets-moi que tu m'appelleras dès ton arrivée! /* **Elle** *Mais oui, je te donne ma parole. À ce soir! /* **Lui** *À ce soir...*

13 Dire que l'on sait, ne sait pas, qu'on connaît, ne connaît pas

Wo bin ich?
Autofahrer Verflixt! Ich habe keine Ahnung, wo ich hier bin. Ich frage mal den Passanten da. – Entschuldigen Sie, kennen Sie sich hier aus?
Passant Ja. Wo wollen Sie denn hin?
Autofahrer In die Märklinstraße.
Passant Da bin ich leider überfragt, das muss in einem anderen Stadtviertel sein.
Autofahre Es ist in der Nähe der Elisabethkirche.
Passant Ja, da kann ich Ihnen schon eher weiterhelfen. Fahren Sie einfach immer in Richtung Stadtzentrum. Nach der Schwimmhalle müssen Sie dann rechts abbiegen, und dann sehen Sie die Kirche schon.
Autofahrer Prima, vielen Dank für die Hilfe! Wiedersehen.
Passant Wiedersehen.

@ www.bescherelle.com

Modèle général

Das weiß ich. *ou* **Das kenne ich.** *Je le sais. ou Je le connais.*

Das ist mir bekannt. *Je le sais.*

Ich habe schon davon gehört. *J'en ai déjà entendu parler.*

Ich weiß Bescheid. *Je suis au courant.*

Na klar! *Bien sûr!*

Sicher weiß ich das! *Bien sûr que je sais cela!*

Das weiß doch jeder! *Tout le monde le sait!*

Das weiß ich nicht. *ou* **Das kenne ich nicht.**
Non, je ne le sais pas. ou Non, je ne le connais pas. [pour une chose]

Keine Ahnung! *Aucune idée !*

Nie gehört. *Jamais entendu parler.*

Davon weiß ich nicht(s). *Je ne suis pas au courant.*

Das ist mir neu. *C'est la première fois que j'entends ça.*

→ p. 281 (Dire que l'on est certain, convaincu)

D'un lieu

Lorsqu'on connaît le lieu

Ja, ich kenne mich hier aus. *ou* **Ich weiß hier Bescheid.**
Oui, je connais cet endroit.

Ja, ich bin von hier. *Oui, je suis d'ici.*

Ja, ich kann Ihnen gern Auskunft geben. *Oui, je peux vous renseigner.*

Lorsqu'on ne connaît pas le lieu

Nein, ich kenne mich hier nicht aus. *ou* **Ich weiß hier nicht Bescheid.**
Non, je ne connais pas cet endroit.

Tut mir leid, die Straße kenne ich nicht.
Je regrette, je ne connais pas cette rue.

Tut mir leid, ich bin nicht von hier.
Je regrette, je ne suis pas d'ici.

Das kann ich Ihnen leider nicht sagen.
Malheureusement, je ne peux pas vous le dire.

Da bin ich leider überfragt. *Là, vous m'en demandez trop.*

→ p. 80 (S'orienter dans l'espace) → p. 248 (Demander son chemin)

D'une nouvelle

Lorsqu'on est au courant

Das weiß doch jeder. Das steht ja in der Zeitung.
Tout le monde est au courant. C'est dans le journal.

Das weiß ich schon. Das war gerade im Fernsehen.
Je le sais déjà. Ça vient de passer à la télé.

Diese Information wurde gestern im Fernsehen gebracht.
Cette information est passée hier à la télévision.

Das habe ich gerade von Frau Schmitt erfahren.
Je viens de l'apprendre de Mme Schmitt.

Darüber bin ich schon auf dem Laufenden.
Je suis déjà au courant.

Lorsqu'on n'est pas au courant

Ich bin nicht gut informiert. Ich habe die Nachrichten nicht gesehen.
Je ne suis pas bien informé. Je n'ai pas regardé les infos.

Ich habe keine Ahnung davon. Ich habe lange nicht Zeitung gelesen.
Je n'en ai aucune idée. Je n'ai pas lu le journal depuis longtemps.

À propos d'une personne

Lorsqu'on connaît la personne

Wir kennen uns doch! *On se connaît, non ?*

Wir haben uns, glaube ich, schon einmal *ou* **'mal gesehen.**
Je crois que nous nous sommes déjà rencontrés.

Sie kommen mir bekannt vor.
J'ai l'impression de vous connaître.

Ich kenne sie sehr gut. *ou* **Sie ist mir gut bekannt.**
Je la connais très bien.

Ich bin mit ihr bekannt.
Nous nous connaissons.

Er ist ein alter Bekannter/ein alter Freund von mir.
C'est une vieille connaissance/un vieil ami à moi.

Ich habe ihn voriges Jahr kennengelernt.
J'ai fait sa connaissance [à lui] l'année dernière.

Lorsqu'on ne connaît pas la personne

Ich kenne ihn nicht. *ou* **Er ist mir unbekannt.**
Je ne le connais pas.

Ich habe ihn noch nie gesehen.
Je ne l'ai jamais vu.

Diesen Namen habe ich noch nie gehört.
Je n'ai jamais entendu ce nom.

Dieser Name ist mir unbekannt. *ou* **Dieser Name sagt mir nichts.**
Ce nom m'est inconnu. ou Ce nom ne me dit rien.

Lexique

Verbes et expressions

wissen (u, u, ei)
savoir
etwas kennen (a, a)
connaître qqch
sich (A) **in, mit** (+ D) **aus/kennen** (a, a)
connaître bien qqch
etwas erfahren (u, a, ä)
apprendre qqch [une nouvelle]
von etwas (D) **hören**
entendre parler de qqch
in etwas (D) **Bescheid wissen** (u, u, ei)
s'y connaître
über etwas (A) **Bescheid wissen** (u, u, ei), **über etwas** (A) **auf dem Laufenden sein**
être au courant de qqch
von etwas (D) **keine Ahnung haben**
n'avoir aucune idée de qqch
jdn kennen (a, a), **mit jdm bekannt sein**
connaître qqn

Noms et adjectifs

der, die Bekannte (part. subst.)
la connaissance
der, die Unbekannte (part. subst.)
l'inconnu(e)
bekannt
connu
unbekannt, fremd
inconnu

Traduction du texte p. 277
Où suis-je ? / **Automobiliste** *Nom d'un chien ! Je n'ai aucune idée d'où je suis. Je vais demander à ce passant. – Excusez-moi, vous connaissez le quartier ? /* **Passant** *Oui. Où est-ce que vous voulez aller ? /* **Automobiliste** *Märklinstraße. /* **Passant** *Là, vous m'en demandez trop, désolé. Cela doit être dans un autre quartier de la ville. /* **Automobiliste** *C'est près de l'Elisabethkirche.*
Passant *Ah oui, là, je vais pouvoir vous aider ! Suivez tout simplement toujours la direction du centre-ville. Après la piscine, vous devez tourner à droite, puis vous apercevrez l'église devant vous. /* **Automobiliste** *Super, merci beaucoup pour votre aide ! Au revoir. /* **Passant** *Au revoir.*

14 Dire que l'on est certain, convaincu

Die Autoschlüssel
Sie Wo sind denn bloß meine Autoschlüssel?
Er Vielleicht in deiner Jackentasche?
Sie Nein, da hab' ich schon geguckt.
Er Hast du in der Diele gesucht?
Sie Ja, da sind sie auch nicht. Das weiß ich ganz genau.
Er Bist du dir deiner Sache sicher? Hast du auch überall nachgesehen?
Sie Aber natürlich! In der Diele sind sie nicht, das ist ausgeschlossen.
Er Wo ist denn die blaue Hose, die du gestern anhattest?
Sie Die blaue Hose? Wieso?
Er Du hast die Schlüssel bestimmt in der Hosentasche gelassen.
Sie Moment mal... Ja, du hast Recht, da sind sie!
Er Tja, wenn du mich nicht hättest!

@ www.bescherelle.com

Modèle général

Da bin ich (mir) ganz sicher. *J'en suis sûr.*

Das weiß ich ganz genau. *Je le sais très bien.*

Davon bin ich fest überzeugt. *J'en suis parfaitement convaincu.*

Darüber besteht kein Zweifel. *ou* **Da gibt es keinen Zweifel.** *ou* **Darüber besteht nicht der geringste Zweifel.**
Il n'y a aucun doute à ce sujet.

Tatsache ist, dass... *Le fait est que...*

Es ist jedenfalls so. *En tout cas c'est ainsi.*

Das ist so und nicht anders! *C'est comme ça et pas autrement!*

Das ist absolut sicher! *ou* **Das ist hundertprozentig sicher!**
C'est absolument sûr! ou C'est sûr à 100 %!

➜ p. 28 (Avoir des doutes, être certain)
➜ p. 277 (Dire que l'on sait, ne sait pas), p. 283 (Dire que l'on n'est pas certain)

Lexique

Verbes et expressions

einer Sache (G) **sicher sein**
être certain de qqch

von etwas (D) **überzeugt sein**
être convaincu de qqch

Noms, adjectifs et adverbes

die Gewissheit (en), **die Sicherheit** (en)
la certitude

die Überzeugung (en)
la conviction

die Tatsache (n)
le fait

sicher, gewiss
certainement

bestimmt
sûrement

zweifellos
sans aucun doute

auf jeden Fall
en tout cas, absolument

Dans un débat

Es besteht kein Zweifel, dass die Umwelt geschützt werden muss.
Il ne fait aucun doute que l'environnement doit être protégé.

Es ist keine Frage, dass etwas getan werden muss.
Il ne fait aucun doute qu'il faut faire quelque chose.

Ich bin fest davon überzeugt, dass wir einer Öko-Katastrophe entgegengehen.
Je suis convaincu que nous allons vers une catastrophe écologique.

Es steht fest, dass die Luftverschmutzung Allergien hervorruft.
C'est un fait que la pollution de l'air provoque des allergies.

Man kann mit Sicherheit behaupten, dass die Atomkraftwerke eine Gefahr darstellen.
On peut affirmer avec certitude que les centrales nucléaires représentent un danger.

Es ist ganz klar, dass der saure Regen den Wald zerstört.
Il est évident que les pluies acides détruisent la forêt.

➜ p. 98 (La défense de l'environnement)

Traduction du texte p. 281
Les clés de voiture / **Elle** Où ont bien pu passer mes clés de voiture ? / **Lui** Peut-être dans la poche de ta veste ? / **Elle** Non, j'ai déjà regardé. / **Lui** As-tu cherché dans l'entrée ? / **Elle** Oui, elles n'y sont pas non plus. J'en suis certaine. / **Lui** Tu es vraiment sûre de toi ? Tu as bien regardé partout ? / **Elle** Mais bien sûr ! Elles ne sont pas dans l'entrée, c'est exclu. / **Lui** Où est le pantalon bleu que tu portais hier soir ? / **Elle** Le pantalon bleu ? Pourquoi ? / **Lui** Tu as certainement laissé les clés dans la poche du pantalon. / **Elle** Attends voir... Oui, tu as raison, elles sont là ! **Lui** Qu'est-ce que tu ferais sans moi !

15 Dire que l'on n'est pas certain, que l'on doute, que l'on suppose, que l'on hésite

Und nach dem Abi?
Tante Na, was möchtest du denn einmal werden?
Neffe Ich weiß noch nicht so recht.
Tante Willst du denn nach dem Abi studieren?
Neffe Da bin ich mir noch nicht ganz schlüssig. Aber ich denke schon.
Tante Was für ein Studium würde dir denn Spaß machen?
Neffe Vielleicht Jura, oder auch Wirtschaftswissenschaften.
Tante Ich nehme an, dass du keine Lust hast, Lehrer zu werden?
Neffe Ich bezweifle, dass ich für diesen Beruf begabt bin.
Tante Und Medizin? Wolltest du nicht einmal Chirurg werden?
Neffe Ich frage mich, ob da meine Abiturnoten ausreichen werden.
Tante Na, dann hast du wohl Recht mit Jura oder Wirtschaftswissenschaften. So ein Studium eröffnet ja auch ganz verschiedene Möglichkeiten.
Neffe Ja, da brauche ich mich nicht sofort für einen bestimmten Beruf zu entscheiden.
Tante Aber Vorsicht: Irgendwann wirst du dich trotzdem entscheiden müssen!

@ www.bescherelle.com

Modèle général

Ich weiß nicht, ob das stimmt. *Je ne sais pas si c'est exact.*

Ich bin (mir) nicht sicher, dass... *ou* **ob...** *Je ne suis pas sûr que...*

Das bezweifle ich. *ou* **Ich zweifle daran.** *J'en doute.*

Ich frage mich, ob... *Je me demande si...*

Ich bin unschlüssig, ob... *J'hésite si...*

Ich zögere noch. *J'hésite encore.*

Vielleicht/Wahrscheinlich/Bestimmt werde ich...
Je vais peut-être/probablement/certainement...

Ich nehme an, dass... *ou* **Ich vermute, dass...** *Je suppose que...*

Ich gehe davon aus, dass... *Je pars du principe que...*

Das ist schon möglich. *C'est bien possible.*

Man kann ja nie wissen! *On ne sait jamais !*

Wer weiß! *Qui sait !*

Schon möglich. *ou* **Kann sein.** *C'est bien possible.*

→ p. 28 (Avoir des doutes, être certain)
→ p. 277 (Dire que l'on sait, ne sait pas), p. 281 (Dire que l'on est certain, convaincu)

À propos d'un événement, d'une décision à venir

Dire qu'on n'est pas certain, qu'on hésite

Ich weiß nicht so recht, was ich werden soll.
Je ne sais trop quel métier choisir.

Ich frage mich, ob ich studieren soll.
Je me demande si je dois faire des études supérieures.

Ich bin noch unschlüssig, ob ich Jura oder Wirtschaftswissenschaft studieren soll.
Pour mes études, j'hésite encore entre droit et (sciences) éco.

Wahrscheinlich werde ich mich in Berlin für eine Assistentenstelle bewerben.
Je poserai probablement ma candidature pour un poste d'assistant à Berlin.

Ich kann mich nicht entscheiden, ob ich die Stelle annehmen soll.
Je ne sais pas si je dois accepter cette place.

Ich bin nicht sicher, ob ich eine Lehrstelle finden werde. *ou*
Ich bin nicht sicher, eine Lehrstelle zu finden.
Je ne suis pas sûr de trouver une place d'apprentissage.

Ich bezweifle, dass ich mit diesem Studium gute Berufsaussichten habe.
Je doute que ces études m'ouvrent des débouchés.

Dire que l'on suppose

Es kann sein, dass das Flugzeug wegen des Nebels nicht starten kann.
Il se peut que l'avion ne puisse pas décoller à cause du brouillard.

Ich vermute, dass wir in Frankfurt eine Zwischenlandung machen.
Je suppose que nous allons faire escale à Francfort.

Ich nehme an, dass der Zug Verspätung hat. *ou*
Vielleicht hat der Zug Verspätung.
Je suppose que le train a du retard.

➔ **p. 106** (Les moyens de transport)

À propos des causes d'un accident

Mir ist nicht klar, wie das passieren konnte.
Je ne sais pas très bien comment cela a pu arriver.

Ich frage mich noch, ob ich die Ampel gesehen habe oder nicht.
J'en suis encore à me demander si j'ai vu les feux ou non.

Ich glaube nicht, dass ich zu schnell gefahren bin.
Je ne crois pas avoir conduit trop vite.

Ich weiß nicht, warum ich nicht gebremst habe.
Je ne sais pas pourquoi je n'ai pas freiné.

Vermutlich war die Ampel ausgefallen.
Les feux ne fonctionnaient probablement pas.

Ich nehme an, dass der Fahrer des anderen Autos getrunken hatte *ou* **betrunken war.**
Je suppose que le conducteur de l'autre voiture avait bu ou *était ivre.*

Lexique

Verbes et expressions

etwas glauben
croire qqch
denken (a, a)
penser
an/nehmen (a, o, i), **vermuten**
supposer
von etwas (+ D) **aus/gehen** (i, a/ist)
partir du principe que
sich (A) **fragen, ob ...**
se demander si ...
an etwas (D) **zweifeln, etwas** (A) **bezweifeln**
douter de qqch
zögern
hésiter
sich (A) **nicht entscheiden können** (o, o, a)
hésiter, ne pas savoir se décider
unschlüssig sein
être hésitant
skeptisch sein
être sceptique

Noms

die Ungewissheit
l'incertitude
die Annahme (n), **die Vermutung** (en)
la supposition
der Zweifel (-)
le doute
das Bedenken (-)
le doute, le scrupule

Adjectifs et adverbes

unsicher
incertain
vermutlich, wahrscheinlich
probablement
möglich
possible
möglicherweise, vielleicht
peut-être

Traduction du texte p. 283
Et après le bac ? / **Tante** Alors, qu'est-ce que tu veux faire comme métier ? / **Neveu** Je ne sais pas encore. / **Tante** Tu veux faire des études supérieures, après le bac ? / **Neveu** J'hésite encore. Mais je pense que oui. / **Tante** Qu'est-ce qui te plairait comme études ?
Neveu Du droit peut-être, ou des études commerciales. / **Tante** Je suppose que tu n'as pas envie de devenir enseignant ? **Neveu** Je doute que je sois doué pour ce métier. / **Tante** Et la médecine ? Tu ne voulais pas devenir chirurgien ? / **Neveu** Je me demande si mes notes au bac seront suffisantes. **Tante** Dans ce cas, tu as sans doute raison avec le droit ou les études commerciales. En tout cas, ce type d'études ouvre de nombreuses possibilités. / **Neveu** Oui, cela me permet de ne pas avoir à me décider tout de suite pour un métier précis. / **Tante** Mais attention : il faudra bien qu'un jour, tu te décides !

16 Dire que l'on a oublié, que l'on se souvient

Geschichtsstunde

Lehrer Wer kann mir sagen, wann die Bundesrepublik Deutschland gegründet wurde? Felix?

Dieter Ich kann mich nicht an das genaue Datum erinnern. Ich glaube, es war 1949 (neunzehnhundertneunundvierzig).

Lehrer Richtig. Präzise gesagt am 23. (dreiundzwanzigsten) Mai 1949. Und die DDR, Felix?

Dieter Moment, es fällt mir gleich wieder ein... War das nicht im selben Jahr?

Lehrer Aber natürlich! Und zwar am 7. (siebten) Oktober 1949.

Dieter Ach ja, richtig!

Lehrer Wenn Sie mir jetzt noch sagen könnten, wann genau die Mauer errichtet wurde?

Dieter Öh... ich kann mich nicht mehr daran erinnern.

Lehrer Das sollten Sie aber wissen!

Dieter Da ist doch nicht meine Schuld! Ich habe eben ein schlechtes Zahlengedächtnis...

@ www.bescherelle.com

Modèle général

Ich hab's vergessen. *J'ai oublié.*

Das habe ich vergessen. *ou* **Das ist mir entfallen** *(sout.) Je l'ai oublié.*

Das weiß ich nicht mehr. *Je ne sais plus.*

Das weiß ich noch gut. *Je m'en souviens bien.*

Ich erinnere mich daran. *Je m'en souviens.*

Es fällt mir gleich wieder ein. *Cela va me revenir.*

Es liegt mir auf der Zunge! *Je l'ai sur le bout de la langue !*

Ach ja, richtig! *Ah oui, exact !*

Stimmt! *C'est exact !*

➜ p. 28 (Se souvenir)

À propos d'un rendez-vous, d'une date

Oublier

Ich hätte es beinahe vergessen: Ich komme heute Nachmittag um vier.
Ah, j'allais oublier : je viens cet après-midi à quatre heures.

Vergiss nicht! Ich erwarte dich am Montag, Punkt drei (Uhr).
N'oublie pas ! Je t'attends lundi à trois heures précises.

Es tut mir leid, ich habe deinen Geburtstag ganz vergessen.
Je suis désolé ! J'ai complètement oublié ton anniversaire.

Ich hatte ganz vergessen, dass wir um fünf Uhr verabredet waren.
J'avais totalement oublié que nous avions rendez-vous à cinq heures.

Ich erinnere mich nicht mehr daran, *ou* **Es fällt mir nicht mehr ein, wann mein Termin beim Zahnarzt ist.**
Je ne me souviens plus de l'heure du rendez-vous chez le dentiste.

Ich habe leider den Termin mit Herrn Haber verpasst.
Malheureusement, j'ai manqué le rendez-vous avec M. Haber.

Se souvenir, se rappeler

Mir fällt gerade ein: Peter kommt morgen Abend vorbei.
À propos : Pierre passera demain soir.

Denk dran: Am Montag morgen um acht hast du deine Fahrprüfung.
Pense que lundi matin à huit heures, tu dois passer ton permis.

Ich erinnere mich noch genau an unsere Begegnung letztes Jahr im Frühling.
Je me souviens comme si c'était hier de notre rencontre du printemps dernier.

À propos d'un nom

Jetzt weiß ich's wieder: Er heißt Georg!
Cela me revient : il s'appelle Georges !

Moment, gleich fällt mir sein Name ein.
Son nom va me revenir dans un instant.

Mein Zahnarzt? Wie heißt er denn nochmal?
Mon dentiste ? C'est quoi déjà, son nom ?

Lexique

Verbes et expressions

etwas vergessen (a, e, i)
oublier qqch
einen Termin versäumen, verpassen
manquer un rendez-vous
nicht mehr wissen (u, u, ei)
ne plus savoir
sich (D) **etwas** (A) **merken**
retenir qqch
an etwas (A) **denken** (a, a)
penser à qqch
sich (A) **an etwas** (A) **erinnern**
se souvenir de qqch, se rappeler qqch
jdn an etwas (A) **erinnern**
rappeler qqch à qqn
jdm ein/fallen (ie, a, ä/ist)
venir à l'idée de qqn

Noms et adjectifs

die Erinnerung (en) **an** (+ A)
le souvenir de qqch
das Gedächtnis
la mémoire
vergesslich
distrait, oublieux
unvergesslich
inoubliable

Traduction du texte p. 287
Cours d'histoire / **Professeur** *Qui peut me dire quand la République fédérale d'Allemagne a été fondée ? Dieter ?* / **Dieter** *Je ne me rappelle pas la date exacte. Je crois que c'était en 1949.* **Professeur** *Correct. Pour être précis, le 23 mai 1949. Et la RDA, Dieter ?* / **Dieter** *Attendez, cela va me revenir tout de suite... Ce n'était pas la même année ?* / **Professeur** *Bien évidemment ! Très exactement le 7 octobre 1949.* / **Dieter** *Ah oui, c'est ça !* / **Professeur** *Si vous pouviez me dire aussi quand précisément fut construit le mur ?* / **Dieter** *Euh... je ne m'en souviens plus.* / **Professeur** *Vous devriez le savoir, pourtant !* / **Dieter** *Mais ce n'est pas de ma faute ! J'ai une mauvaise mémoire des chiffres, c'est tout...*

17 Exprimer son opinion

Geteilte Ansichten

Theo Weißt du schon, welche Partei du am Sonntag wählen wirst?
Hans Am Sonntag? Ach ja, stimmt. Das hatte ich ganz vergessen.
Theo Wie kannst du das denn einfach vergessen?
Hans Aber Theo, du weißt doch, für mich ist Politik uninteressant!
Theo Und du weißt, dass ich da ganz anderer Ansicht bin!
Hans Außerdem hat man sonntags Besseres zu tun, als wählen zu gehen.
Theo Na hör mal! Da muss ich dir aber wirklich widersprechen! Wer an Wahlen nicht teilnimmt, verhält sich unverantwortlich.
Hans Das sehe ich anders. Ich muss genug Verantwortung übernehmen: die Familie, der Beruf... Die Politik, die überlasse ich lieber anderen!
Theo Du bist wirklich ein hoffnungsloser Fall!

@ www.bescherelle.com

Modèle général

Ich finde/meine/denke/glaube, dass... *Je trouve/pense/crois que...*

Ich bin (nicht) der Meinung, dass... *Je (ne) suis (pas) d'avis que...*

Meiner Meinung nach... *ou* **Meiner Ansicht nach...** *À mon avis...*

Einverstanden! *D'accord !*

Damit bin ich (nicht) einverstanden. *Je (ne) suis (pas) d'accord.*

Da hast du Recht./Das stimmt.
Tu as raison./C'est exact.

Das stimmt nicht. *ou* **Das ist nicht richtig./Überhaupt nicht!**
Ce n'est pas exact./Pas du tout !

Das ist doch völliger Blödsinn! *(fam.)*
C'est vraiment n'importe quoi !

Dans un débat

Être du même avis

Meiner Meinung nach setzt der neue Außenminister die Politik der europäischen Integration fort.
À mon avis, le nouveau chancelier poursuit la politique d'intégration européenne.

Frederik meint, er sei ein fähiger Mann.
Frederik pense que c'est un homme valable.

& Notez bien

Le verbe **meinen** désigne aussi bien le fait d'avoir une opinion (croire) que le fait de l'exprimer (dire) :

Er meint, er sei der Beste. Il se croit le meilleur.
Ich war beim Arzt, und er meinte, meine Erkältung sei nicht so schlimm.
J'ai été chez le médecin, et il a dit que mon rhume n'était pas si grave.

Das ist ganz meine Meinung. *ou* **Das denke ich auch.**
C'est tout à fait ce que je pense.

Da bin ich ganz Ihrer/deiner Meinung. *ou* **Da stimme ich Ihnen/dir zu.**
Je suis tout à fait de votre/ton avis.

Das seh ich genauso.
Je vois les choses de la même façon.

Ne pas être du même avis

Meiner Meinung nach werden die Rechtsparteien an Stimmen verlieren.
À mon avis les partis de droite vont perdre des voix.

Ich bin da anderer Meinung. *Je ne suis pas de cet avis.*

Ich bin nicht deiner/Ihrer Meinung. *Je ne suis pas de ton/votre avis.*

Das würde ich nicht so sehen. *Je ne vois pas les choses comme ça.*

Das würde mich sehr wundern.
Cela m'étonnerait beaucoup.

Der Verkehrsminister ist doch einfach unfähig!
Le ministre des Transports est tout simplement un incapable !

Das ist nicht richtig! *Ce n'est pas exact !*

Da hast du Unrecht. *Là, tu as tort.*

Dem kann ich nicht zustimmen. *Je ne suis pas de ton/votre avis.*

Das kann man so nicht sagen. *On ne peut pas dire ça.*

Das ist schnell gesagt. Was würdest du an seiner Stelle tun?
C'est vite dit. Que ferais-tu à sa place ?

→ p. 173 (Partis politiques et élections)

Lexique

Verbes et expressions
denken (a, a) *ou* **meinen** *ou* **glauben, dass...**
penser que
finden (a, u)**, dass...**
trouver que
jdm/einer Sache (D) **zu/stimmen**
approuver qqn/qqch
mit jdm/mit etwas (D) **einverstanden sein**
être d'accord avec qqn, qqch

Noms
die Meinung (en)
l'opinion, l'avis
die Ansicht (en)
l'avis
der Standpunkt (e)
le point de vue

Traduction du texte p. 290
Les avis sont partagés / **Theo** *Tu sais déjà pour quel parti tu vas voter, dimanche ?* **Hans** *Dimanche ? Ah oui, c'est vrai. J'avais complètement oublié.* **Theo** *Comment peux-tu oublier ?* / **Hans** *Mais Theo, tu sais bien, pour moi la politique n'a pas d'intérêt.* / **Theo** *Et toi, tu sais que je ne partage pas du tout ton avis !* / **Hans** *Et en plus, on a mieux à faire le dimanche que d'aller voter.* / **Theo** *Ça alors ! Là-dessus, je ne suis vraiment pas d'accord avec toi ! C'est irresponsable de ne pas participer aux élections.* / **Hans** *Ce n'est pas comme ça que je vois les choses. J'ai déjà suffisamment de responsabilités : la famille, le travail... La politique, je la laisse à d'autres !* / **Theo** *C'est vraiment sans espoir, avec toi !*

18 Dire qu'on est pour, contre, indifférent

Auslandsaufenthalt

Vater Ich bin dafür, dass Sibille ein Jahr in Kanada studiert.

Mutter Prinzipiell habe ich auch nichts dagegen, aber...

Vater Aber was?

Mutter Ich fürchte, dass sie dadurch ein Jahr verliert.

Vater Wie kannst du nur so etwas sagen! Ein Jahr Auslandserfahrung ist immer positiv!

Mutter Aber was passiert, wenn die deutsche Uni dieses Jahr nicht anerkennt?

Vater Dann wird Sibille eben zwei Semester länger studieren als vorgesehen.

Mutter Genau das will ich aber nicht!

Vater Ich hätte nichts dagegen, denn ein Jahr im Ausland ist auf jeden Fall sehr gewinnbringend.

Mutter Na ja, ich finde es ja auch gut, dass sie so selbstständiger wird, ihre Sprachkenntnisse verbessert, ihren kulturellen Horizont erweitert...

Vater Na siehst du, das sind doch sehr positive Argumente!

Mutter Hm... Was meint Sibille denn dazu?

Vater Sie ist hellauf begeistert!

Mutter Na wenn das so ist... also einverstanden.

@ www.bescherelle.com

Modèle général

Ich bin dafür. *Je suis pour.*

Ich bin absolut dagegen. *Je suis absolument contre.*

Das ist mir (völlig) égal.
Ça m'est (totalement) égal.

Ich habe nichts dagegen.
Je n'ai rien contre. *ou* Je n'y vois pas d'inconvénient.

Auf jeden Fall! Bien sûr! *ou* Absolument!

Auf gar keinen Fall! En aucun cas!

Nie im Leben! *(fam.)* Jamais de la vie!

En famille

Ich bin dafür, dass Karin wieder mehr Sport treibt.
Je suis pour que Karin fasse de nouveau plus de sport.

Es kommt gar nicht in Frage, dass Christine mit diesen Freunden nach Italien fährt.
Il n'est pas question que Christine parte en Italie avec ces amis-là.

Ich bin dagegen, dass Udo bei Peter übernachtet.
Je ne suis pas d'accord pour qu'Udo dorme chez Peter.

Ich habe nichts dagegen, dass Tante Lisa zu Weihnachten zu uns kommt.
Je ne vois pas d'inconvénient à ce que tante Lisa vienne nous voir à Noël.

Dans une discussion sur l'immigration

Défendre une idée

Ich bin für eine „multikulturelle" Gesellschaft.
Je suis pour une société « multiculturelle ».

Ja, ich finde es richtig, dass Ausländer die doppelte Staatsbürgerschaft bekommen.
Oui, je trouve juste que les étrangers reçoivent la double nationalité.

Ich unterstütze die Maßnahmen der Einbürgerung. *ou*
Ich billige die Maßnahmen der Einbürgerung.
Je soutiens les mesures de naturalisation.

Ja, ich halte das für gerecht. Oui, je trouve que c'est juste.

Opposer une idée

Ich bin gegen die Ausweisung der Asylbewerber.
Je suis contre l'expulsion des demandeurs d'asile.

Ich halte die Abschiebung für ungerecht.
Je trouve que le refoulement est injuste.

Ich verurteile die Rassendiskriminierung.
Je condamne la discrimination raciale.

➔ p. 168 (Territoire et nationalité)
➔ p. 185 (La migration)

Lexique

Verbes et expressions
für etwas (A) **sein**
être pour qqch
gegen etwas (A) **sein**
être contre qqch
nichts gegen etwas (A) **haben**
ne pas voir d'inconvénient à qqch
jdm egal, gleichgültig sein
être indifférent à qqch
etwas ab/lehnen
refuser qqch

Noms
das Für und Wider
le pour et le contre
die Gleichgültigkeit
l'indifférence

Traduction du texte p. 293
*Séjour à l'étranger / **Père** Je suis pour que Sibille passe une année d'études au Canada. / **Mère** Sur le principe, je n'ai rien contre non plus, mais... / **Père** Mais quoi ? / **Mère** J'ai peur que cela lui fasse perdre une année. / **Père** Comment peux-tu dire une chose pareille ! Une année à l'étranger est toujours positive ! / **Mère** Mais que se passe-t-il si l'université allemande ne reconnaît pas cette année ?*
***Père** Dans ce cas, Sibille fera deux semestres de plus que prévu, et c'est tout. / **Mère** C'est justement ce que je ne veux pas !*
***Père** Moi je n'aurais rien contre, car un séjour à l'étranger est toujours profitable. / **Mère** OK. Moi aussi, je trouve que c'est bien qu'elle devienne plus indépendante, qu'elle améliore ses connaissances linguistiques, qu'elle élargisse son horizon culturel... / **Père** Ben tu vois, tout ça, ce sont des arguments très positifs ! / **Mère** Hm... Et Sibille, que pense-t-elle de tout cela ? / **Père** Elle est enthousiaste ! / **Mère** Ben dans ce cas... d'accord alors.*

19 Dire que l'on fait une concession, mais sous condition

Wer macht was?
Sie Ich fände es wünschenswert, dass du dich ein bisschen mehr um den Haushalt kümmerst.
Er Wie meinst du das denn?
Sie Nun ja, du kommst abends immer spät nach Hause.
Er Das stimmt schon, aber du weißt ja, dass ich oft Besprechungen habe im Büro.
Sie Die habe ich auch, aber ich komme trotzdem nie nach sechs Uhr nach Hause.
Er Das mag sein, aber ich kann meine Termine nicht immer so legen, wie es mir selbst passt.
Sie Das will ich dir gern zugestehen. Aber morgens zum Beispiel: wer macht das Frühstück? Du etwa?
Er Du stehst ja auch als erste auf, da ist das doch normal!
Sie Wie bitte????
Er Also gut. Ich will gern in Zukunft als erster aufstehen und mich ums Frühstück kümmern...
Sie Na siehst du, es geht doch!
Er... vorausgesetzt, dass du weiterhin abends früh nach Hause kommst.
Sie Na gut, das will ich gern akzeptieren. Unter der Bedingung, dass du am Wochenende die Einkäufe machst.
Er OK, OK, ich kapituliere.

@ www.bescherelle.com

Modèle général

Ja, vielleicht..., aber... *Oui, peut-être..., mais...*

Zwar..., aber... *Certes..., mais...* ou *Il est vrai..., mais...*

Das ist schon möglich, aber... *C'est bien possible, mais...*

Es mag sein, dass..., allerdings... *Il se peut que..., toutefois...*

Es stimmt, dass..., aber... *Il est vrai que..., mais...*

Ich will gern zugeben, dass..., aber... *Je veux bien admettre que... mais...*

Ich muss einräumen, dass..., aber...
Je dois admettre que..., mais...

Mag sein, aber... *Peut-être, mais...*

Ja, das ist schon richtig, aber... *Oui, bien sûr, c'est vrai, mais...*

...unter der Bedingung, dass... *ou* **unter der Voraussetzung, dass...**
...à condition que...

Dans ses jugements personnels

Sicher, Marie ist eine gute Sekretärin, aber sie ist nicht sehr liebenswürdig.
Certes, Marie est une bonne secrétaire, mais elle n'est pas très aimable.

Mag sein, dass Martin unangenehm ist, aber er ist tüchtig.
Martin est peut-être désagréable, mais il est efficace.

Das stimmt schon: Frau Rebe ist nicht sehr energisch, aber zuverlässig.
C'est vrai, Mme Rebe n'est pas très énergique, mais elle est fiable.
→ p. 16 (Qualités et défauts)

Dans un débat

Zwar wären einige Frauen bereit, sich nur um die Kindererziehung zu kümmern, aber unter der Bedingung, dass sie ein Einkommen haben.
Certes, certaines femmes seraient prêtes à s'occuper uniquement de leurs enfants, mais à condition de disposer d'un revenu.

Ich will gern zugeben, dass viele Frauen berufstätig sind, aber doch nicht oft in Führungspositionen.
Je veux bien admettre que beaucoup de femmes exercent une activité professionnelle, mais pas souvent dans des postes à responsabilité.

Es stimmt, dass immer mehr Frauen Mitglieder von politischen Parteien sind, aber die Führung ist meistens den Männern vorbehalten.
Il est vrai que les partis politiques comptent toujours plus de femmes, mais la plupart du temps la direction en est réservée aux hommes.

Lexique

Verbes et expressions

etwas ein/räumen, etwas zu/gestehen (a, a)
concéder qqch
etwas zu/geben (a, e, i)
admettre qqch
Zugeständnisse machen
faire des concessions
Vorbehalte an/melden
exprimer des réserves
Einschränkungen machen
faire des restrictions
Bedingungen stellen
poser des conditions
etwas voraus/setzen
supposer qqch

Noms

das Zugeständnis (se)
la concession
die Einschränkung (en), **der Vorbehalt** (e)
la réserve, la restriction
die Bedingung (en)
la condition

Adjectifs et adverbes

vorausgesetzt, dass...
à supposer que...
möglich
possible
vielleicht
peut-être
gewiss, zwar
certes
aber, allerdings
mais, toutefois

Traduction du texte p. 296
Qui fait quoi ? / **Sie** *Il serait souhaitable que tu t'occupes un peu plus du ménage. /* **Er** *Qu'est-ce que tu veux dire par là ? /* **Sie** *Eh ben, tu rentres toujours tard le soir. /* **Er** *C'est exact, certes, mais tu sais bien que j'ai souvent des réunions au bureau. /* **Sie** *Tout comme moi, mais il n'empêche, je ne rentre jamais après 6 heures. /* **Er** *C'est possible, mais je ne peux pas toujours organiser mes réunions comme cela me plaît. /* **Sie** *Ça, je te le concède volontiers. Mais le matin, par exemple : qui c'est qui fait le petit déjeuner ? Toi peut-être ? /* **Er** *C'est toi qui te lèves la première, c'est donc normal ! /* **Sie** *Comment ??? /* **Er** *Bon d'accord. Je veux bien me lever le premier désormais et m'occuper du petit déjeuner... /* **Sie** *Eh bien tu vois, quand tu veux ! /* **Er** *... à condition que tu continues à rentrer tôt le soir. /* **Sie** *Bon d'accord, je veux bien accepter ça. Pourvu que tu fasses les courses le week-end. /* **Er** *OK, OK, je capitule.*

20 Expliquer, (se) justifier, indiquer des causes

Eine schwierige Entscheidung
Wolfgang Hast du dir das auch gut überlegt?
Ingo Ich glaube schon. Ich kann diesen Job nicht annehmen.
Wolfgang Warum denn nicht?
Ingo Weil das Unternehmen sich in München befindet. Das ist über hundert Kilometer weit weg!
Wolfgang Nun ja, dann müsstest du eben jeden Tag mit dem Zug fahren. Das machen andere Leute doch auch!
Ingo Das stimmt schon. Aber es ist nicht nur wegen der Entfernung...
Wolfgang Was ist denn der andere Grund?
Ingo Ich bin einfach nicht motiviert genug! Das Unternehmen arbeitet nämlich für die Rüstungsindustrie.
Wolfgang Aha! Diese Begründung hört sich schon besser an.
Ingo Ja, da hätte ich ständig Gewissenskonflikte. Aber das ist noch nicht alles...
Wolfgang Erklär mir das doch mal genauer.
Ingo Nun ja, ich habe mich eben auch daran gewöhnt, den Hausmann zu spielen und mich um die Kinder zu kümmern. Denn Gabi verdient eigentlich genug für die ganze Familie.
Wolfgang Das ist natürlich etwas anderes. Vielleicht solltest du da erst einmal mit Gabi diskutieren. Wer weiß, vielleicht würde sie ja gern mit dir tauschen??
Ingo Das fehlte noch!

@ www.bescherelle.com

Modèle général

Ich rufe dich an, weil ich deine Hilfe brauche.
Je t'appelle parce que j'ai besoin de ton aide.

Das liegt daran, dass... *La cause en est que...*

Ich kann nicht kommen, (denn) ich bin krank.
Je ne peux pas venir, (car) je suis malade.

Wegen meiner Grippe muss ich zu Hause bleiben.
Je dois rester à la maison à cause de ma grippe.

Da Peter verreist ist, muss unser Treffen ausfallen.
Puisque Peter est en voyage, notre rendez-vous n'aura pas lieu.

Der Grund dafür ist... *ou* **Die Ursache dafür ist...**
La cause en est...

Das ist eben so! *(fam.)* C'est comme ça !

Pour un retard

Es tut mir leid, dass ich zu spät komme, aber mein Zug ist ausgefallen.
Je suis désolé d'arriver en retard, mais mon train a été annulé.

Wir haben uns verspätet, denn wir hatten unterwegs eine Panne.
Nous avons pris du retard, car notre voiture est tombée en panne sur la route.

Wegen des Nebels mussten wir sehr vorsichtig fahren.
À cause du brouillard, nous avons dû rouler très prudemment.

Lexique

Verbes et expressions

etwas begründen
justifier, motiver qqch

etwas rechtfertigen
justifier qqch

etwas durch (+ A) **erklären**
expliquer qqch par

etwas auf (+ A) **zurück/führen**
expliquer qqch par

Noms et adverbes

die Begründung (en)
la justification

die Rechtfertigung (en)
la justification

der Grund (¨e), **die Ursache** (n)
la cause

die Ausrede (n), **der Vorwand** (¨e)
le prétexte

nämlich [jamais en tête de phrase]
c'est que, en effet

Traduction du texte p. 299
Une décision difficile / **Wolfgang** Est-ce que tu as bien réfléchi ? / **Ingo** Je crois que oui. Je ne peux pas accepter ce boulot. / **Wolfgang** Pourquoi pas ? / **Ingo** L'entreprise se trouve à Munich. C'est à plus de 100 km ! / **Wolfgang** Ben oui, il faudrait que tu prennes le train tous les jours. Mais tu ne serais pas le seul à le faire ! / **Ingo** C'est vrai. Mais ce n'est pas qu'à cause de la distance... **Wolfgang** Quelle est l'autre raison ? / **Ingo** Je ne suis tout simplement pas assez motivé ! C'est que l'entreprise travaille pour l'industrie d'armement. / **Wolfgang** Ah voilà ! Cette justification me paraît bien plus convaincante ! / **Ingo** Oui, je me poserais en permanence des cas de conscience. Mais ce n'est pas tout... / **Wolfgang** Explique-moi un peu. / **Ingo** Ben, je me suis habitué à faire l'homme au foyer et à m'occuper des enfants. Car dans le fond, Gabi gagne assez pour toute la famille. **Wolfgang** Alors là, c'est autre chose. Il faudrait peut-être d'abord que tu en discutes avec Gabi. Qui sait, peut-être qu'elle aimerait bien changer les rôles avec toi ? / **Ingo** Il ne manquait plus que cela !

21 Indiquer les raisons, les conséquences

So ein Stress!
Marlies Warum bist du denn so aufgeregt, Claudia?
Claudia Wir fahren doch morgen in den Urlaub!
Marlies Ja und?
Claudia Das Auto ist kaputt. Deshalb muss ich heute noch in die Werkstatt.
Marlies Das ist doch kein Drama!
Claudia Da ich noch niemanden gefunden habe, der die Blumen gießt, muss ich noch alle möglichen Freunde anrufen...
Marlies Na, das kann ich doch machen! Eine Sorge weniger!
Claudia Aber das Schlimmste ist, dass Felix Fieber hat. Das bedeutet, dass wir heute noch zum Arzt müssen.
Marlies Jetzt hör mir mal zu: du gibst mir jetzt deine Autoschlüssel, und ich kümmere mich gleich um den Wagen.
Claudia Würdest du das wirklich tun?
Marlies Na sicher. Währenddessen gehst du mit Felix zum Arzt.
Claudia Das ist wirklich lieb von dir!
Marlies Und heute Abend helfe ich dir beim Kofferpacken.
Claudia Du bist wirklich ein Schatz!

@ www.bescherelle.com

Modèle général

Da mein Auto immer noch in der Werkstatt ist, werde ich mit der U-Bahn fahren müssen *ou* **muss ich mit der U-Bahn fahren.**
Puisque ma voiture est toujours au garage, il va falloir que je prenne le métro.

Mein Auto ist kaputt. Deshalb musste ich den Bus nehmen.
Ma voiture est en panne. C'est pourquoi j'ai dû prendre le bus.

Ich habe Fieber. Deswegen muss ich zu Hause bleiben.
J'ai de la fièvre. C'est pourquoi je dois rester chez moi.

Ich habe morgen eine schwere Prüfung. Daher meine Aufregung.
J'ai un examen difficile demain, d'où mon inquiétude.

Das bedeutet, dass... Cela signifie que...

Daraus ist zu schließen, dass... /Daraus schließe ich...
On peut en conclure que... /J'en conclus que...

Die Folge ist... La conséquence est...

Folglich... Par conséquent...

Dans un débat

Da Berlin wieder die Haupstadt der Bundesrepublik geworden ist, haben viele Veränderungen stattgefunden.
Puisque Berlin est redevenu la capitale de la République fédérale, beaucoup de changements ont eu lieu.

Der Bundestag und die Bundesregierung haben nun ihren Sitz in Berlin. Das bedeutet, dass neue Ministerien und Botschaften gebaut werden mussten.
Le parlement fédéral et le gouvernement fédéral ont désormais leur siège à Berlin. Cela signifie qu'il a fallu construire de nouveaux ministères et ambassades.

Tausende von Beamten haben sich in Berlin niedergelassen. Also *ou* **Folglich mussten auch viele Wohnungen gebaut werden.**
Des milliers de fonctionnaires se sont installés à Berlin. On a par conséquent dû construire beaucoup de logements.

Die Folge ist, dass Berlin die größte Baustelle Europas geworden ist.
Par conséquent, Berlin est devenu le plus grand chantier d'Europe.

☞ La République fédérale d'Allemagne

■ L'Allemagne est une république fédérale qui comprend, depuis la réunification, seize régions **(Länder)**. Chaque région a son parlement **(der Landtag)** et son gouvernement **(die Landesregierung)**. On distingue les anciennes régions (**alte Bundesländer :** *l'Allemagne de l'Ouest*) et les nouvelles régions (**neue Bundesländer :** *l'Allemagne de l'Est*). Le **Bundesrat** représente les régions.
■ Le gouvernement fédéral **(die Bundesregierung)** siège depuis l'an 2000 à Berlin.
■ Le chef du gouvernement est le Chancelier fédéral **(der Bundeskanzler)**. Il est élu par la chambre des députés **(der Bundestag)**. Le président de la République **(der Bundespräsident)** a essentiellement des fonctions représentatives.

Lexique

Verbes et expressions
an etwas (D) **liegen** (a, e)
tenir à
etwas verursachen
causer qqch
aus etwas (D) **folgen** (ist)
découler de
(etwas) aus (+ D) **schließen** (o, o)
tirer (une conclusion) de qqch

Noms
die Ursache (n)
la cause
die Konsequenz (en)
la conséquence

Traduction du texte p. 301
Quel stress! / **Marlies** *Pourquoi es-tu si stressée, Claudia ? /* **Claudia** *C'est que nous partons en vacances demain! /* **Marlies** *Et alors ? /* **Claudia** *La voiture est en panne. Je dois donc encore aller au garage aujourd'hui. /* **Marlies** *Mais ce n'est pas un drame! /* **Claudia** *Comme je n'ai encore trouvé personne pour arroser les plantes quand on sera partis, il faut que je téléphone à tous les amis possibles... /* **Marlies** *Ben ça, je peux m'en occuper! Un souci de moins! /* **Claudia** *Mais le pire, c'est que Félix a de la fièvre. Cela signifie que nous devons aller chez le médecin encore aujourd'hui. /* **Marlies** *Écoute-moi bien : tu me donnes tes clés, et je m'occupe tout de suite de la voiture. /* **Claudia** *Tu ferais vraiment ça ? /* **Marlies** *Bien sûr. Pendant ce temps-là, toi, tu emmènes Félix chez le médecin. /* **Claudia** *C'est vraiment gentil de ta part! /* **Marlies** *Et ce soir, je t'aiderai à faire les valises. /* **Claudia** *Tu es vraiment un amour!*

22 Comparer

Im Schuhgeschäft

Verkäuferin Kann ich Ihnen helfen?

Kundin Ja, ich suche bequeme Schuhe, die zu dieser Hose passen.

Verkäuferin Einen Moment... Wie wäre es denn mit diesen hier?

Kundin Nein, die Absätze sind zu hoch. Hätten Sie ein ähnliches Modell mit niedrigeren Absätzen?

Verkäuferin Vielleicht dieses hier?

Kundin Das kommt schon eher in Frage. Aber die Farbe ist zu hell!

Verkäuferin Ja, Sie brauchen ein dunkleres Blau... Hier, diese Farbe passt besser zu Ihrer Hose.

Kundin Das stimmt schon... nur ist dieses Modell viel teurer als das andere.

Verkäuferin Mal sehen, ob ich etwas Günstigeres finde... Vielleicht das Modell dort drüben? Diese Schuhe kosten nur halb so viel...

Kundin... und sind genauso schick! Darf ich sie mal anprobieren? Größe achtunddreißig, bitte.

Verkäuferin Hier, bitte schön.

Kundin Na prima! Die passen hervorragend. Und es ist dasselbe Blau wie meine Hose... Die nehme ich!

@ www.bescherelle.com

Modèle général

so schön wie..., genauso schön wie... *aussi beau que...*

anders als... *différent de...*

schön/schöner als.../der schönste *beau/plus beau que.../le plus beau*

viel schöner als... *beaucoup plus beau que...*

möglichst schnell, so schnell wie möglich *le plus vite possible*

viel/mehr/am meisten *beaucoup/plus/le plus*

gern/lieber/am liebsten mögen
aimer bien/préférer/préférer (de tous)

zu groß/zu lang/zu dick *trop grand/trop long/trop gros*

doppelt so lang wie.../dreimal so lang wie...
deux fois plus long que.../trois fois plus long que...

halb so lang wie... *deux fois moins long que...*

je [+ comparatif], **desto** [+ comparatif]
plus... plus

es ist längst nicht so gut wie... *c'est loin d'être aussi bien que...*

im Vergleich zu... (+ D) *en comparaison avec...*

im Gegensatz zu... (+ D) *contrairement à...*

Comparer les personnes

Peter ist drei Jahre älter als sein Bruder.
Peter a trois ans de plus que son frère.

Uwe sieht wie sein Großvater aus.
Uwe ressemble à son grand-père.

Inga gleicht *ou* **ähnelt ihrer Mutter sehr.**
Inga ressemble beaucoup à sa mère.

Benjamin hat die gleichen blauen Augen wie seine Schwester.
Benjamin a les mêmes yeux bleus que sa sœur.

Je mehr ich sie anschaue, desto *ou* **umso schöner finde ich sie.**
Plus je la regarde, plus je la trouve belle.

Im Gegensatz zu Angelika ist Uta richtig nett.
Contrairement à Angelika, Uta est vraiment sympathique.

Johann ist der älteste von uns.
Johann est le plus âgé de nous.

Eva ist eine genauso gute Reiterin wie Sabine.
Eva est aussi bonne cavalière que Sabine.

& Notez bien

■ Comparer, c'est mettre en relation deux objets au regard d'une certaine qualité. Dans l'expression de la comparaison, on utilise, entre autres moyens, la graduation de l'adjectif. Il faut distinguer :
– le degré 0 (équivalence) : *aussi... que* > **so** + adjectif + **wie**

X ist so schön wie Y. *ou* **X ist genauso schön wie Y.**

X est aussi beau que Y.

– le degré 1 (supériorité) : *plus... que* > adjectif + **er** + **als**

X ist schöner als Y.

X est plus beau que Y.

– le degré 2 (degré maximal) : *le plus...* > **der/die/das** + adjectif + **st** + marque de déclinaison

X ist der schönste.

X est le plus beau.

■ L'expression de la progression :
– *de plus en plus* + adjectif > **immer** + adjectif au degré 1

Es wird immer besser.

C'est de mieux en mieux.

– *plus..., plus...* > **je** + adjectif au degré 1, **desto** + adjectif au degré 1

Je früher er kommt, desto besser ist es.

Plus il viendra tôt, mieux ce sera.

Comparer les surfaces et les populations

Im Vergleich zu den anderen Bundesländern hat Bayern die größte Oberfläche.

Si on la compare aux autres länder, la Bavière a la plus grande surface.

Bremen ist das kleinste Bundesland.

Brême est le plus petit land.

Bayern ist doppelt so groß wie Baden-Württemberg.

La Bavière est deux fois plus grande que le Bade-Wurtemberg.

Sachsen ist fast genauso groß wie Rheinland-Pfalz.

La Saxe est presque aussi grande que la Rhénanie-Palatinat.

Nordrhein-Westfalen hat die höchste Bevölkerungsdichte.

La Rhénanie-Westphalie est la région la plus peuplée.

→ p. 303 (La République fédérale d'Allemagne)

Verbes

etwas (A) **mit etwas** (D) **vergleichen** (i, i)
comparer qqch à qqch

aus/sehen (a, e, ie) **wie**
ressembler à, avoir l'air de

jdm gleichen (i, i), **jdm ähnlich sein, jdm ähneln**
ressembler à

Noms et adjectifs

die Ähnlichkeit
la ressemblance

der Unterschied (e)
la différence

der Vergleich (e)
la comparaison

der Gegensatz (¨e)
le contraire, le contraste

vergleichbar mit (+ D)
comparable à

Traduction du texte p. 304

Au magasin de chaussures / **Vendeuse** *Je peux vous aider ? /* **Cliente** *Oui, je cherche des chaussures confortables pour aller avec ce pantalon. /* **Vendeuse** *Un instant... que pensez-vous de celles-ci ?* **Cliente** *Non, les talons sont trop hauts. Est-ce que vous auriez un modèle comparable avec des talons plus plats ? /* **Vendeuse** *Peut-être celui-ci ? /* **Cliente** *Cela ressemble déjà plus à ce que je cherche. Mais la couleur est trop claire ! /* **Vendeuse** *Oui, il vous faut un bleu plus foncé... Voilà, cette couleur-ci va mieux avec votre pantalon. /* **Cliente** *C'est vrai, mais ce modèle est beaucoup plus cher que l'autre. /* **Vendeuse** *Je vais voir si je trouve quelque chose de moins cher... Peut-être le modèle là-bas ? Ces chaussures coûtent moitié moins cher... /* **Cliente** *... et sont tout aussi classes ! Je peux les essayer ? Pointure 38, s'il vous plaît. /* **Vendeuse** *Les voici. /* **Cliente** *Super ! Elles me vont à la perfection. Et c'est le même bleu que mon pantalon... Je les prends !*

23 Faire des projets

Urlaubspläne

Henrik Weißt du schon, was du dieses Jahr im Urlaub machst?

Klaus Ich habe vor, drei Wochen in Mecklenburg zu verbringen.

Henrik In Mecklenburg! Ich dachte, du machst am liebsten Badeurlaub?

Klaus Da hast du Recht. Aber zum Baden braucht man nicht unbedingt ans Meer zu fahren. Und die Mecklenburger Seenplatte soll sehr schön sein. – Und du, hast du auch schon Pläne?

Henrik Ja. Ich will in die Toskana fahren.

Klaus Ah, Italien!

Henrik Und ich beabsichtige, bis dahin noch einen Italienischkurs zu machen.

Klaus Da hast du ja viel vor!

Henrik Wieso? Ich fahre doch erst im Oktober in Urlaub, da bleibt noch viel Zeit.

Klaus Tja, wenn das so ist... Aber ich habe mir auch vorgenommen, den Urlaub gut vorzubereiten.

Henrik Und das wäre?

Klaus Ich werde mich mit Caspar David Friedrich befassen... und versuchen, Plattdütsch zu lernen.

@ www.bescherelle.com

Modèle général

Ich habe die Absicht *ou* **Ich beabsichtige...** (+ inf. avec **zu**) *ou*
Ich habe vor... *ou* **Ich plane...** (+ inf. avec **zu**) *ou*
Ich habe mir vorgenommen... (+ inf. avec **zu**)
J'ai l'intention de...

Ich möchte...(+ inf.) *Je voudrais...*

Ich würde gern...(+ inf.) *J'aimerais bien...*

Ich werde *ou* **Ich will...**(+ inf.) *Je vais ou Je veux...*

Faire des projets de vacances

Ich würde gern eine Dampferfahrt auf dem Rhein machen.
J'aimerais bien faire une croisière sur le Rhin.

Ich habe mir fest vorgenommen, mir dieses Jahr das neue Berlin anzusehen.
Cette année, je suis décidé à aller voir le nouveau Berlin.

Wir haben vor, unsere Sommerferien in Thüringen zu verbringen.
Nous avons prévu de passer nos vacances d'été en Thuringe.

Im Februar wollen wir in den Alpen Ski fahren.
En février, nous allons skier dans les Alpes.

Für den August haben wir einen Badeurlaub an der Nordsee geplant.
Pour le mois d'août, nous projetons de passer les vacances à la plage sur la mer du Nord.

→ p. 104 (Le tourisme)

Lexique

Verbes et expressions

vor/haben, beabsichtigen, die Absicht haben, etwas zu tun
avoir l'intention de faire qqch

etwas planen
projeter qqch

etwas vor/haben
prévoir

Pläne machen
faire des projets

sich (D) **etwas** (A) **vor/nehmen** (a, o, i)
se promettre de faire qqch

Lust haben, etwas zu tun
avoir envie de faire qqch

Noms

der Plan (¨e)
le plan, le projet

die Absicht (en)
l'intention

Traduction du texte p. 308

Projets de vacances / **Henrik** Tu sais déjà ce que tu vas faire pendant les vacances, cette année ? **Klaus** J'envisage de passer trois semaines dans le Mecklenburg. / **Henrik** Mecklenburg ! Je pensais que tu préférais les séjours balnéaires ? / **Klaus** Tu as raison. Mais pour se baigner, pas besoin d'aller au bord de la mer ! Et les lacs de Mecklenburg sont très beaux, paraît-il. – Et toi, tu as déjà des projets ? / **Henrik** Oui. Je veux aller en Toscane. / **Klaus** Ah, l'Italie ! / **Henrik** Et j'ai prévu de suivre des cours d'italien d'ici-là. / **Klaus** En voilà, des projets ambitieux ! / **Henrik** Pourquoi ? Je ne partirai qu'en octobre. Cela me laisse beaucoup de temps. / **Klaus** Évidemment, vu comme ça... Mais moi aussi, j'ai l'intention de bien préparer les vacances. / **Henrik** C'est-à-dire ? / **Klaus** Je vais étudier Caspar David Friedrich ... et essayer d'apprendre le dialecte local.

24 Dire que l'on aime, apprécie, préfère quelqu'un

Das Klassenfoto

Julia Sieh dir doch mal dieses Foto an, Ute! Das ist unsere Abiturklasse, vor neun Jahren...

Ute Na sag mal, ist das schon so lange her?

Julia Tja, die Zeit vergeht... Guck mal, ist das nicht Peter?

Ute Ja genau! Den fand ich eigentlich immer sehr nett.

Julia Nein, mir war Wilfried am liebsten... hier, siehst du, in der zweiten Reihe.

Ute Wilfried? War der nicht unsterblich in Maria verliebt?

Julia Du hast Recht. Aber Maria gefiel er nicht. Sie stand mehr auf Ralf.

Ute Ralf? Moment, das ist er doch hier, der mit dem Schnauzbart und den langen Haaren, oder?

Julia Ja. Er sah wirklich süß aus, das muss man ihm lassen.

Ute Hast du nicht auch für ihn geschwärmt damals?

Julia Für Ralf? Nein. Da war mir Werner lieber, er hatte so niedliche Sommersprossen. Hier steht er in der letzten Reihe, erkennst du ihn?

Ute Stimmt, das ist Werner. Er war mir aber nicht besonders sympathisch. Weißt du, für wen ich damals geschwärmt habe?

Julia Heraus damit!

Ute Für Karsten. Aber er war leider nicht in mich, sondern in Fußball verliebt!

@ www.bescherelle.com

Modèle général

Ich mag dich gern. *ou* **Ich hab' dich gern.** *Je t'aime bien.*

Ich finde dich sehr nett. *Je te trouve très sympathique.*

Du gefällst mir. *Tu me plais.*

Ich hab' dich lieb. *Je t'aime beaucoup (tendrement).*

Ich liebe dich. *Je t'aime.*

Ich finde Peter sehr sympathisch. *Je trouve Peter très sympathique.*

Ich habe Udo lieber. *Je préfère Udo.*

Ich mag Bernd am liebsten. *Je préfère Bernd entre tous.*

Noms affectueux

Liebling! *Chéri !*

Mein Häschen! *Mon petit lapin !*

Mein Kätzchen! *Mon petit chat !*

Mein Schatz! *ou* **Mein Schätzchen!**
Mon trésor ! ou Mon petit trésor !

Mein Süßer! Meine Süße! *Mon doux ! Ma douce !*

& Notez bien

■ Les Allemands disent plus volontiers **Ich hab' dich lieb** ou **Ich mag dich sehr gern** que **Ich liebe dich**, expression qui leur paraît trop solennelle.

➜ **p. 60** (L'amitié, l'amour)

Exprimer sa sympathie, son amitié, son amour pour quelqu'un

Claudia ist (mir) wirklich sympathisch.
Claudia (m')est tout à fait sympathique.

Karola gefällt mir sehr. *Karola me plaît beaucoup.*

Sie ist eine tolle Frau. *C'est une femme formidable.*

Ich bin in sie verliebt. *Je suis amoureux d'elle.*

Sven ist wirklich ein interessanter Mann.
Sven est un homme tout à fait intéressant.

Ich habe mich in ihn verliebt. *Je suis tombée amoureuse de lui.*

Udo ist mein bester Freund. *Udo est mon meilleur ami.*

Von allen deinen Freunden mag ich Markus am liebsten.
De tous tes amis, c'est Marc que je préfère.

Das war Liebe auf den ersten Blick.
Ce fut le coup de foudre.

Lexique

Verbes et expressions

jdn mögen (o, o, a), **jdn gern haben**
aimer bien qqn

jdn lieb haben
aimer beaucoup qqn

jdn lieben
aimer qqn

auf jdn stehen (a, a) *(fam.)*
craquer pour qqn, en pincer pour qqn

jdn sympathisch finden (a, u)
trouver qqn sympathique

jdm gefallen (ie, a, ä)
plaire à qqn

für jdn schwärmen
aduler qqn

sich in jdn verlieben
tomber amoureux de qqn

in jdn verliebt sein
être amoureux de qqn

Noms

das Gefühl (e)
le sentiment

die Sympathie (n)
la sympathie

die Freundschaft (en)
l'amitié

die Zuneigung
la sympathie, l'inclination

die Liebe
l'amour

Traduction du texte p. 310

La photo de classe / **Julia** Regarde cette photo, Ute ! C'est notre classe de terminale, il y a neuf ans... / **Ute** Ben dis donc ! Cela fait déjà si longtemps que ça ? / **Julia** Eh oui, le temps passe... Regarde, c'est pas Peter ? / **Ute** Oui, très juste. Je le trouvais plutôt sympathique, celui-là. / **Julia** Non, moi, je préférais Wilfried... regarde, il est là, au deuxième rang. / **Ute** Wilfried ? Ce n'est pas lui qui était fou amoureux de Maria ? / **Julia** Tu as raison. Mais il ne plaisait pas à Maria. Elle lui préférait Ralf. / **Ute** Ralf ? Une seconde, c'est bien lui, là, avec la moustache et les cheveux longs ? / **Julia** Oui. Il était vraiment craquant, il faut dire ce qui est. / **Ute** Tu n'avais pas un faible pour lui, toi aussi ? / **Julia** Pour Ralf ? Non. Je préférais Werner, il avait des taches de rousseur très mignonnes. C'est lui, là, au dernier rang, tu le reconnais ? / **Ute** Oui, c'est Werner. Mais il ne m'était pas particulièrement sympathique. Tu sais pour qui j'en pinçais, moi ? / **Julia** Allez, dis-le ! **Ute** Pour Karsten. Mais malheureusement, ce n'est pas de moi qu'il était amoureux, mais du foot !

25 Dire que l'on n'aime pas, que l'on n'apprécie pas quelqu'un

Die Fahrlehrerin

Sebastian Diese Fahrlehrerin, Frau Elbers, ist einfach unausstehlich!
Georg Aber was hast du denn?
Sebastian Sie ist mir wirklich zuwider!
Georg Übertreibst du da nicht ein bisschen?
Sebastian Nein. Bei jeder Fahrstunde macht sie sich über mich lustig.
Georg Sie macht sich über dich lustig?
Sebastian Ja, bei jedem Fehler macht sie blöde Witze.
Georg Nun, sie hat vielleicht Humor!
Sebastian Hahaha, sehr lustig.
Georg Aber jetzt hör doch mal, Sebastian! Frau Elbers soll eigentlich eine sehr gute Fahrlehrerin sein.
Sebastian Für andere Schüler vielleicht... Mir jedenfalls ist sie einfach unsympathisch. Immer weiß sie alles besser, ständig muss sie mich korrigieren...
Georg Ich glaube, du solltest lieber auf einen männlichen Fahrlehrer umwechseln. Vielleicht könntest du dessen Kritik besser vertragen!
Sebastian Aber das ist ja wohl die Höhe! Willst du etwa andeuten, ich wäre ein Frauenfeind???
Georg (pfeift vor sich hin)

@ www.bescherelle.com

Modèle général

Ich mag Felix nicht. *Je n'aime pas Felix.*

Brigitte ist mir unsympathisch. *Brigitte m'est antipathique.*

Ich kann Michael nicht leiden. *Je n'aime pas Michael.*

Ich finde ihn unausstehlich. *Je le trouve insupportable.*

Er ist mir zuwider. *Il me dégoûte.*

Ich hasse diese Leute. *Je déteste ces gens.*

Diese Frau kann ich wirklich nicht riechen! *(fam.)*
Cette fille, je ne peux pas la sentir !

Du bist nicht mein Typ! *(fam.)* *Tu n'es pas mon genre !*

Lass mich in Ruhe! *(fam.)* *Laisse-moi tranquille !*

So ein Dummkopf! *ou* **So ein Idiot!** *(fam.)* *Quel imbécile !*

Gemeiner Kerl! *(fam.)* *Sale type !*
→ p. 61 (La haine)

Exprimer son indifférence, son aversion pour quelqu'un

Christina ist mir gleichgültig. *ou* **Ich mache mir nichts aus Christina.**
Christina me laisse indifférent.

Ich finde diese Nachbarn äußerst unangenehm.
Je trouve ces voisins extrêmement désagréables.

Ich mag sie überhaupt nicht. *Je ne les aime pas du tout.*

Der neue Lehrer ist mir wirklich nicht sympathisch.
Le nouveau professeur ne m'est vraiment pas sympathique.

Deine Freundin ist nicht gerade nett.
Ton amie n'est pas vraiment gentille.

Ich kann diesen Kollegen nicht ausstehen.
Je ne supporte pas ce collègue.

Dieser Mann ist mir zuwider.
Je déteste cet homme.

Lexique

Verbes et expressions

jdn nicht mögen (o, o, a)
jdn nicht leiden können (o, o, a)
ne pas aimer qqn
jdm nicht gefallen (ie, a, ä)
ne pas plaire à qqn
jdn nicht ausstehen können (o, o, a)
ne pas supporter qqn
jdn verabscheuen, jdn hassen
détester qqn
jdn verachten
mépriser qqn
sich (D) **nichts aus jdm machen**
être indifférent à qqn

Noms

die Antipathie (n)
l'antipathie
die Abneigung (en)
l'aversion
der Hass
la haine

Traduction du texte p. 313

La monitrice d'auto-école / **Sebastian** *Cette monitrice, Madame Elbers, est vraiment insupportable!* **Georg** *Mais qu'est-ce qui te prend ?* / **Sebastian** *Je ne peux vraiment pas l'encadrer!* / **Georg** *Tu n'exagères pas un peu, là ?* / **Sebastian** *Non. À chaque leçon, elle se moque de moi.* / **Georg** *Elle se moque de toi ?* / **Sebastian** *Oui, à chaque erreur, elle fait des blagues idiotes.* / **Georg** *C'est peut-être qu'elle a de l'humour!* / **Sebastian** *Hahaha, très drôle!* / **Georg** *Mais écoute, Sebastian! Madame Elbers a la réputation d'être une très bonne monitrice.* / **Sebastian** *Pour d'autres élèves peut-être... Moi, je la trouve tout simplement antipathique. Elle sait toujours tout mieux, il faut sans cesse qu'elle me corrige...* / **Georg** *Je crois que tu devrais changer et prendre un moniteur homme. Ses critiques à lui passeraient peut-être mieux!* / **Sebastian** *Mais c'est le comble! Veux-tu insinuer que je suis misogyne ???* / **Georg** *(siffle en guise de réponse)*

26 Dire que l'on aime, préfère, n'aime pas quelque chose

Sport ist Mord

Er Was machst du denn so im Urlaub?
Sie Ich gehe am liebsten wandern.
Er Wandern? Oder meinst du spazieren gehen?
Sie Nein, richtig wandern. Das finde ich einfach herrlich!
Er Ich finde Segeln schön. Überhaupt Wassersport.
Sie Auch Wasserski? Das mag ich sehr.
Er Nein, das eher weniger, das ist mir zu anstrengend.
Sie Zu anstrengend?
Er Ja. Im Urlaub will ich mich einfach entspannen. Gemütlich Rad fahren gefällt mir sehr.
Sie Na ja... und was macht dir sonst noch Spaß?
Er Angeln.
Sie Das würde ich aber nicht als Sport bezeichnen!
Er Dabei ist das so entspannend... Ich liege auch gern in der Sonne und genieße das Nichtstun.
Sie Wie wär's mit Joggen am Strand? Oder Beach Volleyball?
Er Dabei kommt man nur ins Schwitzen. Wo bleibt da die Erholung?
Sie Also wenn ich dich richtig verstehe: Sport ist Mord.
Er Du sagst es.

@ www.bescherelle.com

Modèle général

Das habe ich gern. *ou* **Das mag ich gern.** *J'aime bien ça.*

Das gefällt mir. *Cela me plaît.*

Ich steh da drauf. *(fam.) Je craque pour ça.*

Das habe ich lieber. *ou* **Das mag ich lieber.**
Je préfère cela. [choix entre deux choses]

Das habe ich/mag ich am liebsten.
C'est ce que je préfère. [choix entre plusieurs choses]

Ich mag das gar nicht. *ou* **Ich mag das überhaupt nicht.**
Je n'aime pas ça du tout.

Das ist ja ekelhaft! *(fam.)* *C'est dégoûtant!*

Das kann ich nun wirklich nicht leiden! *Ça, je ne supporte pas!*

Une activité sportive

Ich fahre gern Rad. *J'aime faire du vélo.*

Ich wandere lieber im Gebirge.
Je préfère faire de la randonnée en montagne.

Am liebsten laufe ich Ski. *Je préfère faire du ski.*

Ich finde Segeln herrlich! *J'adore faire de la voile!*

Joggen mag ich gar nicht. *Je n'aime pas du tout faire du jogging.*

➜ p. 102 (Le monde du sport)

Des aliments et des boissons

Ich esse sehr gern Schokolade. *J'aime le chocolat.*

Ich mag lieber Nudeln als Reis. *Je préfère les pâtes au riz.*

Mein Lieblingsgericht ist... *Mon plat préféré, c'est...*

Fisch mag ich nicht besonders. *Je n'aime pas trop le poisson.*

Ich trinke zwar gern Weißwein, aber zum Essen ziehe ich Rotwein vor.
J'aime bien le vin blanc, mais au repas, je préfère le vin rouge.

Champagner trinke ich am liebsten. *C'est le champagne que je préfère.*

Das schmeckt aber gut! *Que c'est bon!*

Das ist köstlich! *ou* **vorzüglich!** *C'est délicieux!*

➜ p. 22 (Le goût)
p. 42 (Les repas)

La musique, le cinéma, le théâtre

Ich höre gern Musik und am liebsten Jazz.
J'aime bien la musique et surtout le jazz.

Der Film von Volker Schlöndorff, *Die Blechtrommel*, gefällt mir besonders gut.
J'aime surtout le film « Le Tambour » de Volker Schlöndorff.

Der Dokumentarfilm über zeitgenössische Kunst war hochinteressant!
Ce documentaire sur l'art contemporain était très intéressant !

Am Samstag waren wir im Theater. Das Stück von Thomas Bernhard hat uns überhaupt nicht gefallen.
Samedi nous étions au théâtre. La pièce de Thomas Bernhard ne nous a pas du tout plu.

➜ p. **133** (La musique), p. **136** (Le théâtre), p. **140** (Le cinéma)

Une publicité

Was für eine kreative Werbung!
Quelle créativité dans cette publicité !

Dieser Werbespot für das Handy gefällt mir ausgezeichnet.
Je trouve excellent ce spot publicitaire pour le téléphone portable.

Dieser Film war wirklich sehr unterhaltsam.
Ce film était vraiment très divertissant.

➜ p. **150** (La publicité)

Lexique

Verbes

etwas gern haben *ou* **gern mögen** (o, o, a)
aimer bien qqch

etwas lieber mögen (o, o, a) *ou* **etwas vor/ziehen** (o, o)
préférer qqch

etwas nicht mögen (o, o, a) *ou* **nicht leiden können** (o, o, a)
ne pas aimer qqch

Traduction du texte p. 316
Le sport, ça tue / **Lui** *Qu'est-ce que tu aimes faire en vacances ? /* **Elle** *Ce que je préfère, c'est la randonnée. /* **Lui** *La randonnée ? Tu veux dire la promenade ? /* **Elle** *Non, la vraie randonnée. Je trouve cela merveilleux ! /* **Lui** *Moi, j'aime bien la voile. Les sports nautiques en général. /* **Elle** *Le*

ski nautique aussi ? Cela me plaît beaucoup. / **Lui** Non, *pas vraiment, c'est trop fatigant.* **Elle** *Trop fatigant ?* / **Lui** Oui. *En vacances, je veux me détendre, point. Faire du vélo tranquillement, ça, j'aime beaucoup.* / **Elle** *Bof... et qu'est-ce qui te plaît sinon ?* / **Lui** *La pêche.* **Elle** *Je n'appellerais pas ça du sport !* / **Lui** Mais *c'est tellement relaxant... J'aime aussi dorer au soleil et savourer le farniente.* / **Elle** *Et faire du jogging sur la plage ? Ou du beach-volley ?* **Lui** *Ça fait transpirer, c'est tout. Où est la détente dans tout ça ?* / **Elle** Donc, *si je comprends bien : le sport, ça tue.* / **Lui** Exactement.

27 Exprimer son enthousiasme, son admiration

Die neue Wohnung

Sophie Deine neue Wohnung ist wirklich spitze!
Lea Findest du?
Sophie Ja, ich bin vollkommen begeistert!
Lea Ich finde die Küche ein bisschen klein.
Sophie Nein, sie ist perfekt eingerichtet, sie braucht gar nicht größer zu sein.
Lea Ja, aber man kann dort nicht essen.
Sophie Dafür hast du aber eine wunderschöne Essecke im Wohnzimmer. Und die Beleuchtung!
Lea Was ist mit der Beleuchtung?
Sophie Die ist dir wirklich hervorragend gelungen. Und dieser wunderbare Ausblick auf den Stadtpark...
Lea Tja, da fehlt halt der Balkon!
Sophie Nun sieh doch nicht alles immer so negativ! Du wohnst einfach super hier!
Lea Wenn du meinst...
Sophie Sag mir Bescheid, wenn du in Urlaub fährst: Ich werde mich dann hier niederlassen.
Lea Na, das nenne ich Begeisterung!

@ www.bescherelle.com

Modèle général

Das ist ja wunderbar! *C'est merveilleux !*

Das ist einfach fabelhaft! *C'est tout simplement fabuleux !*

Das ist großartig! *C'est magnifique !*

Das finde ich einfach umwerfend.
Je trouve ça tout simplement formidable.

Ist das aber schön! *Qu'est-ce que c'est beau !*

Ist das nicht super? *N'est-ce pas génial ?*

Ich bin ganz *ou* **Ich bin total begeistert!** *Je suis enthousiasmé !*

Das bewundere ich. *C'est quelque chose que j'admire.*

Das ist ja toll! *C'est épatant !*

Klasse! *ou* **Super!** *ou* **Spitze!** *Extra !* *ou* *Super !* *ou* *Chouette !* *(fam.)*

Unheimlich gut! *Formidable !* **Wahnsinnig gut!** *Vachement bien !* *(fam.)*

Das ist ja total geil! Das ist obergeil! *(fam.)* *C'est trop bien !*

→ p. 60 (L'admiration)

Au musée

Bist du auch so von moderner Kunst begeistert?
Toi aussi, tu t'enthousiasmes pour l'art moderne ?

Ehrlich gesagt bewundere ich mehr die alten Meister.
Pour être franc, j'admire plutôt les anciens maîtres.

Diese Bronze-Skulpturen von Ernst Barlach sind Meisterwerke.
Ces bronzes d'Ernst Barlach sont des chefs-d'œuvres.

Ich bin fasziniert von der Ausdruckskraft dieser plastischen Werke.
Je suis fasciné par la force d'expression de ces œuvres plastiques.

→ p. 130 (La peinture)
p. 131 (La sculpture)

À propos d'un concert, d'un spectacle

Das Orchester hat fabelhaft gespielt. *L'orchestre était fabuleux.*

Wie wunderbar sind diese Lieder von Schubert!
Comme ces Lieder de Schubert sont merveilleux !

→ p. 133 (La musique)

Lexique

Veres et expressions
sich (A) **für etwas** (A) **begeistern**
s'enthousiasmer pour qqch
von etwas (D) **begeistert sein**
être enthousiasmé par qqch
hingerissen sein
être ravi
fasziniert sein
être fasciné
etwas bewundern
admirer qqch

Noms et adjectifs
die Begeisterung
l'enthousiasme
die Bewunderung
l'admiration
bewundernswert
admirable

Traduction du texte p. 319
Le nouvel appartement / **Sophie** Ton nouvel appart' est vraiment génial ! / **Lea** Tu trouves ? **Sophie** Oui, je suis vraiment enthousiaste ! / **Lea** Je trouve la cuisine un peu petite. / **Sophie** Non, elle est parfaitement bien aménagée. Elle n'a pas besoin d'être plus grande. / **Lea** Oui, mais on ne peut pas y manger. / **Sophie** Oui, mais d'un autre côté, tu as un fabuleux coin-repas au salon. Et puis l'éclairage ! / **Lea** Qu'est-ce qu'il a, l'éclairage ? / **Sophie** Tu l'as merveilleusement bien réussi. Et cette vue magnifique sur le parc municipal… / **Lea** Ben oui, il manque juste le balcon. / **Sophie** Mais arrête de tout voir en noir ! Tu es super bien logée ici ! / **Lea** Si tu le dis… / **Sophie** Fais-moi signe quand tu pars en vacances : je viendrai m'installer ici. / **Lea** Ça, c'est ce que j'appelle de l'enthousiasme !

28 Exprimer sa joie, sa satisfaction

Die Freuden des Abiturs

Vater Na, bist du zufrieden mit deinem Abiturszeugnis?
Sohn Ach, ich hätte wohl besser abschneiden können.
Vater Wieso? Was hast du denn für einen Durchschnitt?
Sohn Zwei Komma eins.
Vater Aber das ist doch eine hervorragende Leistung! Da kannst du stolz auf dich sein!
Sohn Schon, aber es wird wohl nicht zum Medizinstudium reichen.
Vater Da bin ich mir nicht so sicher. Notfalls wirst du ein paar Semester warten müssen, um einen Studienplatz zu bekommen.
Sohn Meinst du?
Vater Da bin ich mir ziemlich sicher. Und überhaupt, eins will ich dir sagen: du hast wirklich ein sehr gutes Abitur geschafft. Egal, ob du nun Medizin studieren kannst oder nicht. Ich freue mich einfach für dich.
Sohn Du hast ja Recht. Gehen wir jetzt einkaufen?
Vater Einkaufen?
Sohn Ja, für die Fete heute Abend. So ein tolles Abitur, das muss doch gefeiert werden!

@ www.bescherelle.com

Modèle général

Wie schön! *Quelle joie!* ou *Que c'est beau!*

Ich freue mich. *Je me réjouis.*

Das freut mich. *Cela me fait plaisir.*

Ich bin sehr zufrieden. *Je suis très content.*

Ich bin froh,... *Je suis content...* ou *Je suis heureux...* [soulagement]

→ p. 64 (La joie, le bonheur)

Lors d'une visite

Wie schön, dass ihr da seid!
Quelle joie de vous voir !

Ach ist das schön, euch zu sehen!
Comme je suis content(e) de vous voir !

Ich freue mich, dich zu sehen.
Je suis content(e) de te voir. ou *Cela me fait plaisir de te voir.*

Das freut mich aber, dass ihr mich mal besuchen kommt!
Comme je suis ravi que vous veniez me rendre visite !

Ich freue mich sehr darauf, euch zu Weihnachten wieder zu sehen.
Je me réjouis d'avance à l'idée de vous revoir à Noël.

À propos d'une réussite

Ich bin froh, dass ich diese Prüfung bestanden habe.
Je suis content ou *soulagé d'avoir réussi à cet examen.*

Das hast du gut gemacht! Ich bin stolz auf dich.
C'est très bien ! Je suis fier de toi.

Bravo, deine Noten sind ausgezeichnet!
Bravo, tes notes sont excellentes !

Du kannst mit diesem Ergebnis zufrieden sein.
Tu peux être satisfait de ce résultat.

Wir sind sehr mit Ihrer Arbeit zufrieden.
Nous sommes très satisfaits de votre travail.

Es freut mich wirklich, dass deine harte Arbeit von Erfolg gekrönt wurde.
Je me réjouis vraiment que ton travail si dur ait porté ses fruits.

Endlich hab ich's geschafft, das Geld für die Frankreichreise zusammenzukriegen. Ich freu' mich so, nächsten Monat geht's los!
J'ai enfin réussi à réunir l'argent pour faire ce voyage en France. Je suis tellement content(e). On partira le mois prochain.

→ p. 71 (Les examens)

Lexique

Verbes et expressions

sich (A) **über etwas** (A) **freuen**
se réjouir de qqch, être content de

sich (A) **auf etwas** (A) **freuen**
se réjouir à la pensée d'un événement futur

über etwas (A) **froh sein**
se réjouir de qqch

mit etwas (D) **zufrieden sein**
être satisfait de qqch

auf jdn stolz sein
être fier de qqn

Noms et adjectifs

die Freude (n)
la joie

die Zufriedenheit
la satisfaction

glücklich, froh
heureux

Traduction du texte p. 322

*Les joies du bac / **Père** Alors, tu es content de ton bac ? / **Fils** Bof, je pense que j'aurais pu avoir de meilleurs résultats. / **Père** Pourquoi ? Qu'est-ce que tu as comme moyenne ? / **Fils** 2,1. **Père** Mais c'est un excellent résultat ! Tu peux être fier de toi ! / **Fils** Oui, mais ce ne sera pas suffisant pour faire des études de médecine. / **Père** Ça, je n'en suis pas si sûr. Au pire, tu vas devoir attendre quelques semestres avant d'obtenir une place à l'université. / **Fils** Tu crois ? **Père** J'en suis quasiment certain. Et de toute façon, laisse-moi te dire une chose : tu as vraiment fait un très bon bac. Peu importe que tu puisses faire des études de médecine ou pas. Je suis tout simplement content pour toi. / **Fils** Tu as raison. On va faire les courses maintenant ? / **Père** Les courses ? / **Fils** Oui, pour la fête ce soir. Un super bac comme ça, ça se fête !*

29 Exprimer sa gratitude, remercier quelqu'un

Eine Überraschung
Er So, du darfst hereinkommen. Der Geburtstagstisch ist fertig.
Sie Ach wie schön! Sogar einen Kuchen hast du gebacken!
Er Das ist doch das Mindeste... Aber nun pack deine Geschenke aus!
Sie Lass mich doch erst einmal diesen schönen Tisch bewundern... Die Orchideen sind wirklich zauberhaft.
Er Sieh dir doch mal dieses Päckchen an!
Sie Hm... was haben wir denn da? Der neue Roman von Rafik Schami auf Audio-CD! Vielen Dank! Und das hier... meine Güte, ein CD-Player!
Er Damit du dich im Zug nicht langweilst.
Sie Was für ein Zug?
Er Sieh mal in diesen Umschlag.
Sie Was ist das denn... nein... ich glaube es nicht: ein Gutschein für eine Woche Thalasso in Warnemünde! Das gibt's ja gar nicht!
Er Freust du dich?
Sie Und wie! Ich liebe die Ostseeküste... und eine Woche ausspannen in einem schicken Wellness-Hotel... traumhaft. Ich weiß gar nicht, wie ich dir danken soll!
Er Wie wär's mit einem Küsschen?

@ www.bescherelle.com

Modèle général

Danke! *ou* **Danke schön!** *ou* **Danke vielmals!** *Merci ! ou Merci beaucoup !*

Vielen Dank! *ou* **Herzlichen Dank!** *Merci beaucoup !*

Aufrichtigen Dank! *Mes sincères remerciements !*

Oh, wie schön! Tausend Dank! *Que c'est joli ! Merci mille fois !*

Das ist aber nett! Recht herzlichen Dank!
Comme c'est gentil! Merci beaucoup!

Wie soll ich dir *ou* Ihnen dafür danken?
Comment te ou vous remercier ?

Ich danke dir für deine *ou* Ihnen für Ihre Glückwünsche.
Je te remercie ou Je vous remercie de vos vœux.

Ich bin dir sehr dankbar für deine Hilfe.
Je te suis très reconnaissant de ton aide.

Ich möchte mich bei Ihnen für Ihre Hilfe bedanken.
J'aimerais vous remercier de votre aide.

Ich wollte mich noch mal bei dir für deine liebe Hilfe bei Katalinas Geburtstagsfeier bedanken.
Je voulais te remercier de nouveau de ton aide si gentille à la fête d'anniversaire de Katalina.

→ p. 227 (Remercier)

Lexique

Verbes et expressions

jdm für ein Geschenk danken, sich (A) **bei jdm für ein Geschenk bedanken**
remercier qqn de son cadeau

jdm für etwas (A) **dankbar sein**
être reconnaissant à qqn de qqch

Noms

der Dank
les remerciements

die Dankbarkeit
la reconnaissance

Traduction du texte p. 325

Une surprise / **Lui** Voilà, tu peux entrer. La table d'anniversaire est prête. / **Elle** Comme c'est joli! Et tu as même fait un gâteau! / **Lui** C'est la moindre des choses... Mais maintenant, déballe tes cadeaux. / **Elle** Laisse-moi d'abord admirer cette belle table... Les orchidées sont vraiment magnifiques! / **Lui** Regarde ce petit paquet! / **Elle** Hm... qu'est-ce que c'est que ça ? Le nouveau roman de Rafik Schami sur CD audio! Merci beaucoup! Et ça... mon Dieu, un lecteur de CD! **Lui** Pour que tu ne t'ennuies pas dans le train. / **Elle** Quel train ? / **Lui** Regarde à l'intérieur de cette enveloppe. / **Elle** Qu'est-ce que... non... je n'arrive pas à y croire : un bon pour une semaine de thalasso à Warnemünde! Ce n'est pas possible! / **Lui** Tu es contente ? / **Elle** Et comment! J'adore la mer Baltique... et une semaine de détente dans un hôtel de fitness haut de gamme... c'est le rêve. Je ne sais pas comment te remercier. / **Lui** Un petit bisou peut-être ?

30 Exprimer sa surprise, son étonnement, sa consternation

Eine Begegnung

Lukas He, Florian, bist du das?

Florian Ja... öh... wer sind Sie denn?

Lukas Kennst du mich nicht mehr? Lukas, Lukas Schröder.

Florian Na so was! Das ist ja unglaublich! Lukas! Was machst du denn hier in Cochem?

Lukas Ich habe vor zwei Wochen meine neue Stelle angetreten, im Krankenhaus.

Florian Na so eine Überraschung! Da wohnst du also auch wieder hier?

Lukas Ja, ich habe eine nette Wohnung gefunden, mit Blick auf die Mosel.

Florian Wer hätte das gedacht, dass wir uns noch einmal über den Weg laufen!

Lukas Tja...

Florian Da können wir ja bestimmt mal über die guten alten Zeiten reden!

Lukas Furchtbar gern. Wenn du magst, können wir uns gleich heute Abend treffen.

Florian Das machen wir. Sagen wir um acht Uhr, beim Italiener auf dem Marktplatz?

Lukas Abgemacht!

@ www.bescherelle.com

Modèle général

Na, das ist aber eine Überraschung! *Quelle surprise !*

Das ist ja unglaublich! *Ce n'est pas croyable !*

Da bin ich völlig sprachlos! *J'en reste bouche bée !*

Na, so was! *Ça alors !*

Das gibt's doch gar nicht! *Ce n'est pas possible!*

Das darf doch nicht wahr sein! *Ce n'est pas vrai!*

Ach du meine Güte! *ou* **Ach Gott!** *ou* **Ach du liebe Zeit!**
Mon Dieu! [interjection exprimant l'étonnement ou la frayeur]
➔ p. 65 (L'étonnement)

Lors d'une rencontre inattendue

Ja, was machst du denn hier?
Mais..., qu'est-ce que tu fais ici ?

Na, so was! Du in Berlin! Wer hätte das gedacht!
Ça alors! Toi à Berlin! Qui aurait pensé cela!

Was für ein Zufall! Sie hier!
Quel hasard! Vous ici!

Das ist doch nicht zu glauben!
Ce n'est pas croyable!

Peter!... Ich traue meinen Augen nicht!
Peter!... Je n'en crois pas mes yeux!

Lexique

Verbes et expressions
über etwas (A) **staunen, sich** (A) **über etwas** (A) **wundern**
s'étonner de qqch
verwundert sein
être étonné
verblüfft sein
être stupéfait
seinen Augen nicht trauen
ne pas croire ses yeux
von etwas (D) **überrascht sein**
être surpris de qqch
bestürzt sein
être consterné

Noms et adjectifs
die Überraschung (en)
la surprise
das Erstaunen, die Verwunderung
l'étonnement
die Bestürzung
la consternation
unglaublich
incroyable

Traduction du texte p. 327
Une rencontre / **Lukas** *Hé, Florian, c'est bien toi ? /* **Florian** *Oui... euh... mais qui êtes-vous ?* **Lukas** *Tu ne me connais plus ? Lukas, Lukas Schröder. /* **Florian** *Ça alors! C'est incroyable! Lukas! Qu'est-ce que tu fais ici à Cochem ? /* **Lukas** *J'ai commencé à mon nouveau poste, à l'hôpital.* **Florian** *Mais quelle surprise! Tu veux dire que tu habites à nouveau ici ? /* **Lukas** *Oui, j'ai trouvé un*

appartement sympa, avec vue sur la Moselle. / **Florian** *Qui eût cru qu'on allait se retrouver un jour comme ça, par hasard!*
Lukas *Eh oui... /* **Florian** *On pourra certainement se retrouver pour parler du bon vieux temps!*
Lukas *Très volontiers. Si tu veux, on peut se voir dès ce soir. /* **Florian** *C'est ce que nous allons faire. On dit à huit heures, chez l'Italien de la place du marché ? /* **Lukas** *Marché conclu!*

31 Exprimer son espoir, sa confiance en l'avenir

Die Fahrprüfung
Kai Na, bist du schon nervös?
Christa Nervös?
Kai Du hast doch Fahrprüfung morgen! Ich hoffe, dass alles gut geht!
Christa Och, da mache ich mir keine Sorgen.
Kai Na, du bist ja ganz schön optimistisch!
Christa Das wird schon klappen, da bin ich wirklich zuversichtlich.
Kai Na dann: toi, toi, toi!

@ www.bescherelle.com

Modèle général

Ich hoffe, dass alles klappt. *J'espère que tout ira bien.*

Hoffentlich geht alles gut. *Espérons que tout ira bien.*

Ich bin guten Muts. *J'ai bon espoir.*

Da bin ich ganz zuversichtlich. *ou* **Da bin ich ganz optimistisch.**
Je suis tout à fait optimiste.

Da mach' ich mir keine Sorgen.
Je ne me fais pas de soucis.

Das wird schon werden. *Ça va aller.*

→ **p. 60** (La confiance)

À propos d'une réussite

Ich hoffe sehr, dass ich die Fahrprüfung bestehen werde.
J'espère beaucoup passer mon permis de conduire.

Was Peters Laufbahn betrifft, bin ich ganz zuversichtlich.
Quant à la carrière de Peter, je suis tout à fait confiant.

À propos d'une guérison

Ich gebe die Hoffnung nicht auf, dass er wieder gesund wird.
Je n'abandonne pas l'espoir qu'il guérira.

Wir hoffen auf *ou* **Wir erhoffen eine bessere Zukunft.**
Nous attendons des jours meilleurs.

Lexique

Verbes et expressions
auf etwas (A) **hoffen, hoffen, dass...**
espérer
zuversichtlich sein
être confiant
optimistisch sein
être optimiste
guten Muts sein
avoir bon espoir

Noms et adjectifs
die Hoffnung (en)
l'espoir
die Zuversicht
l'optimisme
die Aussicht (en)
la perspective
hoffentlich
espérons que
hoffnungsvoll
plein d'espoir

Traduction du texte p. 329
*L'examen du permis de conduire / **Kai** Alors, tu commences à être nerveuse ? / **Christa** Nerveuse ? **Kai** Ben oui, tu passes le permis de conduire, demain ! J'espère que tout ira bien ! / **Christa** Oh, je ne me fais pas de souci. / **Kai** Dis donc, tu m'as l'air bien optimiste ! / **Christa** Cela va bien se passer, je suis très confiante. / **Kai** Dans ce cas : bonne chance !*

32 Exprimer sa confiance en quelqu'un

Schlechte Neuigkeiten

Vater Na, Sebastian, was gibt's Neues in der Schule?

Sebastian Nichts Besonderes.

Vater Bist du sicher?

Sebastian Na klar. Du weißt doch, dass du mir vertrauen kannst.

Vater Also nun sei doch mal ehrlich: Gibt es irgendwas, was du mir sagen solltest?

Sebastian Na ja, also wenn du die Wahrheit wissen willst... ich habe die Mathearbeit verpatzt.

Vater Ich wußte es doch! Warum hast du das nicht gleich gesagt?

Sebastian Weil du dich immer gleich aufregst, wenn ich eine schlechte Note habe.

Vater Da hast du nicht ganz Unrecht. Na gut. Ich werde in Zukunft versuchen, ruhig zu bleiben. Aber du darfst mir auch nichts mehr verschweigen!

Sebastian Geht in Ordnung.

@ www.bescherelle.com

Modèle général

Ich vertraue dir ganz und gar. *J'ai entière confiance en toi.*

Ich habe volles Vertrauen zu dir. *J'ai une confiance absolue en toi.*

Ich habe ihm mein volles Vertrauen geschenkt.
Je lui ai fait entièrement confiance.

Ich glaube dir aufs Wort. *Je te crois sur parole.*

Ich weiß, dass ich mich auf dich verlassen kann.
Je sais que je peux compter sur toi.

Ich weiß, dass ich immer auf dich zählen kann.
Je sais que je peux toujours compter sur toi.

Ich zweifle nicht im geringsten an deiner Ehrlichkeit.
Je n'ai pas le moindre doute quant à ton honnêteté.

Ich weiß doch, dass du der ehrlichste Mensch der Welt bist!
Je sais bien que tu es la personne la plus honnête du monde.

Ich habe nie daran gezweifelt, dass du die Wahrheit gesagt hast.
Je n'ai jamais douté que tu aies dit la vérité.

→ p. 60 (La confiance)

Lexique

Verbes et expressions

jdm vertrauen
avoir confiance en qqn
Vertrauen zu jdm haben
avoir confiance en qqn
jdm sein Vertrauen schenken
faire confiance à qqn
vertrauenswürdig sein
être digne de confiance
jdm glauben
croire qqn
sich auf jdn verlassen können (o, o, a)
pouvoir compter sur qqn
auf jdn zählen können (o, o, a) *pouvoir compter sur qqn*
nicht an jdm, etwas (D) **zweifeln**
ne pas douter de qqn, qqch

Noms et adjectifs

das Vertrauen
la confiance
ehrlich
honnête
vertrauensvoll
confiant

Traduction du texte p. 331

De mauvaises nouvelles / **Père** Alors, Sebastian, quoi de neuf à l'école ? / **Sebastian** Rien de spécial. **Père** Tu es sûr ? / **Sebastian** Mais oui. Tu sais bien que tu peux me faire confiance. / **Père** Allez, dis la vérité. Y a-t-il quelque chose que tu devrais me dire ? / **Sebastian** Bon d'accord, si tu veux savoir la vérité... j'ai raté le contrôle de maths. / **Père** Je le savais ! Pourquoi ne pas me l'avoir dit tout de suite ? / **Sebastian** Parce que tu montes tout de suite sur tes grands chevaux quand j'ai une mauvaise note. / **Père** Là, tu n'as pas complètement tort. Bon, je tenterai désormais de garder mon calme. Mais tu dois arrêter de me cacher des choses ! / **Sebastian** Ça marche.

33 Exprimer ses regrets, sa compassion

Pech gehabt!

Markus Ja Sonja, was machst du denn im Büro heute Morgen? Wolltest du nicht ein paar Tage wegfahren?

Sonja Ja, aber es ist alles schief gegangen.

Markus Das tut mir aber leid für dich. Nun erzähl doch mal!

Sonja Zuerst hat meine Freundin Ilse abgesagt. Sie sollte mitkommen.

Markus Ach, wie dumm!

Sonja Dann hatte ich eine Panne mit dem Auto...

Markus Verflixt aber auch!

Sonja... und dann ist auch noch meine EC-Karte im Automaten stecken geblieben. Da habe ich beschlossen, den Urlaub zu verschieben.

Markus Du bist aber auch ein Pechvogel! Komm, jetzt gehen wir erstmal einen Kaffe trinken...

@ www.bescherelle.com

Modèle général

Das ist aber schade! *ou* **Schade!** *ou* **Wie schade!**
Que c'est dommage !

Das tut mir aber leid! Je suis désolé !

Ich bedaure das sehr! Je le regrette beaucoup !

Wie bedauerlich! Que c'est regrettable !

Leider... Malheureusement...

So ein Pech! Quelle malchance !

Du Ärmster! Pauvre vieux !

Mein Gott! Mon Dieu !

Du lieber Himmel! Pour l'amour du ciel!

Niemand möchte bemitleidet werden. Ich möchte dir doch nur mein Mitgefühl ausdrücken.
Personne n'a envie d'être plaint. Tout ce que je voudrais c'est t'exprimer ma compassion.

➜ p. 64 (Les émotions)

À propos d'un rendez-vous manqué

Es tut mir wirklich leid, dass ich nicht kommen konnte.
Je regrette beaucoup de ne pas avoir pu venir.

Wie schade, dass wir uns verpasst haben.
Quel dommage que nous nous soyons manqués.

Ich bedaure sehr, dass Sie gestern Abend nicht dabei sein konnten.
Je regrette beaucoup que vous n'ayez pas pu être parmi nous hier soir.

Lexique

Verbes et expressions
mit jdm Mitleid haben
éprouver de la compassion pour qqn
jdn bemitleiden, bedauern
plaindre qqn, éprouver de la pitié pour qqn
etwas bedauern
regretter qqch
jdm tut etwas leid
qqn regrette qqch
sein Mitgefühl aus/drücken
exprimer sa compassion

Noms
das Mitleid
la pitié
das Mitgefühl
la compassion

Traduction du texte p. 333
Pas de chance! / **Markus** Mais Sonja, qu'est-ce que tu fais au bureau, ce matin ? Tu ne voulais pas partir quelques jours ? / **Sonja** Si, mais ça a complètement raté. / **Markus** Je suis vraiment désolé pour toi! Allez, raconte! / **Sonja** D'abord, ma copine Ilse a annulé. Elle devait venir avec moi. **Markus** Comme c'est dommage! / **Sonja** Puis, je suis tombée en panne avec la voiture... / **Markus** Zut alors! / **Sonja** ... et enfin, ma carte bancaire a été avalée par le distributeur. C'est là que j'ai décidé de remettre les vacances à plus tard. / **Markus** La malchance te poursuit, on dirait! Viens, on va d'abord prendre un café...

34 Consoler, rassurer, réconforter quelqu'un

Schlüsselprobleme

Maria Maria Wagner.

Martina Ich bin's, Martina.

Maria Hallo, Martina! Was hast du denn?

Martina (jammert) So was kann auch nur mir passieren!

Maria Nun beruhige dich doch!

Martina Du hast gut reden!

Maria So schlimm kann es doch nicht sein! Was ist denn los?

Martina Ich komme nicht mehr in meine Wohnung. Ich habe mich ausgeschlossen.

Maria Das ist doch nicht so schlimm! Wo bist du denn?

Martina Ich stehe vor meiner Haustür.

Maria Keine Panik. In zehn Minuten bin ich da.

Martina Aber ich muss doch in meine Wohnung rein!

Maria Um zehn Uhr abends wird das etwas schwierig sein. Aber du kannst heute gern bei mir übernachten.

Martina Meinst du wirklich?

Maria Aber klar. Und morgen früh rufen wir den Schlüsseldienst an, damit sie dir aufschließen.

Martina Wenn ich dich nicht hätte!

Maria Bis gleich!

@ www.bescherelle.com

Modèle général

Das macht doch nichts. *Ça ne fait rien.*

Das ist doch alles nicht so schlimm. *Ce n'est pas si grave.*

Das ist doch kein Unglück. *Ce n'est pas un malheur.*

Nun mach dir mal keine Sorgen. *ou* **Keine Sorge!**
Ne te fais pas de souci. ou Ne t'inquiète pas !

Du brauchst doch keine Angst zu haben! *N'aie pas peur !*

Es wird schon alles wieder gut. *Tout finira bien par s'arranger.*

So beruhige dich doch! *Calme-toi !*

Wein doch nicht so! *Ne pleure pas comme ça !*
➜ p. 65 (La tristesse) ➜ p. 337 (Exprimer sa tristesse)

Lors d'un échec

Mach dir nichts draus. Das kann jedem passieren.
Ne t'en fais pas. Ça peut arriver à tout le monde.

Sei nicht traurig! Das ist doch alles halb so schlimm.
Ne sois pas triste ! Ce n'est pas si grave.

Keine Panik, das wirst du das nächste Mal schon schaffen.
Pas de panique. Tu y arriveras bien la prochaine fois.

Wenn es weiter nichts ist! *Si ce n'est que ça !*

Kopf hoch! Das wird schon gut gehen!
Courage ! Ça ira !

Da kann man sicher etwas tun!
On peut sûrement faire quelque chose !

Lexique

Verbes et expressions
jdn trösten
consoler qqn
jdn beruhigen
rassurer qqn
sich beruhigen
se calmer
sich (D) **keine Sorgen machen**
ne pas se faire de souci
keine Angst haben
ne pas avoir peur

Noms et adjectifs
der Trost
la consolation
die Beruhigung
l'apaisement
die Sorge (n)
le souci
die Angst (¨e)
l'angoisse
beruhigend
rassurant

Traduction du texte p. 335
Problèmes de clés / **Maria** Maria Wagner. / **Martina** C'est moi, Martina. / **Maria** Salut, Martina! Qu'est-ce qu'il y a ? / **Martina** (pleurniche) Il n'y a qu'à moi qu'il arrive des choses pareilles. **Maria** Calme-toi! / **Martina** Facile à dire! / **Maria** Ça ne peut pas être si grave que ça! Que se passe-t-il ? / **Martina** Je ne peux plus rentrer dans mon appartement. Je me suis enfermée dehors. **Maria** Ce n'est pas si grave que ça! Où es-tu ? / **Martina** Devant ma porte d'entrée. / **Maria** Pas de panique. Je serai là dans dix minutes. / **Martina** Mais je dois rentrer chez moi! / **Maria** À 10 heures du soir, ce sera un peu difficile. Mais tu peux venir dormir chez moi. / **Martina** Tu es sûre ? / **Maria** Mais oui. Et demain matin, on appelle le serrurier pour qu'il vienne t'ouvrir.
Martina Qu'est-ce que je ferais sans toi! / **Maria** À tout de suite!

35 Exprimer sa tristesse, son chagrin, son désespoir

Mutzi

Er Stimmt etwas nicht, Carmen?
Sie Ich bin so traurig wegen Mutzi.
Er Sie kommt bestimmt bald wieder.
Sie Ich habe alle Hoffnung aufgegeben.
Er Sei doch nicht so pessimistisch! Katzen verschwinden gerne für ein paar Tage, das weißt du doch.
Sie Ich glaube nicht, dass sie wiederkommt. Ich bin vollkommen verzweifelt.
Er Nimm dir das nicht so zu Herzen. Sie wird schon wiederkommen.
Sie Ich glaube es einfach nicht. Mir ist zum Heulen zumute!
Er Na komm, das wird schon wieder!

@ www.bescherelle.com

Modèle général

Ich bin traurig/deprimiert. *Je suis triste/déprimé(e).*

Mir ist traurig zumute. *Je suis d'humeur triste.*

Ich bin enttäuscht. *Je suis déçu.*

Es ist zum Verzweifeln. *C'est à désespérer.*

Ich sehe alles schwarz. *Je vois tout en noir.*

Ich weiß nicht, was ich tun soll. *Je ne sais pas quoi faire.*

Ich bin am Ende. *Je suis à bout.*

➜ p. 65 (La tristesse)

Lors d'incidents désagréables

Dass meine Freundin abgereist ist, macht mich traurig.
Que mon amie soit partie me rend triste.

Ich bin sehr enttäuscht, dass sie nicht länger geblieben ist.
Je suis très déçu(e) qu'elle ne soit pas restée plus longtemps.

Ich bin traurig, weil meine Katze verschwunden ist.
Je suis triste parce que mon chat a disparu.

Lors d'un événement grave

Ich bin erschüttert: Mein Onkel hatte einen Autounfall.
Je suis bouleversé : mon oncle a eu un accident de voiture.

Mein Freund hat mich verlassen: Ich bin todunglücklich.
Mon ami m'a quittée : je suis vraiment malheureuse.

Ich bin verzweifelt, ich wurde gestern entlassen.
Je suis désespéré, j'ai été licencié hier.

Ich habe die Hoffnung aufgegeben, meine Stelle zu behalten.
J'ai perdu l'espoir de garder mon poste.

Ich sehe keinen Ausweg aus dieser Lage.
Je ne vois pas d'issue à cette situation.

Lexique

Verbes et expressions

traurig/deprimiert sein
être triste/déprimé

am Ende sein
être à bout

verzweifeln
désespérer

die Hoffnung auf/geben (a, e, i)
abandonner tout espoir

Traduction du texte p. 337
Mutzi / **Lui** Quelque chose ne va pas, Carmen ? / **Elle** Je suis si triste à cause de Mutzi. / **Lui** Il reviendra bientôt, j'en suis sûr. / **Elle** J'ai abandonné tout espoir. / **Lui** Ne sois pas si pessimiste ! Les chats aiment bien disparaître pendant quelques jours, tu le sais bien. / **Elle** Je ne crois pas qu'il reviendra. Je suis vraiment désespérée. / **Lui** Ne prends pas les choses à cœur comme ça. Il finira par revenir. / **Elle** Je n'y crois pas. J'ai envie de pleurer. / **Lui** Allez viens, tout va s'arranger !

36 Exprimer sa peur, sa crainte, son inquiétude

Unter freiem Himmel
Ernst Ist es nicht schön hier?
Lukas Ja, schon...
Ernst Sieh mal, der Mond spiegelt sich im See wider...
Lukas Hast du das gehört?
Ernst Was denn?
Lukas So ein seltsames Geräusch...
Ernst Hast du etwa Angst?
Lukas Nein, aber unter freiem Himmel schlafen... das ist mir schon etwas unheimlich.
Ernst Du Angsthase! Warst du nie bei den Pfadfindern als Junge?
Lukas Nein...
Ernst Das dachte ich mir.

@ www.bescherelle.com

Modèle général

Ich habe Angst vor... (D) *ou* **Ich fürchte mich vor...** (D)
J'ai peur de...

Ich habe vor... (D) **Angst**
J'ai peur de...

Vor Angst...
De peur...

Aus Angst...
Par peur...

Ich habe Angst um... (A) *ou* **Ich habe um...** (A) **Angst.**
J'ai peur pour...

Ich habe eine Heidenangst. *(fam.)*
J'ai une peur bleue.

Ich mache mir Sorgen um... (A) *ou* **Ich mache mir um...** (A) **Sorgen.**
Je me fais du souci pour...

Ich bin sehr beunruhigt.
Je suis très inquiet.

Ich befürchte das Schlimmste. *Je crains le pire.*
➜ p. 66 (La peur)

Face à une situation difficile

Ich habe Angst vor der Mathematikprüfung.
J'ai peur de l'examen de mathématiques.

Beim Gedanken an die Fahrprüfung zittere ich vor Angst.
Je tremble de peur en pensant à l'examen de conduite.

Ich fürchte mich (davor), abends allein nach Hause zu gehen.
J'ai peur de rentrer seul le soir.

Vor Angst konnte ich nicht schlafen.
J'ai eu tellement peur que je n'ai pas pu dormir.

À propos de quelqu'un

Ich mache mir um meinen kleinen Bruder Sorgen.
Je me fais du souci pour mon petit frère.

Hoffentlich ist ihm nichts passiert!
Pourvu que rien ne lui soit arrivé!

Der Gesundheitszustand meines Vaters ist sehr beunruhigend.
L'état de santé de mon père est inquiétant.

Ich bin um seine Gesundheit besorgt.
Je m'inquiète de son état de santé.

Ich befürchte, dass er nicht wieder gesund wird.
Je crains qu'il ne guérisse plus.

→ p. 32 (L'état de santé)

Lexique

Verbes et expressions

vor etwas (D) **Angst haben**
avoir peur de qqch

sich (A) **vor etwas** (D) **fürchten**
avoir peur de qqch

etwas befürchten
craindre, redouter qqch

um etwas (A) **besorgt sein**
être inquiet de qqch

beunruhigt sein
être préoccupé

Noms

die Angst (¨e)
la peur, l'angoisse

die Furcht (seulement sg.)
la peur, la crainte

die Sorge (n)
le souci

die Beunruhigung
l'inquiétude

der Schreck
la frayeur

Traduction du texte p. 339

À la belle étoile / **Ernst** C'est pas beau, ici ? / **Lukas** Oui, certes... / **Ernst** Regarde, la lune se reflète dans le lac... / **Lukas** Tu as entendu ça ? / **Ernst** Quoi ? / **Lukas** Un bruit bizarre... / **Ernst** Tu n'as pas peur quand même ? / **Lukas** Non, mais dormir à la belle étoile... c'est un peu inquiétant. **Ernst** Trouillard, va ! Tu n'as jamais été chez les scouts quand tu étais petit ? / **Lukas** Non... **Ernst** C'est bien ce que je me disais.

37 Exprimer sa colère, son exaspération, son indignation

Parken

Julius He, Sie da! Das ist mein Parkplatz!

Doris Was schreien Sie denn so? Das ist wirklich unverschämt.

Julius Sie wissen ganz genau, dass ich zuerst da war!

Doris Das ist doch die Höhe! Sie Mercedesfahrer, Sie!

Julius Was fällt Ihnen ein? Wollen Sie mich etwa beleidigen?

Doris Wieso? Sie sitzen doch in einem Mercedes, oder? Nun kommen Sie schon, beruhigen Sie sich. Da drüben wird gerade ein anderer Platz frei...

Julius Da haben Sie aber Glück gehabt! Typisch Frau am Steuer!

Doris So ein Chauvi!

@ www.bescherelle.com

Modèle général

Wie ärgerlich! *Comme c'est ennuyeux !*

Das regt mich auf! *ou* **Das ärgert mich!** *Ça m'énerve !*

Ich bin wütend. *ou* **Ich bin echt sauer!** *(fam.) Je suis furieux.*

Ich bin empört! *Je suis indigné !*

So eine Unverschämtheit! *Quel culot ! ou Quelle insolence !*

Das ist unerhört! *C'est inadmissible !*

Das hat mir gerade noch gefehlt! *Il ne manquait plus que cela !*

Was fällt Ihnen denn ein, mich zu beleidigen!
Qu'est-ce qui vous prend de m'insulter !

Jetzt reicht's mir aber! Hören Sie endlich auf, mich zu beschimpfen!
J'en ai assez! Arrêtez de m'insulter à la fin!

Das ist doch die Höhe! *C'est le comble!*

Was zu viel ist, ist zu viel! *Trop, c'est trop!*

Das geht zu weit! *C'en est trop!*

Das ist unerträglich! *C'est insupportable!*

Ich habe die Nase voll! *(fam.)* *J'en ai ras le bol!*

→ **p. 62** (Le mécontentement)
p. 63 (La querelle et la réconciliation)
p. 66 (La colère)

Lexique

Verbes et expressions

sich (A) **über etwas** (A) **ärgern**
se fâcher, se mettre en colère à propos de qqch

sauer sein *(fam.)*
être en colère

sich (A) **über etwas** (A) **auf/regen**
s'énerver à propos de qqch

jdn beleidigen
offenser qqn

jdn beschimpfen
insulter qqn

Noms et adjectifs

der Ärger
l'irritation, la colère

die Aufregung
l'excitation

der Zorn
la colère

die Wut
la rage

die Unverschämtheit
l'insolence

unverschämt
insolent, gonflé

wütend
furieux

empört
outré

Traduction du texte p. 342

Se garer / **Julius** *Hé, vous là-bas! C'est ma place!* / **Doris** *Qu'est-ce que vous avez à crier comme ça ? C'est vraiment incroyable!* / **Julius** *Vous savez très bien que j'étais là le premier.* / **Doris** *C'est vraiment le comble! Vous n'êtes qu'un conducteur de Mercedes!* / **Julius** *Qu'est-ce qui vous prend ? Vous voulez m'offenser, peut-être ?* / **Doris** *Pourquoi ? Vous êtes bien installé dans une Mercedes, non ? Allez, calmez-vous. Il y a une place qui se libère là-bas...* / **Julius** *Tant mieux pour vous! Ah, les femmes au volant...* / **Doris** *Quel macho!*

INDEX

Bescherelle
ALLEMAND

Index

Les numéros de pages en bleu font référence au VOCABULAIRE THÉMATIQUE.
Les numéros de pages en orange font référence au GUIDE DE COMMUNICATION.

A

B

C

D

F

TABLE DES ILLUSTRATIONS